Hartmut Aufderstraße
Jutta Müller
Thomas Storz

MW00368273

Lagune

Kursbuch 3

Deutsch als Fremdsprache

Hueber Verlag

CD Track

alle Hörtexte des gesamten Kursbuches, Band 3

Track

alle Hörtexte der hinten im Buch eingelegten CD:
- „Fokus Sprechen" der 7 Themenkreise
- Übungstest für die Prüfung *Zertifikat Deutsch*

eigenständige Gruppenarbeit

Redaktion: Veronika Kirschstein, Gondelsheim

Zeichnungen Inhalt: Frauke Fährmann, Pöcking

Zeichnungen *Augenzwinkern*, Pikto für eigenständige Gruppenarbeit, Cartoons Seite 81, 85, 140 und 158: Martin Guhl, cartoonexpress

Fotorecherche: Lisa Mammele, Hueber Verlag
Peter Weber, Unterhaching

Ein ausführliches Quellenverzeichnis befindet sich auf den Seiten 220–222.

7. 6. 5. | Die letzten Ziffern
2019 18 17 16 15 | bezeichnen Zahl und Jahr des Druckes.
Alle Drucke dieser Auflage können, da unverändert, nebeneinander benutzt werden.
1. Auflage

Umschlagfoto: © Getty Images / Jean-Pierre Pieuchot
Umschlagsgestaltung: Martin Lange Design, Karlsfeld
Satz, Layout, Grafik: Martin Lange Design, Karlsfeld
Druck und Bindung: Himmer AG, Augsburg
Produktmanagement und Herstellung: Astrid Hansen, Hueber Verlag
Printed in Germany
ISBN 978-3-19-001626-6

Art. 530_09638_001_05

Inhalt

Vorwort

Liebe Deutschlernerin, lieber Deutschlerner,

mit *Lagune* laden wir Sie ein, die Welt der deutschen Sprache zu entdecken. Unterwegs werden Sie auf vieles Interessante, Unterhaltsame und Amüsante treffen, das Sie beim Lernen anregt und Ihnen neue Impulse gibt.

Lagune unterstützt ein kleinschrittiges und kommunikatives Lernen und ermöglicht eine einfache Orientierung: Übergeordnete Themenkreise gliedern sich in jeweils fünf kurze Lerneinheiten, Fokus genannt. Eine solche Einheit berücksichtigt stets alle sprachlichen Fertigkeiten, stellt dabei jedoch immer eine bestimmte Fertigkeit, wie z. B. Lesen oder Hören, in den Mittelpunkt.

Jeder Themenkreis beginnt mit einer Fotocollage, die in das übergeordnete Thema einführt, und klingt mit einer großen Fotodoppelseite zur Landeskunde aus. Ein amüsantes Kurzgespräch, das augenzwinkernd die neuen Lerninhalte nochmals aufnimmt, schließt jeden Themenkreis ab.

Am Ende eines jeden Bandes von *Lagune* finden Sie einen Übungstest mit Lösungen.

Wir wünschen Ihnen viel Freude und Erfolg beim Deutschlernen mit *Lagune*.

Ihre Autoren und Ihr Hueber Verlag

Themenkreis
Wünsche und Wirklichkeit

1 Fokus Strukturen

1 Wünsche und Probleme

a. Betrachten Sie die Zeichnungen und beschreiben Sie die Situationen dann im Kurs.

⊙ *Auf der ersten Zeichnung sieht man eine Frau im Bett. Ich glaube, die Musik stört sie.*
◆ *Auf der zweiten kann man einen Mann sehen. Er steht vor einer Badewanne. Darin ist …*

b. Was passt?

1. Sie würde gern ___
2. Er würde gern ___
3. Er würde gern ___
4. Sie würden gern ___

A baden, aber er hat Angst vor der Spinne.
B schwimmen, aber das ist hier verboten.
C schlafen, aber die Musik ist zu laut.
D eine E-Mail schreiben, aber der Computer funktioniert nicht.

c. Was würden Sie tun?

Überlegen Sie zuerst mit einer Partnerin/einem Partner und machen Sie sich Notizen. Diskutieren Sie dann im Kurs. Beginnen Sie mit der ersten Zeichnung.

⊙ *Ich würde die Polizei rufen.*
◆ *Das finde ich übertrieben.*
⊙ *Aber was würdest du denn tun?*
◆ *Ich würde einfach warten. Irgendwann hört die Musik bestimmt auf.*
□ *Und du/ihr?*
▶ *Ich würde …/Wir würden …*

ich würd**e** du würd**est** er/sie/es würd**e** wir würd**en** ihr würd**et** sie/Sie würd**en**	warten die Polizei rufen ...

Ich würde (nicht) …
Man kann doch auch …
Muss man denn …?
Warum soll ich nicht …?
Das finde ich/finden wir …
Es geht doch nicht, dass …

◎ sich beschweren ◎ die Stereo-Anlage laut stellen ◎ sich das Kissen fest über den Kopf ziehen ◎ gar nichts tun ◎ einen Freund holen ◎ trotzdem hineingehen ◎ das Handy nehmen und … ◎ eine andere Stelle suchen ◎ den Computer neu starten ◎ bei den Nachbarn klingeln ◎ zu einem Badesee fahren ◎ in ein Internet-Café gehen ◎ den Vermieter anrufen ◎ aufstehen und mitspielen ◎ … ◎

2 Sie hätte lieber ... / Er wäre lieber ...

a. Beschreiben Sie die Zeichnungen.

b. Was passt?

1. Sie hat einen Balkon, aber sie hätte lieber einen Garten.
2. Sie haben einen Pkw, aber sie hätten lieber ein Wohnmobil.
3. Er ist in einem Klavierkonzert, aber er wäre lieber zu Hause.
4. Sie sind in den Bergen, aber sie wären lieber am Meer.

A Dann könnten sie den ganzen Tag am Strand liegen.
B Dann könnte er fernsehen.
C Dann könnten sie auch bei Regen bequem Camping machen.
D Dann könnte sie ihre Freunde zu Gartenpartys einladen.

c. Sammeln Sie weitere Argumente zu den Situationen 1–4 und stellen Sie sie im Kurs vor.

⊙ *Der Balkon ist ihr wahrscheinlich zu klein. Deshalb hätte sie lieber einen Garten.*
◆ *Dann könnte sie zum Beispiel ..., und sie hätte auch ...*

Dort wäre es bestimmt wärmer. · Vielleicht mag er keine klassische Musik. · Das ist sicher ziemlich anstrengend. · Sie könnte viele Blumen pflanzen. · Sie hätten mehr Platz für ihr Gepäck. · Er findet das bestimmt langweilig. · Sie hätte den ganzen Tag Sonne. · ...

ich	**hätte**	**wäre**	**könnte**
du	**hättest**	**wärst**	**könntest**
er/sie/es	**hätte**	**wäre**	**könnte**
wir	**hätten**	**wären**	**könnten**
ihr	**hättet**	**wärt**	**könntet**
sie/Sie	**hätten**	**wären**	**könnten**

3 Hättest du gern ...? Wärst du gern ...?

Machen Sie ein Interview mit einer Partnerin/einem Partner.

⊙ *Hast du ein Auto?*
◆ *Nein, ich habe keins.*
⊙ *Hättest du denn gern eins?*
◆ *Ja, dann könnte ich .../Nein, ein Auto brauche ich nicht.*

⊙ *Hast du ein Fahrrad?*
◆ *Ja.*
⊙ *Hättest du lieber ein Motorrad?*
◆ *Nein, das wäre mir zu teuer./Ja, dann würde ich ...*

⊙ *Wärst du gerne Lehrer/Lehrerin?*
◆ *Nein, ich glaube nicht./Ja, ich glaube schon.*
⊙ *Warum ...?*
◆ *Das wäre mir .../Dann könnte ich ...*

Mikrowelle · Gitarre · Schlagzeug · DVD-Player · DVD-Rekorder · Hund · Katze · LCD-Bildschirm · Plasma-Bildschirm · Segelboot · Motorboot · ...

Sportler/in · Bauer/Bäuerin · Pilot/in · Hausmann/Hausfrau · Künstler/in · Arzt/Ärztin · ...

4 Wenn er ein Vogel wäre, ...

Ergänzen Sie die Sätze zusammen mit einem Partner/einer Partnerin.

a. Er ist kein Vogel. Wenn er ein Vogel wäre,
könnte er fliegen.

b. Sie hat kein Geld. Wenn sie Geld hätte,
würde sie ....

c. Er hat kein Auto. Wenn er ein Auto ....,
könnte er ....

d. Er ist kein Techniker. Wenn ....,
würde er ....

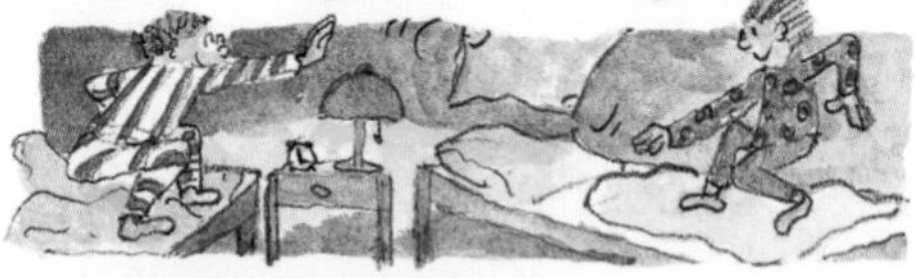

e. Sie sind nicht müde. Wenn ....,
würden sie ....

f. Er hat keine Leiter. Wenn ....,
könnte er ....

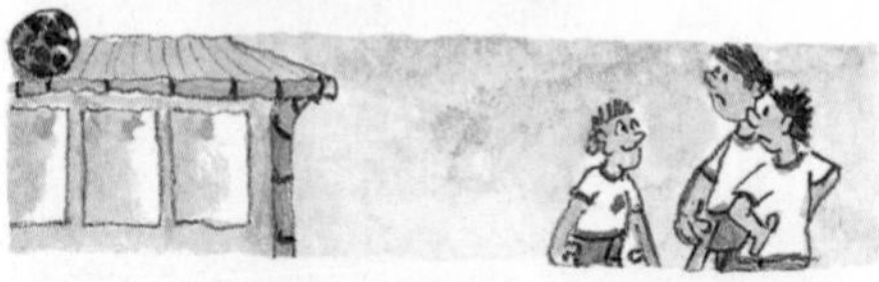

g. Sie haben ihren Ball nicht mehr. Wenn ....noch
......................., könnten sie ....

h. Sie sind nicht ängstlich. Wenn ....,
würden ....

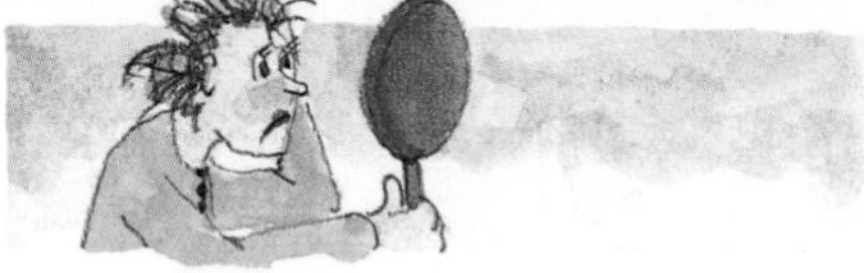

i. Sie hat keinen Kamm. Wenn ....,
könnte sie ....

~~hätte~~ · hätte · hätte · hätte · hätten · ~~wäre~~ · wäre · wären · wären

die Waschmaschine reparieren · ~~fliegen~~ · Fußball spielen · nicht über die Brücke gehen · sich die Haare kämmen · fahren · schlafen · sich ein Würstchen kaufen · die Äpfel pflücken

Er **ist** kein Vogel. Er **kann** nicht fliegen.
Wenn er ein Vogel **wäre, könnte** er fliegen.

5 Die Kommode passt nicht ins Auto.

a. Welche Vorschläge hören Sie? ✗

- 🐾 die hinteren Sitze umklappen
- 🐾 mit offener Tür fahren
- 🐾 einen Dachgepäckträger leihen
- 🐾 einen Lieferwagen mieten
- 🐾 auseinanderbauen und zweimal fahren
- 🐾 die Beine abmachen
- 🐾 einen Freund anrufen, der einen Transporter hat
- 🐾 das Möbelgeschäft: die Kommode liefern
- 🐾 die Kommode umtauschen

b. Spielen Sie das Gespräch nach und variieren Sie es.

- ☺ *Wenn wir Werkzeug dabeihätten, könnten wir …*
- ◆ *Wenn wir …, würde sie vielleicht hineinpassen.*
- ☐ *Vielleicht kann man … Soll ich mal fragen?*

- ▶ *Man könnte ja auch …*
- ◇ *Ich meine, wir …*
- ● *Gute Idee! Das machen wir.*

6 So ein Pech!

a. Betrachten Sie die Fotos und beschreiben Sie die Situationen.

b. Was könnte man in diesen Situationen tun?

Machen Sie sich Notizen und diskutieren Sie dann im Kurs.

Man könnte …
Vielleicht kann man …
Es wäre am besten, man würde …
Warum … man nicht … ?
Wenn …, dann …
Ich würde … Dann … könnte …
Meiner Meinung nach …

🌀 ADAC 🌀 Polizei 🌀 Feuerwehr 🌀
🌀 Nachbarn 🌀 Vermieter 🌀
🌀 Mechaniker 🌀 Eimer 🌀 Leiter 🌀
🌀 selbst 🌀 Tankstelle 🌀 … 🌀

🌀 abschleppen 🌀 (dabei)haben 🌀
🌀 holen 🌀 suchen 🌀 (an)rufen 🌀
🌀 klettern 🌀 abstellen 🌀 laufen 🌀
🌀 reparieren 🌀 schütten 🌀 … 🌀

Prima! Dann …
Das finde ich auch.
Ich wäre dafür.
Gute Idee, das wäre …
Ja, aber dann …
Lieber nicht, sonst / dann …
Das ist doch unmöglich. Dann …
Meinst du nicht auch, dass …?

c. Haben Sie ähnliche Situationen schon selbst erlebt?

Was haben Sie da gemacht? Erzählen Sie.

Fokus Lesen

1 Lebenspläne, Lebensträume

a. Betrachten Sie die Fotos und überlegen Sie mit einer Partnerin/einem Partner:

Wie alt sind die Personen? Welche Pläne oder Träume haben sie vielleicht für die Zukunft?

1

2

3

- ⊙ *Die Jugendliche ist 15 oder 16, glaube ich. Ihr Wunschberuf ist vielleicht ... Vielleicht möchte sie später ...*
- ◆ *Ich glaube, die Frau auf dem zweiten Foto ist etwa ... Jahre alt. Vielleicht träumt sie davon, ...*
- □ *Ich nehme an, der Mann kann bald in Rente gehen. Dann ...*

b. Hören Sie die drei Gespräche. Welche Person sagt was? 1 2 3 — 1|3-5

A (2) wüsste gern viel mehr über andere Länder.
B ( ) würde gern einen Fallschirmspringkurs machen, der ruhig teuer sein dürfte.
C ( ) sähe sich gern in einem Modemagazin.
D ( ) fände es gut, wenn alle mit 50 in Rente gingen.
E ( ) würde sich freuen, wenn bald ein tolles Angebot von einer Agentur käme.
F ( ) würde endlich gern tun, was sie will.
G ( ) mag es nicht, wenn alte Menschen auf Werbefotos zu jugendlich dargestellt werden.
H ( ) träumt davon, dass sie kein Handy mehr haben müsste.
I ( ) meint, man würde genauso glücklich leben, wenn es keine Anti-Aging-Produkte gäbe.
J ( ) findet, die Menschen sollten alles für die Schönheit tun.

müssen:	er/sie/es	**müsste**
dürfen:	er/sie/es	**dürfte**
wollen:	er/sie/es	**wollte**
sollen:	er/sie/es	**sollte**
wissen:	er/sie/es	**wüsste**

kommen:	er/sie/es	**käme**/würde kommen
sehen:	er/sie/es	**sähe**/würde sehen
geben:	er/sie/es	**gäbe**/würde geben
finden:	er/sie/es	**fände**/würde finden
gehen:	er/sie/es	**ginge**/würde gehen

2 Welche Pläne oder Träume haben Sie?

Mein Traumberuf ist ...
Ich fände es schön, wenn ich oft ... könnte.
Wenn es ginge, würde ich gern später ...
Einmal im Leben möchte ich ...

Ich würde mir wünschen, ich könnte ...
Ich würde gern mehr über ... wissen.
Meiner Ansicht nach ist es ..., für die Rente zu sparen.
...

3 Wie alt werden die Menschen?

Betrachten Sie die Statistik. Ergänzen Sie dann die Sätze zusammen mit einer Partnerin/einem Partner.

Durchschnittliche Lebenserwartung in Deutschland
(Angaben in Jahren)

Geburtsjahr	1950	1975	2000	2020
Jungen	64,6	68,6	74,8	76,7
Mädchen	68,5	75,2	80,8	83,0

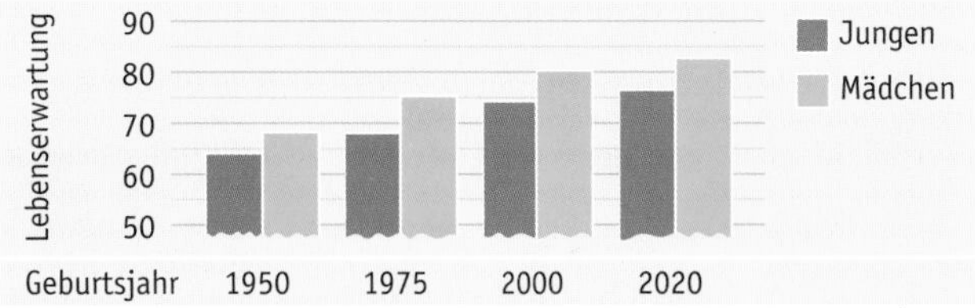

a. In dieser Tabelle geht es um *die durchschnittliche Lebenserwartung in Deutschland*.
b. Es gibt zwei Gruppen von Personen: Jungen und Mädchen.
c. Die Statistik beginnt mit dem Jahr 1950. (neunzehnhundert und fünfzig)
d. Sie endet mit dem Jahr 2020. (zweitausendundzwanzig)
e. Man kann feststellen, dass die Lebenserwartung ständig ....
f. Wenn man die zwei Gruppen vergleicht, kann man sehen, dass ....
g. Ein Mädchen, das 2000 geboren ist, kann ....
h. Insgesamt kann man erkennen: Die Lebenserwartung ist in den letzten 50 Jahren ....

zunimmt · ~~die durchschnittliche Lebenserwartung in Deutschland~~ · 2020 · Jungen und Mädchen · Mädchen eine höhere Lebenserwartung haben als Jungen · um mehr als 10 Jahre gestiegen · 1950 · fast 81 Jahre alt werden

4 Ein langes Leben – was sollte man dafür tun?

Formulieren Sie 7 goldene Regeln und ordnen Sie sie. Welche finden Sie am wichtigsten?
Arbeiten Sie in einer kleinen Gruppe und vergleichen Sie dann Ihre Ergebnisse im Kurs.

- oft lachen
- positiv denken
- gesund essen
- viel ... trinken
- wandern
- Sport treiben
- sich nicht aufregen
- nie aufhören zu ...
- immer neugierig bleiben
- vor Mitternacht schlafen gehen
- sich nicht so viele Sorgen machen
- sich selbst nicht so ernst nehmen
- öfter mal ... machen
- oft an der frischen Luft sein
- sich mit ... beschäftigen
- ...

1. Man sollte oft lachen.
2. Man müsste viel Sport treiben.
3. Man dürfte sich nicht ...
4. ...
5. ...
6. ...
7. ...

Man sollte ...
Man müsste aber auch ...
Wir sind der Meinung, dass ...
Unserer Ansicht nach ...

Das steht bei uns an erster Stelle.
Wir finden es viel wichtiger, ... zu ...
Am wichtigsten ist, dass ...
Sicher ist das auch wichtig, aber ...

Erstens: Man sollte ...
Zweitens: Man ...
Drittens: ...
...

5 Ein alter Traum der Menschheit

Lesen Sie zuerst die Einleitung des Textes auf der rechten Seite. Was ist richtig? X

a. Es ist ein alter Traum der Menschheit, bis zum Tod jung zu bleiben.
b. Jugendliche träumen davon, früh zu sterben.
c. Man hat es geschafft, bestimmte Fliegen künstlich zu verlängern.
d. Man hat es geschafft, dass bestimmte Fliegen länger leben.
e. Es ist möglich, dass es eines Tages eine Pille gegen das Altern gibt.
f. Es ist möglich, dass es bald eine Pille gegen den Tod gibt.

6 Zwei Meinungen zur Wunderpille

Lesen Sie nun die weiteren Abschnitte. Wer gebraucht diese Argumente? Sven S oder Anne A ?

a. Leben ohne Altern wäre gegen die Natur.
b. Die Wunderpille hätte nur Vorteile.
c. Die Wunderpille hätte schlimme Konsequenzen.
d. Man könnte sein Leben richtig genießen.
e. Die Kinder hätten vitale Großeltern.
f. Arme Menschen könnten sich diese Pille gar nicht leisten.
g. Man müsste die Alten nicht mehr pflegen.
h. Man wüsste das wirkliche Alter nicht.
i. Die Alten könnten länger im Beruf bleiben.
j. Die Jugendlichen würden keinen Job finden.
k. Es gäbe noch mehr Neid und Ungerechtigkeit auf der Welt.
l. Vielleicht gäbe es sogar weniger Scheidungen.
m. Man sollte lieber Medikamente gegen richtige Krankheiten entwickeln.
n. Altenheime könnten Freizeitanlagen werden.

7 Wie würde unsere Welt sich verändern, wenn es die Wunderpille gäbe?

Überlegen Sie und diskutieren Sie im Kurs.

Dann würde es sicher weniger ... geben.
Dann würden die Menschen alle ... aussehen.
Die Alten wären ...
Dann gäbe es vielleicht keine ... mehr.
Dann müsste man vielleicht bis 100 ...
Dann wären die Firmenchefs bestimmt ...
Man müsste vielleicht nur noch selten ...
Dann könnte man mit 90 noch ...
Die Gesellschaft hätte dann nur ...
Ich glaube nicht, dass die Menschen dann ...
Meiner Meinung nach wären ...
Ich bin der Meinung, dass die Jugendlichen ...
Die Wunderpille wäre eine Chance für ...
...

Krankheiten · Probleme · Scheidungen · Neid · Vorteile · Nachteile · Altenheime · Krankenhäuser · die Kranken · die Alten · die Arbeitslosen · die Pharmaindustrie · ...

jung · attraktiv · vital · aktiv · zufrieden · berufstätig · unglücklich · glücklich · unzufrieden · arbeitslos · ...

arbeiten · eine bessere Ausbildung bekommen · Steuern zahlen · in die Apotheke gehen · zum Arzt gehen · Sport treiben · rennen · reisen · ins Krankenhaus kommen · ...

der alte Mensch:	der **Alte**	ein alter Mensch:	ein **Alter**
den alten Menschen:	den **Alten**	einen alten Menschen:	einen **Alten**
die alten Menschen:	die **Alten**	alte Menschen:	**Alte**
...		...	

Was wäre, wenn ...

... der Mensch nicht mehr altern würde? Jung bleiben bis zum Tod – ein alter Traum der Menschheit. Bald könnte er wahr werden. Die biologische Forschung sucht schon seit vielen Jahren Antworten auf die Frage: Warum altern menschliche und tierische Zellen? Erste Erfolge gibt es schon bei Insekten: Die Lebenszeit bestimmter Fliegen konnte man bereits künstlich verlängern. Und eines Tages könnte es für den Menschen die Wunderpille gegen Krankheit und Alter geben. Vielleicht wird schon die Generation unserer Enkel 120 Jahre alt, ohne Falten und kranke Knochen. Wir haben zwei Leser gefragt: Würden Sie sich diesen Zustand wünschen?

Ja

Ja Das wäre doch fantastisch! So könnte man sein Leben bis zum Ende voll und ganz genießen. Niemand freut sich doch, wenn die Haare und Zähne ausfallen und die Haut faltig wird. Ich würde gern mit 90 Jahren noch so aussehen wie jetzt. Ich treibe viel Sport und kann mir gar nicht vorstellen, dass ich irgendwann nur noch im Sessel sitze, weil ich keine Kraft mehr habe. Ich möchte auch im Alter geistig und körperlich fit bleiben. Für mich ist das keine Frage; ich würde diese Wunderpille sofort nehmen.

Sie hätte doch auch für die Gesellschaft nur Vorteile. Die Kinder wären glücklich, weil sie vitale Großeltern hätten, die alles mit ihnen unternehmen könnten. Niemand müsste mehr die Alten pflegen und die Altenheime könnte man zu Freizeitanlagen umbauen. Und es würde auch keinen Neid der Alten auf die Jungen mehr geben, weil ja alle zufrieden wären. Vielleicht gäbe es sogar weniger Scheidungen, denn kein Mann würde mehr seine Frau verlassen, weil er seine junge Nachbarin attraktiver finden würde.

Außerdem wäre es auch ein großer Gewinn, dass die Alten mit ihren Kenntnissen und Erfahrungen viel länger berufstätig bleiben könnten. Die meisten würden erst spät oder überhaupt nicht in Rente gehen, was ja auch viel Geld sparen würde.

Sven Kramer, 23, Student

Nein

Nein Das ist für mich ein schrecklicher Gedanke, weil diese Wunderpille gegen die Natur wäre. Altern gehört doch zum natürlichen Lebensrhythmus, genauso wie der Tod.

Natürlich wäre jeder gern für immer jung, aber das Aussehen muss zu einem Menschen und seiner Lebenserfahrung passen. Wenn man jemanden kennenlernt, wüsste man ja nichts mehr über sein Alter. Dann würde sich eine 20-Jährige vielleicht in einen 90-Jährigen verlieben. Was für eine Vorstellung!

Außerdem glaube ich, dass diese Wunderpille schlimme Konsequenzen hätte. Sicher könnten arme Menschen sich diese Pille gar nicht leisten, und dann gäbe es noch mehr Neid und Ungerechtigkeit auf der Welt. Und was ist mit der Überbevölkerung auf der Erde? Die Menschen hätten durch die Wunderpille ja ein viel längeres Leben und könnten deshalb auch noch mehr Kinder bekommen.

Übrigens würden die Arbeitslosen auch immer mehr: Wie fänden die Jugendlichen denn einen Job, wenn viel weniger Alte in Rente gingen?

Ich finde, die Wissenschaftler dürften gar nicht an diesem Projekt weiterarbeiten. Sie sollten sich lieber damit beschäftigen, Medikamente gegen wirkliche Krankheiten zu entwickeln.

Anne Klinge, 27, Lehrerin

3 Fokus Hören

1 Immer höflich

a. Betrachten Sie die Fotos und lesen Sie die Sätze.

Besprechen Sie dann im Kurs: Was ist sehr unhöflich? Was kann man vielleicht sagen? Was ist höflich?

b. Hören Sie nacheinander die Gespräche. Was sagen die Leute? X 1 | 6–10

A Der Mann sagt:
- „Ich will sofort ein neues Messer haben!"
- „Hätten Sie wohl ein neues Messer für mich?"
- „Ach, wenn ich doch nur ein neues Messer hätte!"
- „Ein neues Messer, aber schnell bitte!"

B Die Frau sagt:
- „Ich muss unbedingt mal Ihren Kuli haben."
- „Geben Sie mir sofort Ihren Kuli!"
- „Könnte ich bitte mal kurz Ihren Kuli haben?"
- „Würden Sie mir bitte mal Ihren Kuli geben?"

C Das Mädchen sagt:
- „Ich brauche die Butter."
- „Würdest du mir bitte mal die Butter geben?"
- „Wenn ich nur die Butter hätte!"
- „Gib mir sofort die Butter!"

D Die alte Dame sagt:
- „Können Sie mir mal in den Zug helfen?"
- „Warum helfen Sie mir nicht endlich in den Zug?"
- „Helfen Sie mir in den Zug!"
- „Wären Sie wohl so nett, mir in den Zug zu helfen?"

E Der Polizist sagt:
- „Dürfte ich bitte Ihren Führerschein sehen?"
- „Führerschein zeigen, aber schnell!"
- „Ich möchte Ihren Führerschein sehen."
- „Ich will, dass Sie mir Ihren Führerschein zeigen."

2 „Könnte ich bitte ...?" „Würden Sie bitte ...?"

a. Lesen Sie die Situationen A, B und C und bereiten Sie mit einer Partnerin/einem Partner kurze Gespräche dafür vor.

A Sie brauchen Münzen für einen Getränkeautomaten, aber Sie haben nur einen Geldschein.
B Sie essen in einem Restaurant und möchten Ihre Suppe stärker würzen. Aber Salz und Pfeffer fehlen.
C Sie sind bei einem Freund und brauchen ein Glas Wasser, weil Sie eine Tablette nehmen möchten.

Entschuldigen Sie bitte. / Entschuldige bitte.
Dürfte ich Sie / dich um einen Gefallen bitten?
Dürfte ich Sie / dich etwas fragen?
Würden Sie / Würdest du mir bitte ...
Könnten Sie / Könntest du mir vielleicht ...?
Es wäre sehr nett, wenn Sie / du ...

Natürlich. Wie kann ich Ihnen / dir helfen?
Was kann ich für Sie / dich tun?
Das ist doch kein Problem.
Aber gern.

Das ist sehr freundlich.
Danke schön. / Vielen Dank.
Das ist sehr nett von Ihnen / dir.

Bitte sehr.
Keine Ursache.

b. Spielen Sie Ihre Gespräche im Kurs.

3 Kleine Alltagsklagen

a. Lesen Sie zuerst die Sätze und hören Sie dann die Gespräche. 1 | 11–14

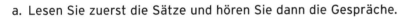

b. In welcher Abfolge haben Sie die Sätze gehört? Notieren Sie die Reihenfolge mit den Ziffern 1–4.

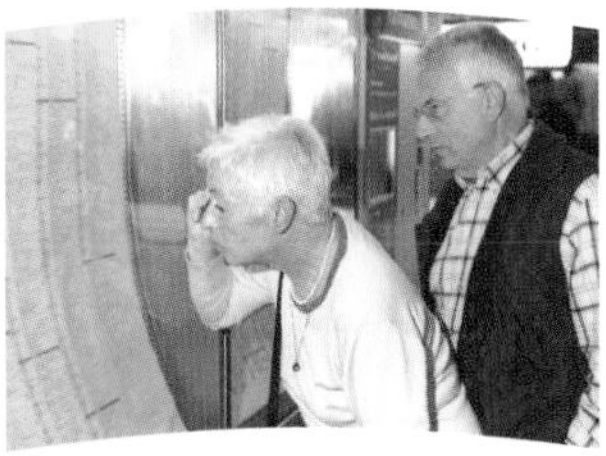

A
- „Die Suppe dürfte schärfer sein."
- „Darf ich mal probieren?"
- 1 „Wie schmeckt deine Suppe?"
- „Schmeckt sie dir nicht?"

B
- „Wenn ich nur meine Brille hätte!"
- „Wann fährt unser Zug genau?"
- „Findest du es nicht?"
- „Ich glaube, der Zug fährt von Gleis 8."

C
- „Aber das hier kann ich nicht lesen."
- „Das sagt meine Mutter auch immer."
- „Du könntest etwas größer schreiben."
- „Das heißt siebenhundertzweiunddreißig."

D
- „Ist es nicht schön hier?"
- „Komm unter den Baum. Hier ist es trocken."
- „Wollen wir eine Pause machen?"
- „Wenn doch nur das Wetter besser wäre!"

c. Was könnte man sich in ähnlichen Situationen noch wünschen?

Situation A: *Der Kaffee dürfte heißer sein. Das Ei könnte weicher sein ... Der Kuchen ...*
Suchen Sie auch Beispiele für die anderen Situationen: *Wenn ich nur einen Regenschirm hätte! Wenn ...*

4 Frau Dr. Remmer weiß Rat.

a. Hören Sie den ersten Anruf. 1 | 15

**Was sagt Frau Dr. Remmer?
Ergänzen Sie das Wort, das Sie gehört haben.**

1. „An Ihrer Stelle würde ich warten, bis sie selbst anruft.“
2. „Könnte es nicht sein, dass Sie Ihrer Freundin zu wenig .... lassen?“
3. „Würde es Ihnen gefallen, wenn Ihre Freundin auch so .... wäre?“
4. „Es wäre sicher die beste Lösung, wenn Sie mit .... darüber reden würden.“
5. „Mehr .... wäre in Ihrem Fall besser als der schönste Blumenstrauß.“

1. kommt | schreibt | ~~anruft~~
2. Zeit | Freiheit | Ruhe
3. egoistisch | nervös | eifersüchtig
4. ihr | mir | jemandem
5. Spaß | Geduld | Freundlichkeit

b. Was meinen Sie zu dem Problem des jungen Mannes? Diskutieren Sie im Kurs.

⊙ *Ich glaube, dass diese Beziehung keine Chance hat. Er ändert sich bestimmt nicht.*
◆ *Warum nicht? Vielleicht hört er ja auf die Ratschläge.*
□ *Also ich fände es schrecklich, wenn mein Freund/meine Freundin so eifersüchtig wäre. Da würde ich ...*

c. Hören Sie den zweiten Anruf. Was sagt Frau Dr. Remmer? Ergänzen Sie. 1 | 16

1. „Sie könnten ein kleines Fest in Ihrer Wohnung machen und Ihre .... einladen.“
2. „Sie könnten regelmäßig in eine .... gehen.“
3. „Sie sollten sich auf jeden Fall immer ein .... für das Wochenende machen.“
4. „Ich würde Ihnen raten, Kontakt zu Ihren nettesten .... zu suchen.“
5. „Wäre es nicht die einfachste Lösung, wenn Sie es mit einer .... versuchen würden?“

1. Chefin | Nachbarn | Eltern
2. Disko | Bibliothek | Apotheke
3. Sportprogramm | Arbeitsprogramm | Freizeitprogramm
4. Mitarbeitern | Kollegen | Verwandten
5. Gruppenreise | Kündigung | Anzeige

d. Wie kann man in einer fremden Stadt am besten Kontakt finden? Was würden Sie raten?

⊙ *In einem Sportverein oder einem Fitness-Studio kann man leicht Bekanntschaften machen.*
◆ *Heute kann man doch auch Leute über das Internet kennenlernen. Ich würde ...*

e. Was würden Sie bei diesen Problemen raten?

1. Jemand kann abends nicht einschlafen.
2. Jemand hat Angst vor Spinnen.
3. Jemand hat ständig Lust auf Schokolade.
4. Jemand vergisst immer alle Termine.

...

Gehen Sie doch mal ...
Am besten nehmen Sie ...
Sie könnten auch ...
Versuchen Sie doch mal, ... zu ...
...

5 Eine Frage an Silvester

a. Lesen Sie zuerst die Aufgabe. Überlegen Sie dann mit einer Partnerin/einem Partner: Wie passen die Sätze wohl zusammen?

A Er würde sich sicher kein Mäusepaar mehr holen,
B Er würde seinen alten Wagen nicht mehr in die Werkstatt bringen,
C Er würde den Computer nicht noch einmal kaufen,
D Er würde seinen Fernseher nicht mehr verleihen,
E Er würde seinen besten Pullover nicht mehr selbst waschen,
F Er würde keinen Winterurlaub mehr machen,
G Er würde nicht mehr auf dem Balkon grillen,

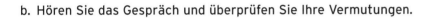

1. weil er ihn immer noch nicht wiederhat.
2. weil er gleich danach endgültig kaputtging.
3. weil er ihn in den Mülleimer werfen musste.
4. weil es immer mehr Kinder und Enkelkinder bekommt.
5. weil er seinen Nachbarn einen neuen Sonnenschirm kaufen musste.
6. weil das neueste Modell viel besser ist.
7. weil er immer der schlechteste Skiläufer auf der Piste war.

b. Hören Sie das Gespräch und überprüfen Sie Ihre Vermutungen. 1 | 17

6 Was würden Sie heute anders machen?

In den letzten 12 Monaten haben Sie viele Entscheidungen getroffen. Sehr viele kleine und vielleicht auch ein paar große. Welche würden Sie ändern, wenn Sie könnten? Erzählen Sie im Kurs.

Geld / Einkäufe	○ *Ich habe mir vor einem halben Jahr ein neues Mobiltelefon gekauft. Jetzt ist schon der Akku kaputt. Dieses Handy würde ich mir ganz bestimmt nicht noch einmal kaufen.*
Urlaub / Freizeit	◆ *Ich habe mir im Reiseprospekt das billigste Hotel ausgesucht. Das würde ich nicht mehr machen, denn das Zimmer war schrecklich.*
Wohnung	□ *Ich habe meine Wohnung mit einer dunklen Tapete tapeziert. Heute würde ich eine hellere nehmen, weil ich dauernd das Licht anmachen muss.*
Familie / Freunde	▶ *Ich habe meinem jüngeren Bruder zum Geburtstag ein Computerspiel geschenkt. Das war ein Fehler, weil ...*

Urlaub auf dem Campingplatz ◎ ein gebrauchter Kühlschrank ◎ eine Party für 20 Personen ◎ ein dickerer Mantel ◎ eine Wohnung an einer Kreuzung ◎ ein preiswerteres Geschenk ◎ hohe Schuhe ◎ ein stärkerer Motor ◎ ein kleinerer Hund ◎ ...

ein besser**er** Computer	der besser**e** Computer	der best**e** Computer
eine einfacher**e** Lösung	die einfacher**e** Lösung	die einfachst**e** Lösung
ein neuer**es** Modell	das neuer**e** Modell	das neuest**e** Modell
heller**e** Tapeten	die heller**en** Tapeten	die hellst**en** Tapeten

4 Fokus Sprechen

1 Gedanken an der Lagune

a. Hören Sie zu und sprechen Sie nach. 1 | 18 2

Wenn ich ein Boot hätte, würde ich aufs Meer fahren.
Wenn ich aufs Meer fahren würde, würde vielleicht ein Sturm kommen.
Wenn ein Sturm käme, würde ich ins Wasser fallen.
Wenn ich ins Wasser fallen würde, müsste ich schwimmen.
Wenn ich schwimmen müsste, wäre ich bald sehr müde.
Wenn ich müde wäre, würde vielleicht ein Wal auftauchen.
Wenn ein Wal auftauchen würde, könnte ich mich auf ihm ausruhen.
Wenn ich mich auf ihm ausruhen würde, könnte ich danach an den Strand schwimmen.
Dann wäre alles wieder gut!

b. Erfinden Sie zusammen mit einem Partner/einer Partnerin einen ähnlichen Text.

Wenn ich ein Vogel wäre, würde ich auf einen Baum fliegen. Wenn ich auf einen Baum fliegen würde, würde eine Katze mich vielleicht entdecken. Wenn eine Katze mich entdecken würde, ...

Wenn ich Zeit hätte, würde ich in die Stadt gehen. Wenn ich in die Stadt gehen würde, würde ich ...

Wenn ich einen Garten hätte, würde ich ...

2 Liebesqualen

a. Hören Sie zu und sprechen Sie dann den Text frei. 1 | 19 3

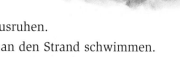

Gestern musste er arbeiten.
Heute müsste er nicht arbeiten, aber er arbeitet trotzdem.
Gestern konnte er nicht kommen.
Heute könnte er kommen, aber er kommt trotzdem nicht.
Gestern durfte er mich nicht anrufen.
Heute dürfte er mich anrufen, aber er ruft trotzdem nicht an.

b. Ersetzen Sie „arbeiten", „kommen", „anrufen" durch andere Verben und tragen Sie Ihre Sätze im Kurs vor.

- *Gestern musste er/sie lernen.*
  Heute müsste er/sie nicht lernen, aber ...
  Gestern konnte er/sie nicht mit mir sprechen.
  Heute könnte ...

lernen · heiraten · schweigen · sprechen · küssen · verstehen · trainieren · winken · lächeln · tanzen · telefonieren · bleiben · verreisen · ...

3 Wem könnte der Hund gehören?

a. Hören Sie das Gespräch und spielen Sie die Situation im Kurs nach. 1 | 20 4

- ⊙ Ich habe den Hund hier noch nie gesehen. Wem könnte er nur gehören?
- ◆ Ich weiß nicht. Wenn er in unserer Straße wohnen würde, würden wir ihn kennen.
- ⊙ Sicher ist er ein Familienhund. Sonst wäre er nicht so lieb.
- ◆ Ich finde ihn ja auch nett. Aber was machen wir jetzt mit ihm?
- ⊙ Wir könnten ihm eine Decke in die Garage legen, damit er schlafen kann.
- ◆ Ach, das meine ich doch nicht. Wir müssten etwas tun. Müssten wir nicht die Polizei anrufen?
- ⊙ Wieso die Polizei? Er hat doch nichts gestohlen.
- ◆ Mach keine Witze! Was würdest du denn vorschlagen, bitte?
- ⊙ Ich würde ihn am liebsten behalten. Er ist so süß.
- ◆ Du hast verrückte Ideen! Das geht doch nicht. Der Hund gehört doch jemandem.

b. Finden Sie mit einer Partnerin/einem Partner eine Reihenfolge für das Ende des Gesprächs.

- ◯ Wenn sich niemand meldet, behalten wir ihn. Ich könnte den armen Kerl auch nicht ins Tierheim bringen.
- ◯ Dann wäre doch bestimmt eine Suchanzeige in der Zeitung, oder nicht?
- ◯ Die Zeitung liegt neben dir. Aber wenn wir nichts finden, behalten wir den Hund.
- 1 Es könnte doch auch sein, dass seine Familie ihn nicht mehr haben will.
- ◯ Ja, wahrscheinlich. Hol sie doch mal her.
- ◯ Natürlich, aber es könnte auch sein, dass sie ihn überall suchen.

c. Variieren Sie das Gespräch und tragen Sie es im Kurs vor.

Ich weiß nicht.	Du hast verrückte Ideen!	Es könnte doch auch sein, dass ...
Ich habe keine Ahnung.	Du hast wirklich unmögliche Einfälle!	Es wäre doch auch möglich, dass ...
Frag mich nicht.	Ideen hast du!	Könnte es nicht auch sein, dass ...?

Mach keine Witze.	Das geht doch nicht.	Natürlich, aber ...
Nun sei mal ein bisschen ernst.	Das kann man doch nicht machen.	Sicher, aber ...
Mach dich nicht lustig.	Das ist doch unmöglich.	Ja, schon, aber ...

d. Und wenn das Tier eine Katze wäre? Oder ein Papagei, ein Krokodil, eine Schlange ...?

Wählen Sie in einer Kleingruppe ein anderes Tier aus und erfinden Sie dazu gemeinsam ein neues Gespräch.

4 „Stell dir vor, ..."

Betrachten Sie zuerst die Bilder auf Seite 23 und lesen Sie danach die drei Übungsvarianten auf dieser Seite durch. Entscheiden Sie sich dann im Kurs gemeinsam für eine Variante.

Variante 1

Jeder wählt ein Bild aus und stellt eine passende Frage dazu.
Jemand antwortet und stellt dann eine Frage zu seinem Bild.

⊙ *Was würdest du tun, wenn du allein auf einer einsamen Insel wärst?*

◆ *Ich würde ein Feuer machen, damit man mich sehen kann.*
Was würdest du tun, wenn du ein ganzes Jahr Urlaub hättest?

□ *Ich würde ...*
Was würdest ...?

Variante 2

Diese Variante braucht etwas mehr Zeit: Wählen Sie zunächst gemeinsam im Kurs ein Bild aus. Jeder fragt und antwortet der Reihe nach. Wenn keiner mehr eine Frage weiß, wählen Sie das nächste Bild.

⊙ *Stell dir vor, du wärst allein auf einer Insel. Was würdest du zuerst machen?*

◆ *Ich würde Wasser suchen.*
Wovor hättest du am meisten Angst auf der Insel?

□ *Ich hätte Angst vor Schlangen und anderen wilden Tieren.*
Wo würdest du nachts auf der Insel schlafen?

▶ *Vielleicht würde ich am Strand schlafen oder auf einem Baum.*
Was könnte man auf der Insel machen, wenn es langweilig ist?

◇ *Man könnte Sport machen. Ich würde schwimmen, tauchen und joggen.*
Was würdest du tun, damit man dich finden könnte?

● *Ich würde ...*

Variante 3

Zusammenarbeit in Kleingruppen: Jede Gruppe wählt ein Bild aus, notiert dazu 10 Sätze und trägt sie im Kurs vor.

⊙ *Wenn wir uns unsichtbar machen könnten, würden wir an der Kinokasse nie mehr bezahlen.*

◆ *Wenn uns niemand sehen könnte, würden wir immer einen Schlafanzug tragen.*

● *Wenn wir unsichtbar wären, hätten wir ...*

- weglaufen und sich verstecken.
- sich beim Geheimdienst bewerben
- jede Nacht in einem anderen Zimmer schlafen
- mit den Elefanten im Zoo diskutieren
- jeden Tag schönes Wetter machen
- armen Leuten helfen
- nie mehr Auto fahren
- endlich zum Zahnarzt gehen
- ...

1 allein auf einer Insel sein

2 so reich wie Bill Gates sein

3 mit der englischen Königin Tee trinken

4 ein ganzes Jahr Urlaub haben

5 ein Ufo entdecken

6 so stark wie Superman sein

7 100 km weit sehen können

8 zaubern können

9 der Präsident/ die Präsidentin eines Landes sein

10 ein großes Schloss besitzen

11 fliegen können

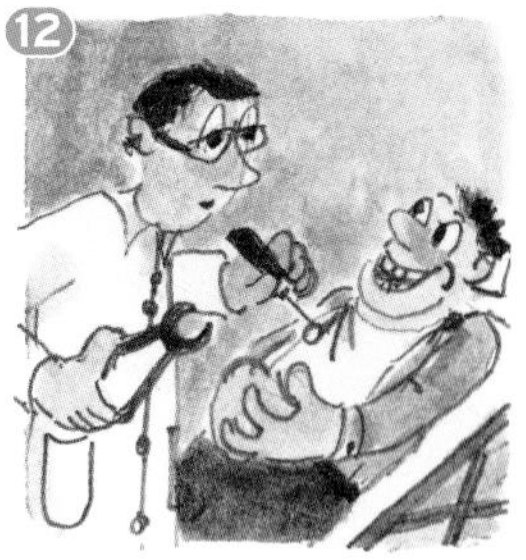
12 vor gar nichts Angst haben

13 sich unsichtbar machen können

14 2,50 m groß sein

15 mit allen Tieren sprechen können

16 das Wetter bestimmen können

Fokus Schreiben

1 Hören Sie zu und schreiben Sie. 1 | 21

Kurt .... Modell ....

.... Wagen ...., ...

...., ...

.... Führerschein ....

2 Ein fantastisches Angebot

a. Lesen Sie die E-Mail von Hannes.

Senden Anhang Adressen Schriften Als Entwurf sichern

Von: Hannes

Kopie:

Betreff: Was soll ich tun?

Hallo Marc,

stell Dir vor: Mein Chef hat mir heute angeboten, fünf Jahre für die Firma nach Südamerika, nach São Paulo, zu gehen! Ich soll ab dem nächsten Jahr die Leitung einer Abteilung in unserer Filiale dort übernehmen. Zuerst habe ich ja gedacht, das wäre eine ganz schöne Idee, aber dann fiel mir ein, dass es eine Menge Schwierigkeiten geben würde:

Ich habe mir doch gerade erst das teure Apartment in der Innenstadt gekauft. Wenn ich es sofort wieder verkaufen müsste, würde ich einen ziemlich großen Verlust machen. Und außerdem: Wohin mit den Möbeln?

Dann ist da auch noch Urmel, mein Foxterrier. Den dürfte ich gar nicht mitnehmen, das ginge bestimmt schon wegen der Einreisebestimmungen nicht. Ich hätte keine Ahnung, was ich mit ihm machen sollte.

Ich hätte natürlich auch ein bisschen Angst davor, meine Freunde zu verlieren. Wenn man so lange fort ist und sich nicht sieht – wer weiß? Ich würde auch die Band vermissen, in der ich seit Jahren Gitarre spiele.

Ich weiß gar nicht, wie das Klima dort ist. Hitze und Feuchtigkeit vertrage ich nicht. Das wäre nichts für meine Gesundheit. Und Portugiesisch kann ich auch nicht. Das müsste ich erst noch lernen.

Aber das größte Problem ist meine Freundin! Andrea würde bestimmt nicht akzeptieren, dass sie so lange von mir getrennt wäre. Und mitkommen würde sie auch nicht. Dann müsste sie ja ihren Job aufgeben.

Du siehst also, ich habe eine fantastische Chance, aber ich kann mich nicht entscheiden. Was würdest Du tun, wenn Du an meiner Stelle wärst? Ich hoffe auf eine ehrliche Antwort von Dir.

Dein Freund Hannes

b. Bei welchen Punkten sähe Hannes Probleme, wenn er nach Brasilien ginge? ✗

- Freunde
- Sprachkenntnisse
- Nachteile für die Karriere
- Wohnung
- Klima
- Religion
- Musikgruppe
- Familie
- Freundin
- Hund
- Arbeitserlaubnis
- Essen und Trinken
- Gesundheit
- Heimweh

3 Lösungen für Hannes' Probleme

Sammeln Sie Lösungsmöglichkeiten für die Probleme, die Hannes sieht. Arbeiten Sie in kleinen Gruppen und stellen Sie die Ergebnisse im Kurs vor.

sich von ... trennen · verkaufen · vermieten · schreiben · anrufen · suchen · mitnehmen · lernen · besuchen · einladen · aufgeben · sich nach ... erkundigen · sich ... anschaffen · heiraten · ...

○ *Wir meinen, er sollte sein Apartment und die Möbel verkaufen. Den Hund könnte er seinen Eltern schenken ...*

◆ *Er könnte jede Woche mit seinen alten Freunden telefonieren und sie auch einmal nach São Paulo einladen ...*

□ *An seiner Stelle würden wir ...*

4 Schwierigkeiten bei einem Auslandsaufenthalt

Welche Schwierigkeiten kann es bei einem längeren Auslandsaufenthalt geben? Wie kann man sich darauf vorbereiten? Wonach sollte man sich vorher erkundigen?

a. Stellen Sie zusammen mit einer Partnerin / einem Partner eine Liste mit Fragen zu den folgenden Themen zusammen und vergleichen Sie dann in Kurs.

Klima / Wetter
Reisevorbereitung
Kultur / Mentalität / Gewohnheiten
Arbeit / Studium
Geld / Preise
Kontakte / Sprache / Missverständnisse
...

Wie findet man am besten ein Zimmer / eine Wohnung?
An welchen Tagen wird nicht gearbeitet?
Worauf sollte man bei Einladungen / am Arbeitsplatz ... Rücksicht nehmen?
Was ist in der Öffentlichkeit verboten / erlaubt?
Welche Personen kann man duzen?
Worüber sollte man nicht sprechen?
Welche Gewohnheiten ... gibt es?
Wie sind die Preise für Wohnen / Nahrungsmittel ...?
...

b. Welche Erfahrungen haben Sie vielleicht selbst gemacht? Erzählen Sie.

○ *Ich war in ... und musste dringend Geld tauschen, aber alle Banken waren zu, weil ... Ich wusste nämlich nicht, dass ...*

◆ *Ich habe die Erfahrung gemacht, dass man am besten ...*

...

5 Marc schreibt an Hannes.

Lesen Sie den Text und ergänzen Sie die Ausdrücke auf der rechten Seite.

Neue E-Mail

Senden | Anhang | Adressen | Schriften | Als Entwurf sichern

An: Hannes

Betreff: AW: Was soll ich tun?

Lieber Hannes,

erst einmal herzlichen Glückwunsch zu der tollen Chance, die Du bekommen hast! Wenn ich an Deiner Stelle wäre, würde ich sofort zusagen. Ein solches Angebot kann man doch nicht ablehnen! Und meiner Meinung nach kann man Deine Probleme alle lösen.

Dein Apartment *könntest Du vermieten*. Es gibt so viele Leute, die eine Wohnung suchen. Und im Mietvertrag könntest Du festlegen, dass der Mieter nach fünf Jahren *wieder ausziehen müsste*. Die Möbel würde ich bei einem Umzugsunternehmen unterbringen. Die haben extra Lagerhallen für solche Fälle, und ich glaube nicht, dass es ……………………………… .

Dein Hund ist natürlich ein Problem. Ich kann verstehen, dass Du ……………………………… . Aber frag doch mal Roland. Der hat doch schon zwei Hunde. Ich bin sicher, dass es Urmel ……………………………… .

Du solltest auf alle Fälle Deine Gitarre mitnehmen! Überall gibt es Leute, die gern Musik machen. Und ich wette, dass Du schon nach zwei Monaten ……………………………… .
Ich glaube auch nicht, dass Du ………………………………, Deine Freunde zu verlieren. Es gibt doch E-Mail, Chat, Internet-Telefonie und Video-Konferenzen. Ich verspreche Dir, dass ich Dir mindestens jede Woche ……………………………… .

Um das Klima da unten mach Dir mal keine Sorgen! Da gibt es Medikamente. Wie wäre es, wenn Du schon bald ………………………………? Du würdest doch erst nächstes Jahr abreisen. Für einen Sprachkurs ……………………………… . Außerdem kannst Du schon Spanisch, und ich bin überzeugt, dass Du schon in drei Monaten ……………………………… .

Und nun zu Deiner Freundin. Vielleicht ………………………………, in Brasilien zu arbeiten.
Bei ihrer Ausbildung und ihren Sprachkenntnissen ……………………………… .
Sprich doch mal mit ihr darüber. Ihr habt doch noch fast ein Jahr Zeit.

Nun kennst Du also meinen Standpunkt. Ich finde, Du ……………………………… .
So eine Gelegenheit bekommt man nur einmal im Leben. Du Glückspilz! Ich wäre gern an Deiner Stelle. Denk über meine Vorschläge nach und lass mich Deine Entscheidung bald wissen!

In alter Freundschaft
Dein Marc

- hättest Du über ein halbes Jahr Zeit
- perfekt Portugiesisch sprechen könntest
- ~~könntest Du vermieten~~
- viel kosten würde
- hätte sie ja auch Lust
- solltest die Stellung sofort annehmen
- mit einem Arzt darüber sprechen würdest

- in einer neuen Band mitspielen würdest
- Angst haben müsstest
- ~~wieder ausziehen müsste~~
- bei ihm gut gehen würde
- eine E-Mail schicken würde
- fände sie dort bestimmt Arbeit
- ihn nicht gern abgeben würdest

6 Wie finden Sie Marcs Ratschläge?

Diskutieren Sie im Kurs. Vergleichen Sie Marcs Ratschläge mit Ihren Lösungen aus Übung 3.

7 So ein Zufall!

Nehmen Sie an, Sie haben im letzten Urlaub eine Studentin kennengelernt und Adressen ausgetauscht. Jetzt schreibt sie Ihnen den folgenden Brief.

a. Lesen Sie den Brief.

Liebe(r) ...,

stell Dir vor: Ich habe ein Stipendium für zwei Semester an Deiner Universität bekommen! So ein Zufall! Jetzt muss ich alles sehr schnell organisieren, weil ich schon in zwei Monaten kommen soll. Vielleicht kannst Du mir ein paar Tipps geben? Ich war doch noch nie in Eurem Land.

Wie kann ich mich am besten vorbereiten? Mit welchen Schwierigkeiten muss ich rechnen? Wie ist das Wetter um diese Jahreszeit? Wie finde ich ein Zimmer? Kann ich vielleicht die ersten Tage bei Dir übernachten? Was würdest Du an meiner Stelle mitbringen?

So viele Fragen. Ich würde mich freuen, wenn Du mir möglichst bald antworten könntest.

Herzliche Grüße

Deine
Jana

b. Schreiben Sie eine Antwort.

Arbeiten Sie in kleinen Gruppen. Überlegen Sie:
- Wie können Sie am besten auf die Fragen antworten?
- Welche Tipps können Sie geben?

Vergessen Sie Datum und Anrede nicht.

Schreiben Sie auch eine passende Einleitung und einen Schluss.

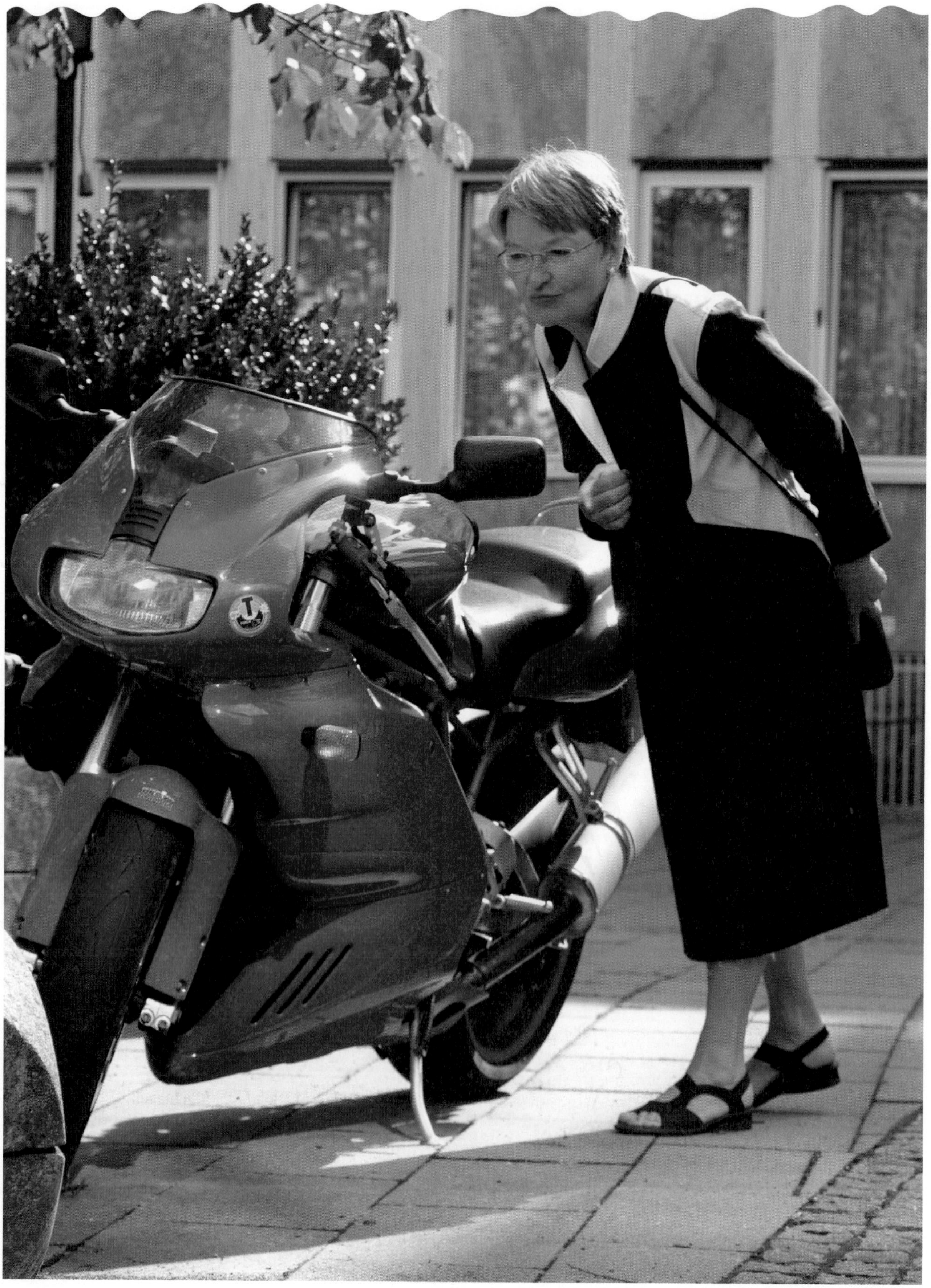

Das können Sie jetzt:

- Ratschläge geben
- Um Rat bitten
- Empfehlungen aussprechen
- Vorlieben ausdrücken
- Über Pläne und Träume sprechen
- Höfliche Bitten formulieren und darauf reagieren
- Frühere Entscheidungen beurteilen
- Vermutungen anstellen

Gedankenspiele

1 | 22

- ⊙ Oh, schau mal da, der schöne Schmuck! Die Kette da hinten, die ist toll.
- ◆ Oh ja, die wäre ein schönes Geburtstagsgeschenk für dich ...
- ⊙ Du willst mir Schmuck zum Geburtstag schenken?
- ◆ Na ja, ich dachte nur gerade so. Über diese Kette würdest du dich doch freuen, oder?
- ⊙ Natürlich, darüber würde ich mich sehr freuen.
- ◆ Oder könnte es auch diese hier sein? Die ist aus Gold.
- ⊙ ... und sieht fantastisch aus. Die würde ich jeden Tag tragen.
- ◆ Dann hättest du also gern so eine goldene Halskette?
- ⊙ Natürlich! Klar!
- ◆ Und diese hier mit den Diamanten? Wie würde dir die gefallen?
- ⊙ Die mit den Diamanten? Spinnst du? Die ist doch viel zu teuer!
- ◆ Ja, leider. Und für die goldene Kette habe ich leider auch kein Geld.
- ⊙ Warum hast du mich denn dann gefragt?
- ◆ Weil ich dir am liebsten den ganzen Schmuck schenken würde. – Wenn ich Geld hätte.
- ⊙ Du bist lieb! Dann würde ich dir einen Porsche schenken, wenn ich Geld hätte.
  Oder hättest du lieber einen Ferrari?

Themenkreis
Sport und Gesundheit

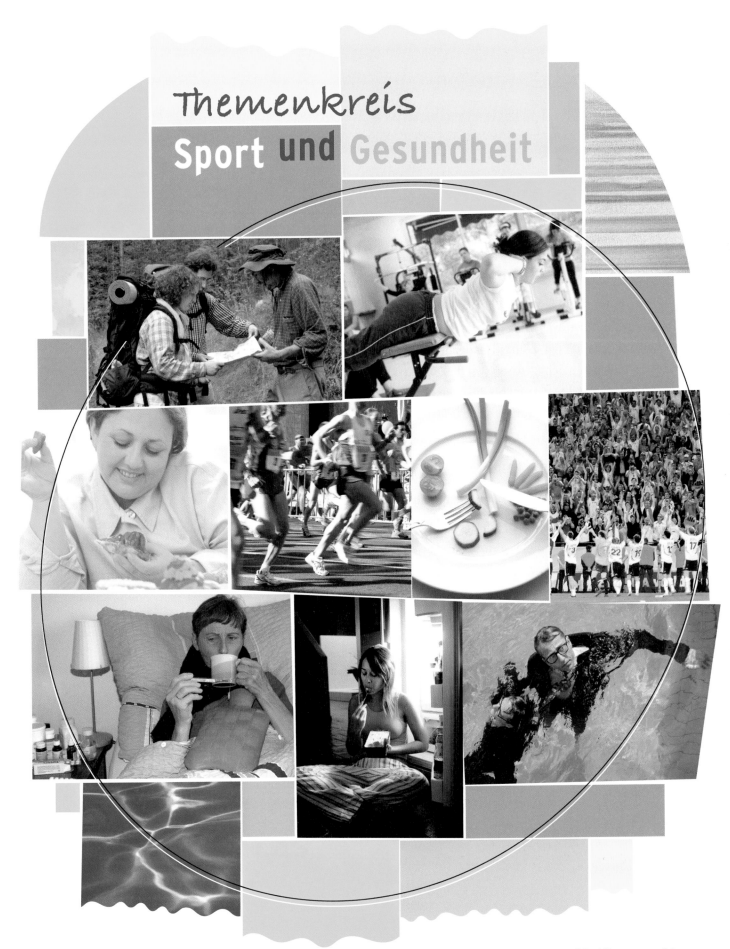

Fokus Strukturen

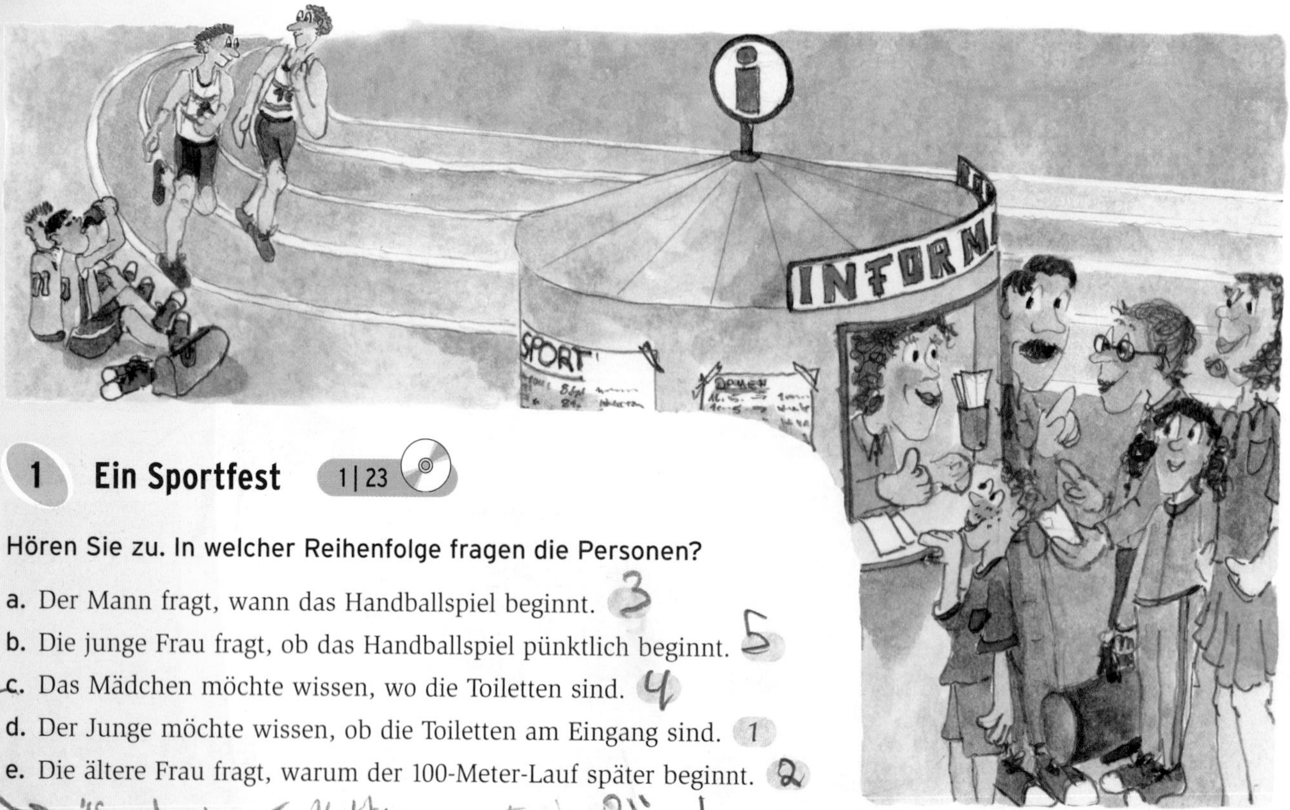

1 Ein Sportfest 1 | 23

Hören Sie zu. In welcher Reihenfolge fragen die Personen?

a. Der Mann fragt, wann das Handballspiel beginnt. 3
b. Die junge Frau fragt, ob das Handballspiel pünktlich beginnt. 5
c. Das Mädchen möchte wissen, wo die Toiletten sind. 4
d. Der Junge möchte wissen, ob die Toiletten am Eingang sind. 1
e. Die ältere Frau fragt, warum der 100-Meter-Lauf später beginnt. 2

"Sind die Toiletten am Eingang?" "Warum beginnt der 100-Meterlauf später?"

2 Was fragen die Leute?

Suchen Sie die Nummern auf der Zeichnung rechts und ergänzen Sie.

1 Der Mann erkundigt sich, C
2 Das Mädchen möchte wissen, D
3 Das Kind fragt, E
4 Der Junge fragt, B
5 Die Frau erkundigt sich, A

A ob die Pommes frites gut schmecken.
B wem die Schuhe gehören.
C wer den Ball hat.
D ob der Platz noch frei ist.
E wie die Pommes frites schmecken.

3 Ergänzen Sie die Sätze.

6 Der Junge fragt, *was eine Bratwurst ...*
7 Die Frau fragt, *ob ...* die Schuhe bequem sind
8 Die alte Dame fragt, wohin die Sanitäter laufen
9 Der Mann möchte wissen, ob das Fußballspiel noch lange dauert
10 Die Frau erkundigt sich, wie lange das Fußballspiel noch dauert

dauern = to take time

Der Mann fragt:	**„Wann**	**beginnt**	das Handballspiel?“	
Der Mann fragt,	**wann**		das Handballspiel	**beginnt**.
Die Frau fragt:		**„Beginnt**	das Handballspiel pünktlich?“	
Die Frau fragt,	**ob**		das Handballspiel pünktlich	**beginnt**.

4 Noch mehr Fragen ...

Welche Fragen könnten die Personen 11, 12 und 13 haben? Überlegen Sie gemeinsam im Kurs.

- *Der Reporter möchte wissen, wie lange sie trainiert hat.*
- *Die Sanitäterin fragt, was passiert ist.*
- *Das Kind fragt: „Haben Sie Zitroneneis?“*
- *Der Reporter erkundigt sich, ...*

◎ einen Arzt brauchen ◎ jeden Tag trainieren ◎ welche Getränke ◎ Bein: weh tun ◎
◎ wie alt sein ◎ Geld wechseln können ◎ in welchem Verein sein ◎ Luftballons: wie teuer ◎
◎ Schmerzen haben ◎ ein Foto machen dürfen ◎ Cola: kalt sein ◎ laufen können ◎ ... ◎

5 Anzeigen zu Sport und Gesundheit

a. Lesen Sie die Anzeigen.

Du bist, was du isst!
Lernen Sie, gesund und vitaminreich zu kochen.
Aktueller Kochkurs
in der neuen Kantine des Schiller-Gymnasiums.
Termine: 4.,11.,18. Mai
1

Neueröffnung
Fitness-Studio am Kirchplatz
Kostenloses Probetraining ohne Voranmeldung • modernste Geräte • angenehme Atmosphäre • mit Sauna und Solarium • Ernährungsberatung • Massagen • Fußpflege
2

Nichts ist gesünder als Bewegung im Wasser.
Wassergymnastik mit Diplom-Sportlehrer jeden Donnerstag um 17 Uhr im Stadtbad.
Anmeldung erforderlich.
10 Stunden 65 Euro
3

Das größte Glück der Erde liegt auf dem Rücken der Pferde.

Ab April wieder
Reitkurse für Anfänger
Gruppenunterricht mit max. 6 Personen
Reitschule Eilers Am Sandweg 6
4

b. Welche Fragen passen zu welcher Anzeige?

A „Ich würde gern wissen, ob es auch kleine Pferde oder Ponys gibt.“ 4
B „Muss man schwimmen können?“
C „Kann man die Sauna kostenlos benutzen?“
D „Können Sie mir sagen, wie warm das Wasser ist?“
E „Gibt es ein Probetraining an allen Geräten?“
F „Ich möchte gern noch wissen, wie lange der Kochkurs dauert.“
G „Wissen Sie, welcher Bus zur Reithalle fährt?“
H „Muss man die Zutaten selbst mitbringen?“

c. Was könnte man noch fragen? Formulieren Sie zu zweit weitere Fragen zu den Anzeigen.

Kosten • Mindestalter • Ausbildung der Lehrerin/des Trainers • Parkmöglichkeiten • Versicherung • ...

6 Zum ersten Mal im Fitness-Studio

Was könnte die Frau fragen? Formulieren Sie Fragen in einer Kleingruppe.

Können Sie mir bitte sagen, ...
Könnten Sie mir vielleicht zeigen, ...
Wissen Sie vielleicht, ...
Entschuldigen Sie, ich weiß nicht, ...
Ich wüsste gern, ...

Sauna • Saftbar • Duschen • Getränkeautomat • Schließfächer • Massageraum • Solarium • Handtücher • Ruheraum

○ *Verzeihung, ich wüsste gern, wo ich hier meine Sachen einschließen kann.*
◆ *Entschuldigung. Wissen Sie vielleicht, ...*

7 Was passiert?

Beschreiben Sie zuerst die Zeichnungen. Lösen Sie dann die Aufgabe. Was passt zusammen?

A Die Kochlehrerin lässt
B Der Trainer hört
C Der Bademeister sieht

◯ den Ball nicht kommen.
◯ das Ei fallen.
◯ das Telefon klingeln.

Der Ball **kommt**, aber er **sieht** ihn nicht.
Er **sieht** den Ball nicht **kommen**.

8 Der Badegast hat sein Badetuch liegen lassen.

a. Betrachten Sie die Zeichnungen und lesen Sie die Sätze.

Die Reitlehrerin hat das Pferd nicht kommen hören.

Der Badegast hat sein Badetuch liegen lassen.

Der Bademeister hat die Frau um Hilfe rufen hören.

Die Kochlehrerin hat den Teller fallen lassen.

Der Ball **ist gekommen**, aber sie **hat** ihn nicht **gesehen**.
Sie **hat** den Ball nicht **kommen sehen**.

b. Was haben Sie schon einmal liegen/stehen/hängen/fallen lassen?

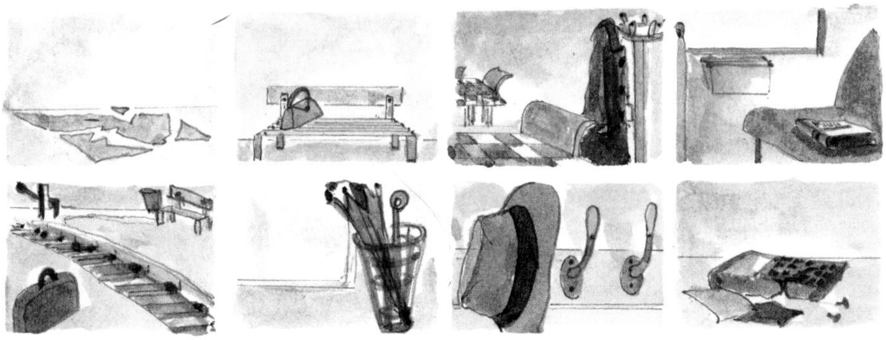

⊙ *Kürzlich habe ich meinen Regenschirm in einem Café stehen lassen. Am nächsten Tag war er leider weg.*

◆ *Letzte Woche habe ich mein Handy fallen lassen. Dabei ist es …*

Fokus Lesen

1 Diät-Tipps von Lesern

a. Lesen Sie die Zuschriften an eine Fitness-Zeitschrift. Welche Überschrift passt?

A

Mit Reis geht das Abnehmen einfach und schnell. Man verliert drei Kilo in drei Tagen. Morgens, mittags und abends ein Teller Reis (ohne Salz gekocht) und 100 g Gemüse dazu.
Anne Hartwig, 32

B

Wenn ich ein paar Pfund abnehmen will, esse ich fünfmal am Tag einen Becher Joghurt und trinke dazu ein Glas Wasser mit dem Saft einer Zitrone. Das ist hart, aber es hilft.
Peter Knauf, 24

C

Mein Geheimtipp zum Abnehmen: Mittags und abends Ananas und gegrilltes Hühnerfleisch mit Knoblauch. Das Frühstück lasse ich weg.
Leon Ranke, 24

D

Vor jeder Mahlzeit einen Liter warmes Wasser trinken. Das macht den Magen voll und man isst viel weniger.
Irma Meier, 29

E

In vier Tagen habe ich mit dieser Diät drei Kilo abgenommen:
1. Tag: 10 hartgekochte Eier
2. Tag: 10 Bananen
3. Tag: 10 Wiener Würstchen
4. Tag: 3 Eier, 3 Bananen, 3 Würstchen
... und die Figur stimmt wieder.
Anne-Marie Wagner, 27

F

Ab 16 Uhr nichts mehr essen und nur noch Wasser trinken. Das bringt mindestens drei Kilo in zwei Wochen.
Lisa Koch, 17

G

Wenn ich zu viel wiege, esse ich nur frisches Obst und rohes Gemüse. Jede halbe Stunde eine Karotte, ein Stück Gurke, eine Tomate oder einen Apfel. Durch das ständige Essen bekommt man keinen Hunger und der Magen hat immer zu tun.
Heike Ganter, 22

H

Ich wollte es nie glauben, aber diese Diät funktioniert wirklich: Man nimmt nur Eiweiß zu sich und es gibt kein Hungern! Das Prinzip:
- Fleisch, Eier, Fisch, Würstchen, Käse und Fett (!), so viel man will.
- Brot, Nudeln, Reis und Kartoffeln sind verboten.

Kevin Steeg, 24

1. (C) **Fettverbrennung durch Ananas**
2. ( ) **Kein Abendessen**
3. ( ) **Reisdiät**
4. ( ) **Joghurt und Zitronenwasser**
5. ( ) **Schlank durch Rohkost**
6. ( ) **Würstchen-Eier-Bananen-Diät**
7. ( ) **Eiweiß-Diät**
8. ( ) **Satt durch Wasser**

b. Diskutieren Sie die ‚Wunderdiäten' im Kurs: Was finden Sie verrückt oder sogar gefährlich?

○ *Man kann doch nicht 10 harte Eier am Tag essen! Das ist doch schrecklich!*
◆ *Die Zitronendiät ist ganz bestimmt Gift für den Magen. Besser finde ich ...*

Man kann doch nicht ...
Es ist doch Unsinn, wenn ...
Wenn ich mir vorstelle, dass ...
Es bringt doch nichts, wenn man ...
Es hat doch keinen Zweck, ... zu ...

Die ...-Diät finde ich am verrücktesten, weil ... · Wasser macht doch nur ganz kurz satt. · Wenn das Abnehmen so schnell gehen würde, ... · Zum Abnehmen muss man ... · Durch Hungern kann man ... · Alle extremen Diäten sind ... · ... schmeckt doch furchtbar · ... ist extrem ungesund · ... kann nicht funktionieren · ...

Verb	Nomen	
abnehmen	**das Abnehmen**	**Das Abnehmen** geht mit Reis am schnellsten. **Zum Abnehmen** muss man viel trinken.

2 Gesunde Ernährung statt Diät

a. Betrachten Sie die Ernährungspyramide der Deutschen Gesellschaft für Ernährung (DGE) und beschreiben Sie den Aufbau.

b. Wie verstehen Sie die Pyramide? Diskutieren Sie im Kurs.

⊙ *Ich glaube, dass man viel ... essen soll und wenig ...*

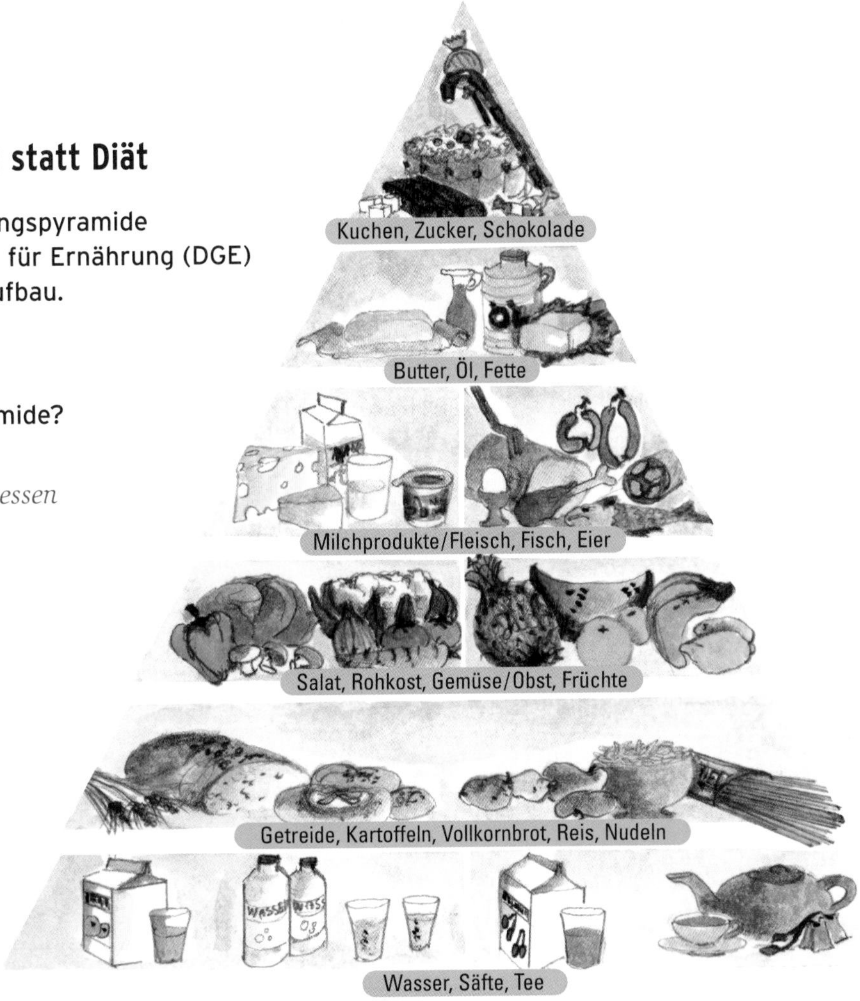

3 Ernährungsregeln der DGE

a. Lesen Sie die sieben Regeln und vergleichen Sie diese mit Ihren Vermutungen zur Pyramide.

1. **Getreideprodukte mehrmals am Tag:** Essen Sie reichlich Kartoffeln, Brot, Nudeln und Reis, am besten aus Vollkorn. Diese Produkte haben wenig Fett, aber viele Vitamine und Mineralstoffe.
2. **Fünfmal am Tag Gemüse und Obst:** Essen Sie zu jeder Hauptmahlzeit und zweimal als Zwischenmahlzeit eine Portion Obst, Gemüse oder Salat.
3. **Täglich Milch und Milchprodukte:** In Milch und Käse ist viel Kalzium, das ist wichtig für gesunde Knochen. Wählen Sie fettarme Produkte.
4. **Mindestens einmal in der Woche Fisch:** Wählen Sie Meeresfisch, weil er am wertvollsten ist.
5. **Nur wenig Fleisch, Wurst und Eier:** Fleisch liefert wertvolles Eisen, aber 300–600 Gramm Fleisch oder Wurst pro Woche sind genug.
6. **Schokolade und Kuchen wenig und selten:** Zucker ist schlecht für die Zähne und die Gesundheit.
7. **Viel Wasser:** Trinken Sie mindestens 1 1/2 Liter Wasser oder Früchtetee am Tag, auch wenn Sie keinen Durst haben.

b. Was halten Sie von den Ernährungsregeln?

⊙ *Es ist bestimmt nicht einfach, fünfmal am Tag Obst und Gemüse zu essen. Aber sonst finde ich ...*
◆ *Ich verstehe nicht, warum man so wenig Fleisch essen soll. Eiweiß ist doch gesund und ...*

c. Wie sieht Ihre persönliche ‚Ernährungspyramide' aus? Erzählen Sie im Kurs.

⊙ *Ich esse nie Fleisch, aber dafür viel Obst und Gemüse.*
◆ *Ich finde, man sollte ...*

4 Elke beschließt abzunehmen.

Lesen Sie zuerst die Sätze unten und überfliegen Sie dann den Text auf der rechten Seite. In welcher Reihenfolge stehen die Inhalte im Text?

- ◯ Elke kauft einen Heimtrainer und stellt ihn in ihr Schlafzimmer.
- ◯ Von ihrer Mutter wird Elke in einer Kurklinik zur Nulldiät angemeldet.
- ◯ Elkes neuer Partner findet dünne Frauen gar nicht attraktiv.
- ◯ Weil sie nachts immer an den Kühlschrank geht, funktioniert Elkes erste Diät nicht.
- 1 Durch den Besuch ihrer Mutter bekommt Elke Zweifel an ihrer Figur.
- ◯ Eine Nachbarin von Elke ist überzeugt, dass man nur durch Bewegung abnehmen kann.

5 Elkes Erfahrungen mit dem Abnehmen

Lesen Sie den Text noch einmal genau und lösen Sie dann die Aufgaben. Was ist richtig? ✗

a. Elke ist beleidigt, weil ihre Mutter
- ◯ immer nur sonntags zu Besuch kommt.
- ◯ nicht mit ihr spricht.
- ◯ sie zu dick findet.

b. Elke will wissen,
- ◯ ob ihre Freundin Gisela sie zu dick findet.
- ◯ ob sich ihre Freundin wohl fühlt.
- ◯ wie viel ihre Freundin Gisela wiegt.

c. Vier Wochen nach ihrer ersten Diät
- ◯ hat Elke das gleiche Gewicht wie vorher.
- ◯ ist Elke zwei Kilo schwerer als vorher.
- ◯ wiegt Elke zwei Kilo weniger.

d. In der norddeutschen Kurklinik
- ◯ macht Elke eine Nulldiät unter ärztlicher Aufsicht.
- ◯ isst Elke drei Wochen nur Obst und Salat.
- ◯ isst Elke nachts immer eine Packung Eis.

e. Elkes Nachbarin ist der Meinung,
- ◯ dass man hungern muss, um abzunehmen.
- ◯ dass Bewegung reiner Unsinn ist.
- ◯ dass Abnehmen nur mit Sport funktioniert.

f. Nach drei Monaten steht der Heimtrainer im Keller,
- ◯ weil Elke in ihrer Wohnung keinen Platz hat.
- ◯ weil Elke ihn immer weniger benutzt hat.
- ◯ weil er kaputtgegangen ist.

6 Jeder weiß, was für Elke gut ist.

a. Beschreiben und beurteilen Sie zuerst alle Personen im Text. Vergleichen Sie dann im Kurs.

Die Mutter	Die Freundin	Die Nachbarin	Der Partner
• findet Elke zu dick • möchte einen Schwiegersohn • hat mit ihrer Kritik einen großen Fehler gemacht • ...	• .... •	• .... •	• .... • ....

b. Was meinen Sie zu Elkes ‚Figurproblem'? Diskutieren Sie Elkes Geschichte im Kurs.

⊙ *Elke hat leider auf ihre Mutter gehört. Damit hat die ganze Sache doch angefangen.*
◆ *Ich glaube, dass Elke eigentlich gar nicht abnehmen wollte, weil ...*
□ ...

„Schlank, fit und schön"

Fast jeder dritte Deutsche hat schon einmal eine Diät gemacht, auch unsere Redakteurin Elke Widder. Hier schreibt sie von ihren ganz persönlichen Erfahrungen mit dem Abnehmen.

Ich weiß noch genau, wie alles anfing. An einem Sonntag hatte ich Besuch von meiner Mutter. „Ich will dich nicht beleidigen, aber du bist zu dick!", stellte sie nach der ersten Tasse Kaffee fest. „So, wie du aussiehst, ist es ja kein Wunder, dass du noch keinen Mann hast." Natürlich war ich beleidigt und sprach an diesem Tag kein Wort mehr mit ihr. Am nächsten Tag fragte ich meine Freundin Gisela: „Sag mal, findest du mich zu dick?" – „Ach was", antwortete sie. „Wenn du dich wohl fühlst, ist doch alles in Ordnung." Irgendwie fand ich diese Antwort nicht sehr befriedigend, weil ich seit der Bemerkung meiner Mutter nicht mehr sicher war, ob ich mich wirklich wohlfühlte.

Also beschloss ich, ein paar Pfund abzunehmen. Ich fing an, alle möglichen Nahrungsmittel zu essen, die mir eigentlich nicht schmecken, die aber zu einer typischen Diät gehören: Obst, Salat, Gemüse, Käse ohne Fett und Wurst ohne Geschmack. Ich gewöhnte mich an Mineralwasser und trank meinen Kaffee ohne Zucker. Nach vier Wochen wog ich zwei Kilo mehr. Das konnte ich zuerst nicht verstehen. Aber vielleicht kam es daher, dass ich nachts immer so schrecklich hungrig war und noch einmal in den Kühlschrank schauen musste. Es ist wundervoll, morgens um drei Uhr bei Kerzenlicht in der Küche zu sitzen und eine große Packung Eis zu essen – oder zwei Tafeln Schokolade. Solche Sachen schmecken nämlich noch besser, wenn man eine Diät macht.

„Das habe ich kommen sehen", sagte meine Mutter. „Soll ich dir einen Rat geben? Das Abnehmen klappt am besten, wenn man gar nichts isst. Warum machst du nicht eine Nulldiät?" Die sollte man natürlich nicht alleine zu Hause machen, weil da die ärztliche Aufsicht fehlt. Aber meine Mutter hatte auch schon die Adresse einer Kurklinik in Norddeutschland und meldete mich dort an. Drei Wochen lebte ich nur von Tee und dünnen Suppen. Eigentlich war es auch gar nicht so schlimm und der Erfolg war fantastisch: acht Kilo weniger. Trotzdem musste irgendwas an dieser Methode falsch sein: Es dauerte nicht einmal zwei Monate, da hatte ich das gleiche Gewicht wie vorher.

Meine Nachbarin Gerda war von meinem Misserfolg überhaupt nicht überrascht. „Das konntest du dir doch denken", sagte sie. „Nur durch Hungern kann man eben nicht abnehmen." Nach ihrer Überzeugung sind alle Diäten reiner Unsinn. „Das Wichtigste ist Sport", meinte sie. „Du brauchst vor allen Dingen Bewegung." Meinen Einwand, dass ich Sportvereine hasse, ließ sie nicht gelten. „Warum kaufst du dir nicht ein Sportgerät?", schlug sie vor. „Damit kannst du ganz bequem zu Hause trainieren."

Ich treibe eigentlich gar nicht gern Sport, weil ich noch nie verstanden habe, warum man ohne vernünftigen Grund schwitzen soll. Trotzdem ging ich am nächsten Tag in ein Sportgeschäft und kaufte einen Heimtrainer. Der Verkäufer riet mir, morgens und abends je eine halbe Stunde damit zu trainieren. Das Gerät, das wie ein Fahrrad ohne Räder aussieht, stellte ich in mein Schlafzimmer, weil es sonst keinen Platz in meiner kleinen Wohnung gab. Die ersten Tage liefen nach Plan, aber dann kam irgendwie immer etwas dazwischen. Morgens stand ich zu spät auf und abends war ich meistens verabredet. Oder ich war zu müde, oder es gab einen guten Film im Fernsehen. Oder ich war einfach zu faul. Jedenfalls stand das Ding nach einem Vierteljahr im Keller. Und da steht es immer noch.

Die Idee, ich müsste unbedingt abnehmen, habe ich inzwischen fallen lassen. Heute ist es mir egal, ob ich ein paar Kilo mehr oder weniger wiege. Sogar meine Mutter hat aufgehört, mich zu kritisieren. Sie hat nämlich die Hoffnung, dass ich doch noch einen Ehemann bekomme. Denn seit einem halben Jahr habe ich eine feste Beziehung. Und mein Freund mag es gern, wenn Frauen nicht so mager sind. Ein dünnes Fotomodell wollte er niemals haben. Warum habe ich damals nicht gleich auf meine Freundin Gisela gehört?

8 Fokus Hören

1 „Was tun Sie für Ihren Körper?"

a. Betrachten Sie zuerst die Fotos und besprechen Sie im Kurs:

Wie sehen die interviewten Personen aus? Haben sie möglicherweise Probleme mit ihrer Figur / mit ihrer Gesundheit? Treiben sie vielleicht Sport?

⊙ *Ich finde, die Frau sieht ziemlich ... aus. Vielleicht isst sie ...*
◆ *Der Mann ist bestimmt ... Wahrscheinlich muss er ...*
□ *Es könnte auch sein, dass er/sie ...*

b. Hören Sie das erste Interview. Was ist richtig? ✗ 1 | 24

1. Die Frau hat schon von klein an viel Sport gemacht.
2. Sie geht dreimal pro Woche zur Gymnastik.
3. Ohne Sport würde sie sich nicht wohl fühlen.
4. Ab und zu trinkt sie ein bisschen Alkohol.
5. Sie ist der Überzeugung, dass man keine Tiere essen sollte.
6. Ab 18.00 Uhr isst sie grundsätzlich nichts mehr.

c. Hören Sie das Interview noch einmal und korrigieren Sie die falschen Aussagen.

⊙ *Satz ... stimmt nicht. Die Frau sagt, dass sie ...*
◆ *Satz ... ist auch falsch. Die Frau findet ...*

d. Hören Sie das zweite Interview. Was ist richtig? ✗ 1 | 25

1. Der Mann isst alles, was ihm schmeckt.
2. Er lässt sich zweimal pro Jahr vom Arzt untersuchen.
3. Der Arzt ist gar nicht mit ihm zufrieden.
4. Der Mann ist nicht bereit, immer nur Salat zu essen.
5. Er hat noch nie eine Diät gemacht.
6. Vorurteile über dicke Menschen findet er nicht schlimm.

e. Hören Sie das Interview noch einmal und korrigieren Sie die falschen Aussagen.

f. Welche Informationen gibt der Mann außerdem? Notieren Sie, was Sie verstanden haben. Arbeiten Sie mit einem Partner/einer Partnerin und berichten Sie dann im Kurs.

⊙ *Sein Arzt meint, er sollte ...* ◆ *Der Mann sagt, dass er früher ...*

◎ Zigaretten/Zigarren rauchen ◎ ein paar Kilo weniger ◎ hinter seinem Rücken über ihn reden ◎ ... ◎

g. Wie finden Sie die Ansichten der Personen? Diskutieren Sie im Kurs.

⊙ *Den Mann finde ich unvernünftig. Es sollte lieber ..*
◆ *Eine vegetarische Ernährung ist auf jeden Fall ... Deshalb meine ich, ...*

2 Und was tun Sie selbst für Ihre Gesundheit?

a. Notieren Sie in kleinen Gruppen Fragen und Antwortmöglichkeiten zum Thema Gesundheit.

Treibst du regelmäßig Sport?	*ja* ☐ *nein* ☐
Bist du Mitglied in einem Sportverein?	*ja* ☐ *nein* ☐
Wie oft lässt du dich vom Arzt untersuchen?	*____ mal pro Jahr*
Wie viel Wasser trinkst du pro Tag?	*____ Liter*
...	...

b. Vergleichen Sie die Fragen im Kurs und stellen Sie gemeinsam einen Fragebogen zusammen. Kopieren Sie den Fragebogen und teilen Sie ihn im Kurs aus.

c. Jeder beantwortet die Fragen anonym. Werten Sie die Antworten dann aus und stellen Sie die Resultate im Kurs vor.

⊙ *... Prozent treiben regelmäßig Sport, aber nur ... Prozent sind Mitglied in einem Sportverein.*

◆ *... Prozent trinken mehr/weniger als ... Liter ...*

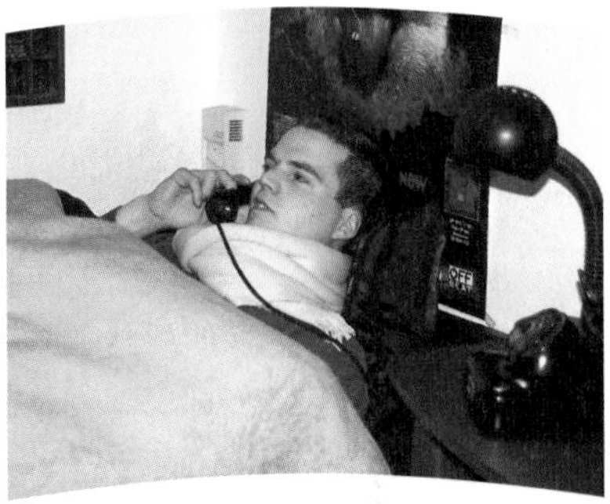

3 „Es ist bestimmt nur eine Erkältung."

a. Betrachten Sie das Foto und überlegen Sie zusammen mit einer Partnerin/einem Partner, welche Krankheit der junge Mann haben könnte.

b. Hören Sie das Telefongespräch. Was passt zusammen? 1 | 26

A Franco weiß nicht so ganz genau, 3
B Franco kann nicht sagen, wie hoch das Fieber ist,
C Heike erklärt ihm,
D Franco liegt im Bett,
E Halsschmerzen hat Franco nicht,
F Franco erzählt Heike,
G Franco möchte nicht,
H Heike war bisher der Meinung,
I Franco ist einverstanden,

1. dass er auch Husten und Schnupfen hat.
2. dass Männer viel Mut haben.
3. ob er eine Grippe oder eine Erkältung hat.
4. aber der ganze Körper tut ihm weh.
5. dass ihm der Arzt eine Spritze gibt.
6. weil er sein Thermometer nicht finden kann.
7. dass Heike ihm Medikamente aus der Apotheke bringt.
8. dass Grippe eine gefährliche Infektion sein kann.
9. weil er sich da am wohlsten fühlt.

c. Wie kann man sich vor einer Erkältung schützen? Was kann man tun, wenn man sich doch einmal erkältet hat? Berichten Sie und diskutieren Sie im Kurs.

viel Vitamin C · Knoblauch · heiße Milch mit Honig · frische Luft · viel trinken · schwitzen · ...

⊙ *Bei Husten hilft mir am besten ...*

◆ *Wenn ich erkältet bin, ...*

4 „Was fehlt Ihnen denn?"

a. Hören Sie das Gespräch. Konzentrieren Sie sich zunächst auf die Fragen und die Aussagen der Ärztin. Was ist richtig? X

1 | 27

Die Ärztin möchte wissen,

1. was dem Patienten fehlt.
2. ob er eine Erklärung für seine Schmerzen hat.
3. ob er schon lange Schmerzen hat.
4. was er zum Frühstück trinkt.
5. was er gewöhnlich zum Frühstück und zu Mittag isst.
6. ob er während der Arbeit etwas isst.
7. ob er viel Bier trinkt.
8. wie viel Kaffee er am Tag trinkt.

Die Ärztin

9. bittet den Patienten, sich auszuziehen.
10. wundert sich nicht darüber, dass der Patient Schmerzen hat.
11. rät ihm, regelmäßige Mahlzeiten zu sich zu nehmen.
12. schlägt ihm vor, Saft statt Kaffee zu trinken.
13. verschreibt ihm kein Mittel gegen die Schmerzen, weil es in seinem Fall nichts nützt.
14. will in zwei Wochen eine Untersuchung machen, wenn es ihm dann nicht besser geht.

b. Hören Sie das Gespräch noch einmal. Achten Sie jetzt besonders auf die Aussagen des Patienten. Welche Zusammenfassung ist richtig? X

1. Herr Belzer ernährt sich vernünftig, aber er weiß nicht, woher seine Magenschmerzen kommen. Morgens trinkt er nur einen Kaffee, mittags besucht er oft ein Restaurant und abends isst er zu Hause.

2. Herr Belzer frühstückt gut, isst aber nichts zu Mittag, sondern nimmt sich viel Zeit für das Abendessen. Während des Tages trinkt er nur Tee. Seine Magenschmerzen kann er sich nicht erklären.

3. Herr Belzer klagt über Magenschmerzen. Er ist viel unterwegs und hat meistens keine Zeit zum Frühstücken oder zum Mittagessen. Er trinkt den ganzen Tag nur Kaffee und isst erst sehr spät abends.

5 Gesundheitliche Probleme beschreiben

Wie sage ich dem Arzt, was mir fehlt? Erfinden Sie zusammen mit einer Partnerin/einem Partner fünf gesundheitliche Probleme und vergleichen Sie im Kurs.

◎ wehtun ◎ ...schmerzen haben ◎ Schmerzen in/an/beim ... haben ◎ eine Verletzung in/an ... haben ◎ nicht bewegen können ◎ schlecht werden ◎ erbrechen müssen ◎ dauernd zum Klo müssen ◎ Schwierigkeiten beim ... haben ◎ keine Kraft in ... haben ◎ kalte ... haben ◎ einschlafen ◎ laufen ◎ schlucken ◎ husten ◎ schwitzen ◎ frieren ◎ blass aussehen ◎ keinen Appetit haben ◎ immer müde sein ◎ ... ◎

Ich habe Schmerzen beim Schlucken. Mir wird oft schlecht. Ich kann meinen Hals nicht bewegen. ...

6 Wer wird Pokalsieger?

Hören Sie die Übertragung aus dem Stadion. Was passt? 1 | 28

a. In der 20. Minute
b. In der 90. Minute
c. In der Verlängerung
d. Im letzten Jahr
e. Wegen einer Verletzung
f. Im letzten Spiel der beiden Mannschaften
g. In der ersten Halbzeit
h. Nach dem Ende des Spiels

1. kann der Trainer den Sieg seiner Mannschaft gar nicht fassen.
2. kann Vittek nicht mitspielen.
3. hat der 1. FC Nürnberg gegen Stuttgart verloren.
4. bekommt Cacau die rote Karte.
5. war der FC Bayern München der Pokalsieger.
6. schießt Kristiansen den Siegtreffer für seine Mannschaft.
7. schießt Cacau ein Tor für den VfB Stuttgart.
8. steht das Spiel 2:2.

7 Fußball und andere beliebte Sportarten

a. Beschreiben Sie die Statistik und sagen Sie, was Ihnen auffällt.

Sportvereine in Deutschland

Sportart	(Mitglieder in Millionen)
Fußball	6,3
Turnen	5,1
Tennis	1,8
Leichtathletik	0,9
Handball	0,8
Reiten	0,8
Ski	0,7
Tischtennis	0,7
Schwimmen	0,7
Volleyball	0,5
Golf	0,4

Die meisten / Nur ganz wenige spielen ...
Mir fällt auf, dass ...
Ich vermisse ...
Anscheinend spielt ... (k)eine wichtige Rolle.
Ich frage mich, ob / wie viele / warum ...

b. Berichten Sie und diskutieren Sie im Kurs:

Was wissen Sie über Fußball in Deutschland?
Welche berühmten Spieler / Vereine kennen Sie?
Was würden Sie gern sonst noch wissen?
Welche Rolle spielt Fußball in Ihrem Land?
Welche Sportarten sind bei Ihnen im Trend?

Bei uns In meinem Land In ...	gibt es ... spielt ... (k)eine große Rolle. machen / spielen die meisten ...

Ich habe keine Ahnung, Ich weiß (auch) nicht, Ich wüsste gern,	wer / wie / warum ...

Fokus Sprechen

1 Vier Fischer

1 | 29 5

a. Hören Sie und sprechen Sie nach. Achten Sie auf „v“, „w“ und „f“.

Vier Fischer wollen im Wasser Fische fangen.
Vierzig Fische fühlen sich im Wasser wohl und warten.
Worauf warten die vierzig Fische im Wasser?
Wahrscheinlich warten die vierzig Fische im Wasser,
bis die Fischer wieder wegfahren.

b. Erfinden Sie weitere Sätze mit einem Partner/einer Partnerin und lesen Sie sie im Kurs vor.

Fotografen	fangen	fleißig	Fußbälle
Fahrer	finden	fünf	Fliegen
Feuerwehrmänner	fotografieren	finnische	Fotomodelle
Väter	vergleichen	vormittags	Vorschläge
Verkäufer	vergessen	viele	Vornamen
Vermieter	vermissen	vormittags	Vorhänge
Wir	waschen	wieder	Wäsche
Wilma und Walter	würzen	wunderbar	Würstchen
Walter und Werner	wählen	wohl	Weißwurst

Fotografen wählen fünf Fotomodelle.
Väter waschen fleißig Wäsche.

2 Das Pferd und der Pfarrer

1 | 30 6

Hören Sie und sprechen Sie nach. Achten Sie auf „f“ und „pf“.

„Pfui!“
„Pfui“, rief der Pfarrer.
„Pfui“, rief der Pfarrer und schimpfte.
„Pfui“, rief der Pfarrer und schimpfte mit dem Pferd.
„Pfui“, rief der Pfarrer und schimpfte mit dem Pferd,
das den frischen Pflaumenkuchen fraß.

3 Das Bild mit dem Bach

1 | 31 7

Hören Sie und sprechen Sie nach. Achten Sie auf „b“ und „w“.

„Ach!“
„Ach, der Bach!“
„Ach, wie wild ist der Bach!“
„Ach, wie wild ist der Bach auf dem Bild!“
„Ach, wie blau und wild ist der Bach auf dem Bild!“

4 Wenn wir Bären wären ...

1 | 32 8

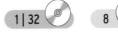

Ergänzen Sie zuerst die Wörter. Hören Sie dann die Sätze, kontrollieren Sie und sprechen Sie nach.

a. Wenn wir doch *Bären wären*!
b. Wandern wir .... im ....?
c. Sind .... Kühe auf der ....?
d. Trinken ....?
e. .... Mäuse bei den ....?
f. Schmeckt die Wurst im .... am ....?

- ~~wären – Bären~~
- Wald – bald
- beide – Weide
- Bier – wir
- Bohnen – wohnen
- Westen – besten

5 „Wie geht es Onkel Franz?"

1 | 33 9

a. Ergänzen Sie zuerst die Fragewörter und kontrollieren Sie dann anhand der CD.

- ⊙ *Wie* geht es Onkel Franz?
- ◆ Sie hat gefragt, ... es Onkel Franz geht.
- ⊙ .... muss er noch im Krankenhaus bleiben?
- ◆ Sie hat sich erkundigt, ... er noch im Krankenhaus bleiben muss.
- ⊙ Darf er schon aufstehen?
- ◆ Sie will wissen, ... er schon aufstehen darf.
- ⊙ Hat er schon Besuch bekommen?
- ◆ Sie hat gefragt, ... er schon Besuch bekommen hat.
- ⊙ .... kann man ihn besuchen?
- ◆ Sie hat sich erkundigt, ... man ihn besuchen kann.
- ⊙ .... kann man ihm mitbringen?
- ◆ Sie will wissen, ... man ihm mitbringen kann.
- ⊙ Darf er Schokolade essen?
- ◆ Sie hat gefragt, ... er Schokolade essen darf.

- was
- wie
- wann
- wie lange
- ob

b. Spielen Sie anschließend das Gespräch mit verteilten Rollen.

6 Erkundigungen

Nehmen Sie an, ein Freund/eine Freundin hatte einen Sportunfall. Ihr Partner/Ihre Partnerin hat ihn/sie im Krankenhaus besucht. Spielen Sie ein Gespräch im Kurs.

Weißt du, ob er/sie ...?
Hat er/sie dir gesagt, wann ...?
Hast du danach gefragt, was ...?
Hast du dich erkundigt, ...?
Hast du erfahren, ...?

Er/sie hat gesagt, dass ...
Ich habe erfahren, dass ...
Ich soll dir sagen, dass ...
Er/sie weiß nicht, ob ...
Er/sie hofft, dass ...

- im Krankenhaus bleiben
- ihm/ihr ... besser gehen
- ihn/sie besuchen können
- mitbringen
- aufstehen
- Medikamente nehmen
- bald wieder trainieren

7 Eine Radtour mit Überraschungen

a. Hören Sie das Gespräch und spielen Sie es im Kurs. 1 | 34 10

⊙ Hör mal, ich habe Sabine getroffen. Sie plant eine Radtour und fragt, ob wir mitkommen wollen.
◆ Oh, prima. Natürlich komme ich mit. Wann soll es denn losgehen?
⊙ Samstagmorgen.
◆ Und hat sie schon eine Idee, wohin wir fahren?
⊙ Das hat sie nicht verraten. Es soll eine Überraschung sein.
◆ Aha. Hat sie denn wenigstens gesagt, wann wir wieder zurückkommen?
⊙ Ja, am Sonntagabend.
◆ Was? Dann müssen wir ja übernachten! Meinst du, dass wir in ein Hotel gehen?
⊙ Nein. Wir sollen ein Zelt und unsere Schlafsäcke mitnehmen.
◆ Oh, das wird bestimmt lustig. Weißt du denn, ob noch jemand mitkommt?
⊙ Keine Ahnung. Das hat sie nicht gesagt.
◆ Na, dann lassen wir uns mal überraschen ...

b. Variieren Sie zu zweit das Gespräch. Einer stellt einen Ausflug zusammen, der andere bereitet Fragen vor. Spielen Sie dann das Gespräch im Kurs.

Ausflug	mit dem Schiff	mit dem Auto	mit dem Bus	mit ...
Beginn	Montagmorgen	Freitag früh	Donnerstag morgens um 7	...
Ziel	Schloss	*Überraschung*	Burg	See
Rückkehr	Mittwochabend	Sonntagnachmittag	am späten Samstagabend	...
Übernachtung	Jugendherberge	Campingplatz	*Überraschung*	Pension
mitnehmen	Schlafsack	Badesachen	Wanderschuhe	...
Teilnehmer	Nachbarn	Freunde	Kursteilnehmer	*Überraschung*

8 „Können Sie mir bitte sagen, ... ?"

Arbeiten Sie in kleinen Gruppen. Denken Sie sich zu jedem Feld fünf Fragen aus. Spielen Sie die Situationen dann mit Fragen und Antworten.

Können Sie mir bitte sagen, ...?
Könnten Sie mir sagen, ...?
Sagen Sie mir bitte, ...
Ich wüsste gern, ...
Ich möchte gern wissen, ...
Würden Sie mir erklären, ...?
Wissen Sie vielleicht, ...?
...

Ja, gern. ...
Also, das ist ganz einfach: ...
Das weiß ich genau: ...
Das kann ich Ihnen sagen: ...
...
Ich bin nicht sicher, aber ich weiß, dass ...
Ich weiß es nicht. Aber ich glaube, dass ...
Tut mir leid. Das weiß ich leider nicht.
Das kann ich Ihnen leider nicht genau sagen.
...

10 Fokus Schreiben

1 Hören Sie zu und schreiben Sie. 1 | 35

.... Bernd ....

Schlafzimmer. ...., ... sollte. .... Wände

.... Traum ....

...., ... draußen ....

2 Ein Freizeitunfall

a. Betrachten und beschreiben Sie die Fotos.

b. Bringen Sie die Sätze in die richtige Reihenfolge.

- ◯ Seine Frau hat einen Krankenwagen gerufen.
- ◯ Dabei ist er über ein Spielzeugauto gestolpert und hingefallen.
- 1 Gerhard Friedrichsen hat mit seinem Sohn im Garten Handball gespielt.
- ◯ In der Klinik hat man festgestellt, dass das Bein gebrochen war.
- ◯ Danach hat er sein linkes Bein nicht mehr bewegen können.
- ◯ Um den Ball zu fangen, hat er rückwärts laufen müssen.

Präteritum	**Perfekt**
Er **musste** laufen.	Er **hat** laufen **müssen**.
Er **konnte** nicht laufen.	Er **hat** nicht laufen **können**.

c. Füllen Sie zusammen mit einem Partner/einer Partnerin die Unfallanzeige für Gerhard F. aus. Schreiben Sie die Sätze im Präteritum.

Gloria-Versicherungen AG

Krankenversicherungen – Unfallversicherungen – Lebensversicherungen

Unfallanzeige

Beschreiben Sie bitte:
Unfallhergang, Unfallursache, Art der Verletzung

Versicherungsnummer: *227.503.08-15*
Name des Versicherten: *Gerhard Friedrichsen*
☐ Berufsunfall ☒ Freizeitunfall
Datum des Unfalls: *24.06.2007*
Ort des Unfalls: *Brockum*

Ich spielte mit meinem Sohn ....
Um den Ball zu fangen, musste ich ....
Dabei .... *ich über ein Spielzeugauto und* ....
Danach konnte ich ....
Meine Frau ....
In der Klinik stellte ...., *dass* ....

Gerhard Friedrichsen

3 Es passierte am Spielfeldrand.

Lesen Sie die Hergangsbeschreibung und schreiben Sie dann eine Unfallanzeige im Präteritum. Arbeiten Sie mit einer Partnerin/einem Partner. Vergleichen Sie Ihre Texte dann im Kurs.

Gundula Pfeiffer ist auf dem Sportplatz gewesen und hat der Mannschaft ihrer Tochter beim Fußballspielen zugeschaut. Plötzlich ist der Ball über den Spielfeldrand geflogen. Sie hat ihn nicht sehen können, weil sie gerade mit ihrem Sohn gesprochen hat. Der Ball hat genau ihr rechtes Auge getroffen. Es hat sehr wehgetan und sie ist sofort nach Hause gegangen. Die Schmerzen haben nicht aufhören wollen und sie hat den Arzt gerufen. Er hat ihr Auge untersucht und hat sie ins Krankenhaus bringen lassen. Dort hat man sie sofort operieren müssen.

Weserland GmbH

Versicherungsgesellschaft

Bericht für die Unfallversicherung
Bitte machen Sie genaue Angaben zu:
Unfallhergang, Unfallursache, Verletzung

Versichertenkarte: *898-26/301/17*
Versichertes Mitglied:
☐ Berufsunfall ☐ Freizeitunfall
Datum des Unfalls: *24. 06. 2007*
Ort des Unfalls: *Diepholz*

Ich war auf dem Sportplatz und schaute ....
....
....
....
....

4 Unfälle und Missgeschicke

a. Wählen Sie in einer kleinen Gruppe fünf Fotos aus. Notieren Sie kurz, was Ihnen spontan dazu einfällt. Das kann ein Stichwort oder ein ganzer Satz sein.

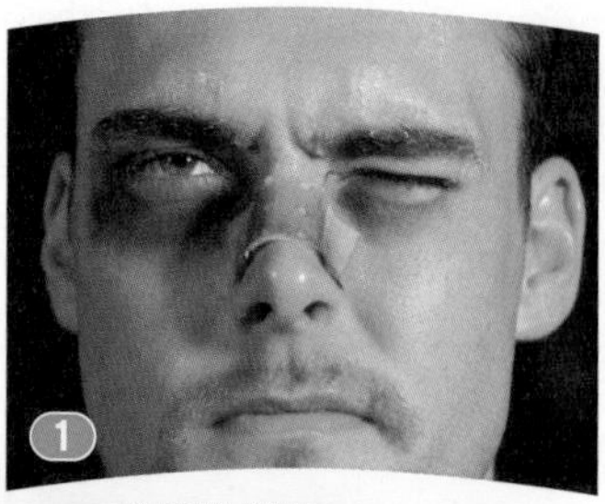

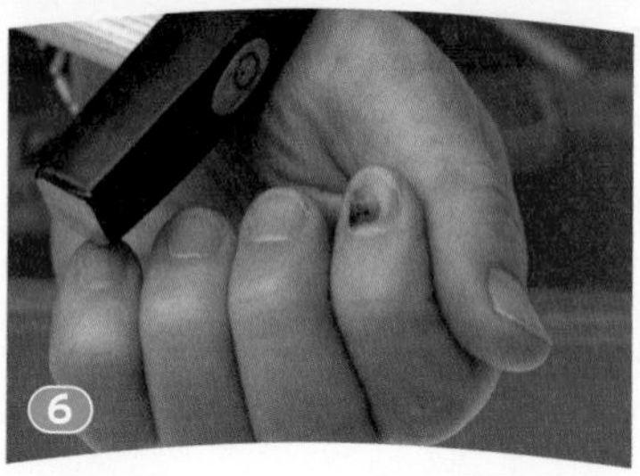

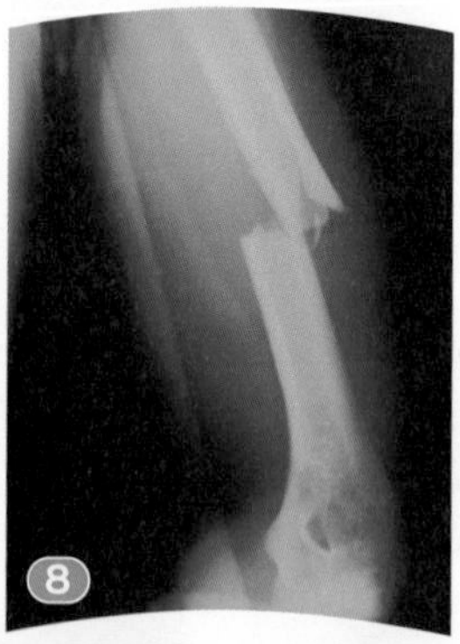

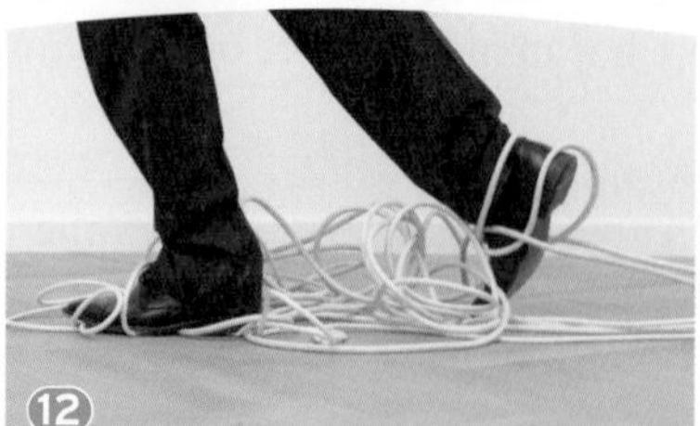

b. Lesen Sie Ihre Notizen im Kurs vor und vergleichen Sie, was die anderen notiert haben.

c. Wählen Sie in einer kleinen Gruppe ein Foto aus. Schreiben Sie gemeinsam eine kleine Geschichte dazu. Tragen Sie Ihren Text dann im Kurs vor. Je nach Situation können Sie sich an den folgenden Fragen orientieren:

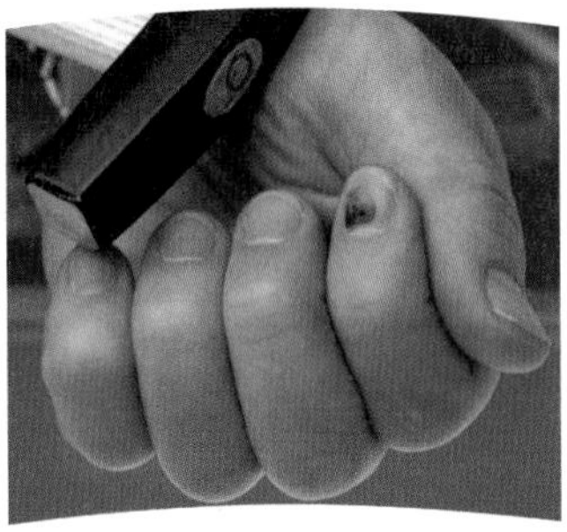

- Was tun die Personen gerade? / Was haben sie tun wollen?
- Was ist vielleicht vorher passiert?
- Was kann noch passieren? / Welche Konsequenzen könnte es geben?
- Wie kann man helfen? / Was braucht die verletzte Person?

Andreas hat ein Bild aufhängen wollen. Dabei hat er sich mit dem Hammer auf den Finger geschlagen. Es hat ihm sehr wehgetan und der Finger wurde ganz blau. Da haben wir ihm sofort kaltes Wasser gebracht. Er hat seine Hand hineingetaucht, und die Schmerzen haben zum Glück bald aufgehört.

platzen ◎ explodieren ◎ ausrutschen ◎ von/auf ... fallen ◎ hinfallen ◎ umfallen ◎ stürzen ◎ stolpern ◎ (sich) ... verbrennen ◎ (sich) ... schneiden ◎ gegen ... stoßen ◎ brechen ◎ bluten ◎ die Vorfahrt nicht beachten ◎ nicht sehen können ◎ ...

retten ◎ hupen ◎ erste Hilfe leisten ◎ verbinden ◎ Salbe ◎ Pflaster ◎ Verband ◎ Feuerlöscher ◎ kaltes Wasser ◎ ...

5 Ein Entschuldigungsschreiben

Nehmen Sie an, Sie müssen einen Termin absagen, weil Ihnen ein kleines Missgeschick / ein Unfall passiert ist. Schreiben Sie eine E-Mail, in der Sie sich entschuldigen und Ihr Missgeschick / Ihren Unfall kurz beschreiben. Sie können eine der Situationen aus Übung 4 verwenden oder eine neue erfinden.

Neue E-Mail

Senden | Anhang | Adressen | Schriften | Als Entwurf sichern

Von:

Kopie:

Betreff:

Liebe(r) ...,

leider kann ich zu ... nicht kommen. Mir ist nämlich eine dumme Geschichte passiert:

Ich habe gestern ...

Ich wünsche Dir ... . Beim nächsten Mal bin ich auf jeden Fall wieder dabei!

Herzliche Grüße
Dein(e)

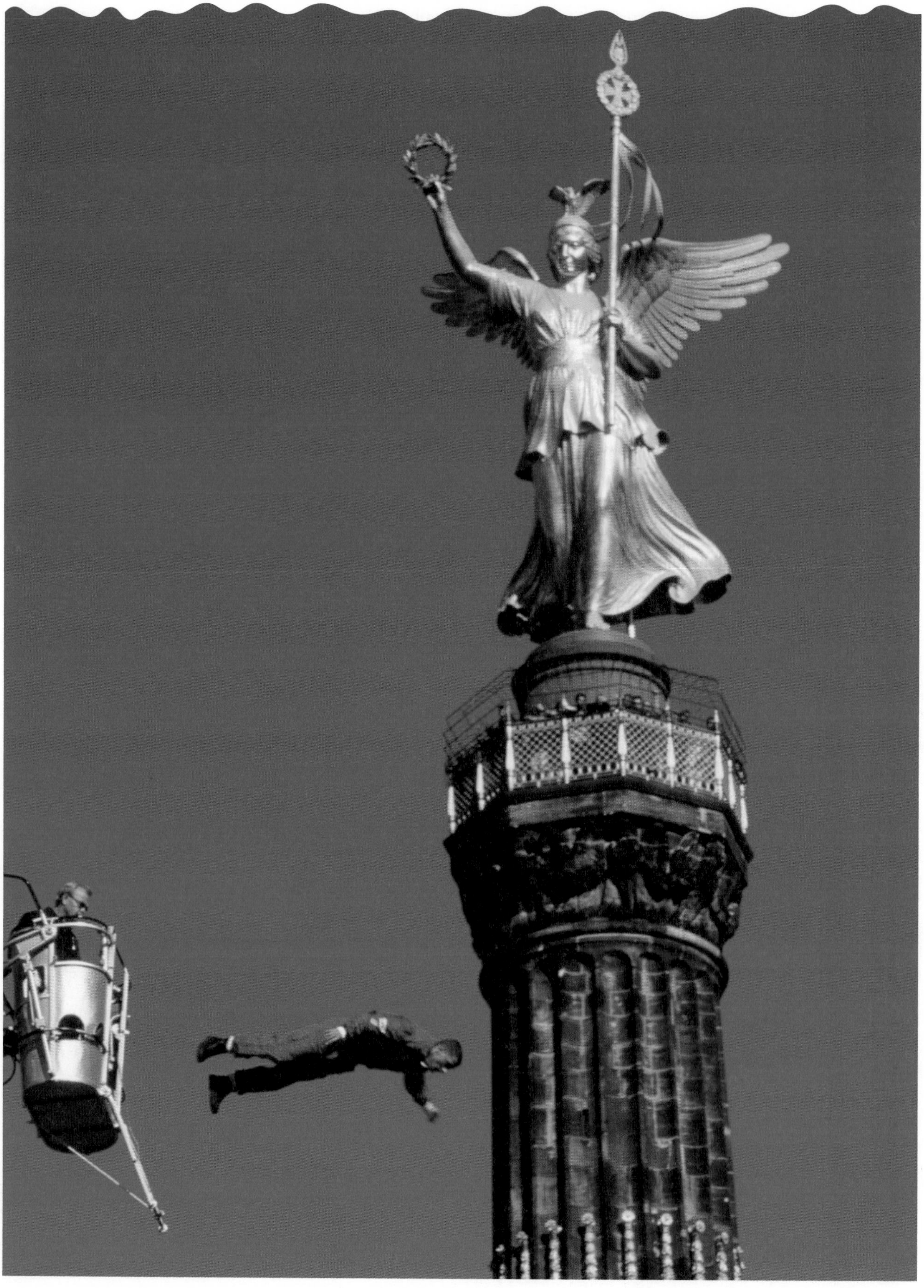

Das können Sie jetzt:

- Über Gesundheitsthemen sprechen
- Fragen indirekt formulieren
- Ernährungsgewohnheiten diskutieren
- Gesundheitliche Probleme beschreiben
- Über Sportarten berichten
- Freizeitunfälle schildern
- Unfallanzeigen schreiben

Eine neue Wunderdiät

1 | 36

- ⊙ Diese Diät ist furchtbar. Willst du wissen, was ich heute gegessen habe?
- ◆ Wahrscheinlich mehr als ich. Ich hatte nur einen Becher Joghurt.
- ⊙ Lecker! Ich hatte Salat mit Karotten. Kannst du dich noch erinnern, wie ein Stück Kuchen schmeckt?
- ◆ Hör bloß auf! Manchmal frage ich mich, warum wir uns so quälen.
- ⊙ Es ist eben so. Eine gute Figur bekommt man nicht geschenkt.
- ◆ Ob wir mal eine Nulldiät probieren? Da nimmt man ganz schnell ab. Was meinst du?
- ⊙ Nulldiät? Das ist ja noch schlimmer. – Schau mal, da winkt dir jemand.
- ◆ Das ist eine Bekannte. Sie holt ihren Freund ab.
- ⊙ Die hat ja eine tolle Figur.
- ◆ Oh ja, kein Gramm zu viel. Da fragt man sich, warum das Leben so ungerecht ist.
- ⊙ Wieso ungerecht? Sicher trainiert sie jeden Tag ein paar Stunden. Weißt du, an welchen Geräten sie übt?
- ◆ An gar keinen. Sie hasst Sport.
- ⊙ Wirklich? Unglaublich! Dann frage ich mich, welche Wunderdiät sie kennt.
- ◆ Die beste, die du dir vorstellen kannst.
- ⊙ So? Welche denn?
- ◆ Willst du das wirklich wissen? ... Sie lebt von Pizza, Hamburgern und Schokolade!

Themenkreis
Wirtschaftswelt und Geschäftsideen

11 Fokus Strukturen

1 Was passiert im Gebäude?

a. Betrachten und beschreiben Sie die gesamte Zeichnung.

⊙ *Vor dem Haus steht …* ◆ *Auf dem Dachboden ist eine Lampe …* □ *An der Autowerkstatt hängen …*

b. Was passt?

A In der Arztpraxis (3)	1. schließt jemand eine Waschmaschine an.
B Auf dem Dach ( )	2. wird ein Fest gefeiert.
C Am Tor ( )	3. wird ein Kind untersucht.
D Am Fensterbrett ( )	4. werden Pakete ausgeladen.
E Auf dem Balkon ( )	5. hängt jemand Wäsche zum Trocknen auf.
F An der Haustür ( )	6. werden Vögel gefüttert.
G Im ersten Stock ( )	7. montiert jemand eine Antenne.
H Auf dem Dachboden ( )	8. werden Blumen gegossen.
I Im Keller ( )	9. wird eine alte Dame abgeholt.
J In der Autowerkstatt ( )	10. streicht jemand die Fenster.

gießen
wird gegossen
abholen
wird abgeholt

2 Vor dem Tor darf nicht geparkt werden.

Jemand **muss** die Wasserleitung **reparieren**.
Die Wasserleitung **muss repariert werden**.

Was passt?

a. Vor dem Tor *6*
b. In der Autowerkstatt
c. Im Treppenhaus
d. In der Arztpraxis
e. In der Wohnung im ersten Stock
f. Auf dem Dachboden
g. Im Keller

1. darf nicht gespielt werden.
2. kann nicht geduscht werden.
3. muss ein Reifen gewechselt werden.
4. muss die Wasserleitung repariert werden.
5. muss eine Glühbirne gewechselt werden.
6. darf nicht geparkt werden.
7. kann die Toilette nicht benutzt werden.

3 Ein trauriger Anblick!

a. Betrachten Sie die Zeichnung. Überlegen Sie zusammen mit einem Partner/einer Partnerin:

Was muss hier dringend gemacht werden? Was kann später gemacht werden? Warum?

◎ Wände ◎ Decke ◎ Lampe ◎ Wasserleitung ◎ Stromleitung ◎ Vorhänge ◎ Waschmaschine ◎ Fernseher ◎ Antenne ◎ Schrank ◎ Bild ◎ Tür ◎ Dusche ◎ Steckdose ◎ Glas ◎ Regal ◎ Spiegel ◎

◎ sauber machen ◎ anschließen ◎ tapezieren ◎ streichen ◎ nähen ◎ reparieren ◎ aufhängen ◎ einsetzen ◎ wegräumen ◎ aufbauen ◎ wechseln ◎ anbringen ◎ kleben ◎ erneuern ◎

⊙ *Zuerst muss ein neues Fenster eingesetzt werden. Sonst regnet es herein.*

◆ *Ich meine, zuerst muss die Wasserleitung repariert werden. Das Wasser läuft sonst durch den Boden.*

⊙ *Das kann man vielleicht auch später machen. Das Wasser kann ja erst mal abgestellt werden.*

...

b. Vergleichen Sie Ihre Überlegungen im Kurs.

4 Fachleute

a. Lesen Sie die Sätze und korrigieren Sie dann die Aussagen.

Das Dach wird vom Installateur gedeckt.
Der Fernseher wird vom Tischler angeschlossen.
Der Wasserhahn wird vom Elektriker repariert.
Das Regal wird vom Fernsehtechniker gebaut.
Die Sicherungen werden vom Maler gewechselt.
Die Wände werden vom Dachdecker gestrichen.

⊙ *Das Dach wird vom Dachdecker gedeckt.*
◆ *Der Fernseher wird ...*
...

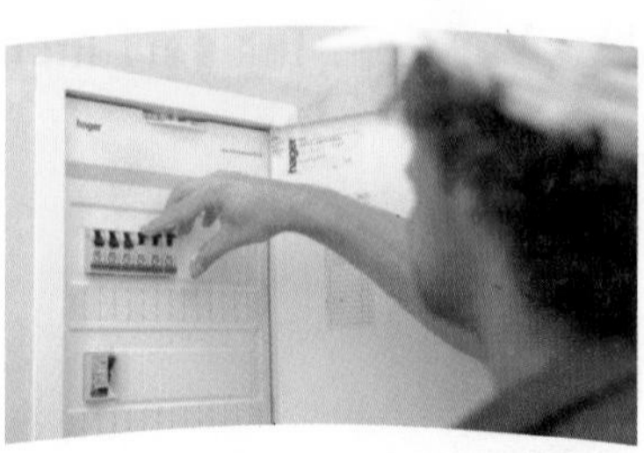

b. Erfinden Sie weitere ‚falsche' Aussagen. Einer trägt seinen Satz vor, der nächste korrigiert ihn und nennt seinen Satz usw.

⊙ *Das Brot wird von der Frisörin gebacken.*

◆ *Nein. Das Brot wird von der Bäckerin gebacken.*
– Die Haare werden vom Installateur geschnitten.

□ *Nein. Die Haare werden ...*

Der Dachdecker deckt das Dach.
Das Dach wird **vom Dachdecker** gedeckt.

5 Eine Zeitungsmeldung

a. Lesen Sie den Text.

Schloss Bellevue wurde renoviert

Berlin. Die Renovierung von Schloss Bellevue ist vorige Woche abgeschlossen worden. Knapp zwei Jahre lang wurde am Amtssitz des Bundespräsidenten gearbeitet. Besonders die elektrischen Anlagen, die Sanitär- und Heizungstechnik wurden erneuert. Das war auch notwendig, da sie zum Teil noch aus den 50er Jahren des letzten Jahrhunderts stammten. Außerdem wurden die Gartenanlagen und die Fassade des Gebäudes renoviert. Die Wohnräume der Präsidentenfamilie existieren nun allerdings nicht mehr: Sie wurden in Büro- und Empfangsräume umgebaut.
Schloss Bellevue wurde ab 1785 für Prinz Ferdinand von Preußen gebaut. Nach dem Ersten Weltkrieg wurde es auf verschiedene Arten genutzt: als Mietshaus, Museum und Krankenhaus. Im Zweiten Weltkrieg wurde es teilweise durch Bomben zerstört. Seit 1959 ist es Amtssitz des Bundespräsidenten.
Nach der Renovierung können nun auch wieder Staatsgäste empfangen werden. Mit einem „Tag der offenen Tür" ist gestern auch den einfachen Bürgern Gelegenheit gegeben worden, den herrlichen Bau einmal von innen anzuschauen.

b. Beantworten Sie die Fragen.

1. Wer hat seinen Amtssitz im Schloss Bellevue?
2. Was wurde alles renoviert?
3. Für wen wurde das Schloss gebaut?
4. Wie wurde es später genutzt?

c. Schreiben Sie die Sätze im Perfekt.

1. Die Renovierung wurde abgeschlossen. — Die Renovierung *ist abgeschlossen worden.*
2. Die Heizung wurde erneuert. — Die Heizung ist erneuert worden
3. Die Gartenanlagen wurden renoviert. — Die Gartenanlagen sind renoviert worden
4. Die Wohnräume wurden umgebaut. — Die Wohnräume sind umgebaut worden
5. Das Schloss wurde ab 1785 gebaut. — Das Schloss ist ab 1785 gebaut worden
6. Das Gebäude wurde teilweise zerstört. — Das Gebäude ist teilweise zerstört worden

Präteritum	Perfekt
Das Schloss **wurde renoviert**.	Das Schloss **ist renoviert worden**.

6 Berühmte Gebäude in Ihrem Land

Berichten Sie kurz über ein berühmtes Gebäude in Ihrem Land. Sie können sich an den folgenden Fragen orientieren:

- Wo steht es?
- Wann / von wem / für wen / wozu ... ist es gebaut worden?
- Wozu ist es zu unterschiedlichen Zeiten genutzt worden?
- Wozu dient es heute?
- Was kann man besichtigen?

12 Fokus Lesen

1 Anzeigen aus dem Wirtschaftsteil

a. Lesen Sie die Anzeigen.

Hallo Existenzgründer!
Beratung in allen finanziellen Fragen
- Vermittlung von Sonderkrediten
- Hilfe bei Anträgen und Genehmigungen

BWF
Büro Winfried Fischer
Steinstr. 7
Tel.: 338058
A

Institut der beruflichen Weiterbildung bietet
Kurse auf den Gebieten
- IT-System-Analyse
- Software - Anwendung
- Programmierung

Download unserer Gratis-Broschüre unter www.wiit-system.org
B

Sichern Sie sich ein interessantes Nebeneinkommen
Callcenter sucht
junge Damen und Herren in Teilzeitarbeit.
Ihre Aufgabe: Kundendienst – keine Werbung!
- Flexible Arbeitszeiten
- Bezahlung nach Gewerkschafts-Tarif.

Interessiert? 0800-78965
C

Fritz Consulting
D
Unser Team analysiert Ihre Einnahmen, Ihre Kosten und Ihren Finanzbedarf. Mit uns wird Ihr Unternehmen wieder gesund! Nähere Informationen unter

WAMPE AG
Food Systems
Franchise-Partner gesucht
Sie
- haben Erfahrung in der Leitung eines Restaurants
- suchen eine neue Aufgabe
- möchten selbstständig arbeiten

E
Wir
- stellen Ihnen ein Lokal in guter Lage zur Verfügung
- liefern Ihnen alles, was Sie brauchen, aus einer Hand

Vom Kaffeelöffel bis zum Industrie-Geschirrspüler:
Einrichtungen für Kantine, Großküche, Restaurant, Schnellimbiss
Bei uns finden Sie alles!

Lohmann & CO.
Rhedaer Str. 7-9

F

Ladenlokal zu vermieten
Beste Innenstadtlage – großes Schaufenster
117 m²
Ideal für Boutique, Computershop o.Ä.
IMMO Service Butenand
G

b. **Lesen Sie die Situationsbeschreibungen. Auf welche Anzeige könnten die Personen sich melden? (Zu jeder Person passt nur eine bestimmte Anzeige.)**

1. Sylvia N. verkauft seit Jahren Damenmode aus Wolle. Jetzt möchte sie in einen Laden in attraktiverer Lage umziehen.
2. Psychologie-Studentin Sandra Z. möchte nebenbei etwas Geld verdienen. Sie kann gut reden und mit anderen Menschen umgehen.
3. Frank B. möchte eine kleine Spezial-Buchhandlung eröffnen. Geschäftsräume hat er schon gefunden, aber nun muss er einen Kredit aufnehmen, um Ware und Möbel zu kaufen.
4. Die Spezialität von Stefan P. sind westfälische Pfannkuchen. Sein Imbiss-Stand läuft ausgezeichnet. Er hat die Absicht, einen zweiten am anderen Ende der Stadt aufzumachen.

5. Richard S. war erst Koch, dann Geschäftsführer in einer Filiale einer Steakhouse-Kette. Er hat gekündigt, weil die Konzernleitung ihm zu viele Vorschriften machte. Jetzt sucht er in der gleichen Branche eine Position, in der er unabhängiger ist. E
6. Gerald G. hat sich vor drei Jahren selbstständig gemacht. Seine Software-Firma hat genug Aufträge, gibt aber zu viel Geld für Löhne, Gehälter und Material aus. Er braucht dringend eine Beratung. D
7. Vor fünf Jahren wurde Ingrid. F. schwanger. Ihre Stelle als Datenbank-Programmiererin hat sie damals aufgegeben. Nun will sie sich wieder bei einer Firma bewerben, möchte aber vorher ihre Kenntnisse auf den neuesten Stand bringen. B

2 Man kann es auch anders ausdrücken.

Ergänzen Sie die Sätze.

~~vermitteln~~ · werben · beraten · bezahlen · programmieren

a. Vermittlung von Krediten: Wir *vermitteln* Kredite.
b. Beratung in allen Fragen: Wir .... Sie in allen Fragen.
c. Programmierung von Computern: Wir .... Computer.
d. Werbung für Hundefutter: Wir .... für Hundefutter.
e. Bezahlung nach Tarif: Wir .... nach Tarif.

Nomen	Verb
die Vermitt**lung**	vermitteln
die Lei**tung**	leiten

3 Existenzgründung

Nehmen Sie an, Sie wollen sich zusammen mit mehreren Personen selbstständig machen. Dazu brauchen Sie eine gute Geschäftsidee und eine Grundlagenplanung.

a. Suchen Sie in einer Kleingruppe eine Geschäftsidee aus oder erfinden Sie eine eigene.

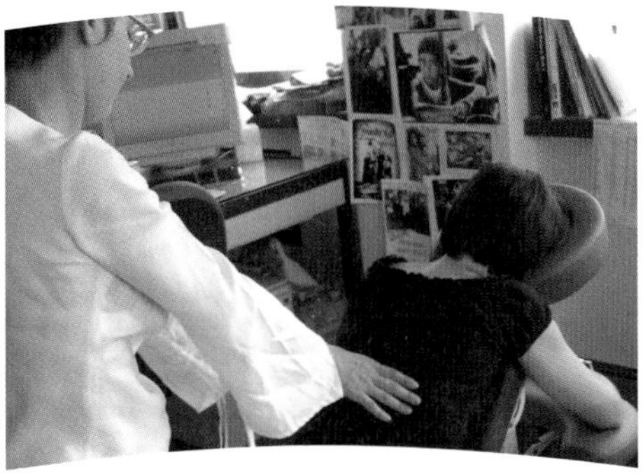

- Ferienbetreuung für Haustiere
- Mobiler Massage-Service für Büroangestellte
- Spielzeug, das man essen kann
- Schmuck für Hunde/Katzen
- Spezial-Imbiss für Suppen
- Agentur für Leih-Großmütter
- Mobiler Service für Computerprobleme
- ...

b. Stellen Sie in der Gruppe eine Planung auf. Beachten Sie dabei folgende Punkte:

- Genaue Beschreibung der Tätigkeit(en)
- Finanzplan für die erste Zeit
- Räume/Material ...
- Werbung
- ...

Wir möchten eine Ferienbetreuung für Haustiere gründen. Geld brauchen wir zunächst nur für die Werbung, damit wir bekannt werden. Wir wollen Anzeigen in Zeitungen und im Internet aufgeben. Dafür leihen wir uns ...

c. Tragen Sie Ihr Konzept im Kurs vor.

4 Existenzgründer

a. Betrachten Sie die beiden Fotos auf der rechten Seite und besprechen Sie:

Was wird hier möglicherweise gemacht? Wo könnten die Situationen spielen?

b. Lesen Sie die Einleitung. Worum geht es vermutlich in den beiden folgenden Texten? X

- Pech im Beruf
- Ungewöhnliche Geschäftsideen
- Verlust von Arbeitsplätzen

5 Eine spontane Idee mit Folgen

Lesen Sie den Text „Die Idee kam im Bett". Was ist richtig? X

a. An einem Sonntagmorgen hatten Heiner S. und seine Freundin nichts zum Frühstücken im Haus.
b. Die Freundin hatte die Idee, gemeinsam einen Frühstücksservice aufzumachen.
c. Die beiden haben sechs Monate gebraucht, um die Geschäftseröffnung vorzubereiten.
d. Der Frühstücksservice bietet seine Dienste nur an Sonn- und Feiertagen an.
e. In der Anfangszeit haben die beiden zu viel Reklame gemacht.
f. Das Unternehmen ist sehr erfolgreich und hat keine Schulden mehr.

6 Am Anfang war das Huhn

Lesen Sie den Text „Es begann mit einem Huhn". Was ist richtig? X

a. Anita M. hat gezielt Möglichkeiten gesucht, mit ihrem Huhn Geld zu verdienen.
b. Das Huhn ist an den Umgang mit Menschen gewöhnt.
c. Zuerst wurden Werbefotos mit dem Huhn gemacht, danach hat es in einer Fernsehserie mitgespielt.
d. Neben dem Studium arbeitet Anita M. heute als Tiertrainerin für eine Fernsehgesellschaft.
e. Anita M. braucht mehr Platz für ihre Tiere und möchte aufs Land ziehen.
f. Trotz Anitas Liebe und Geduld ist das Training harte Arbeit für die Vögel.

7 Eine Zusammenfassung

Wählen Sie einen Text aus und schreiben Sie zu zweit eine kurze Zusammenfassung.

Die Idee, einen Frühstücksservice zu eröffnen, kam ... Zuerst haben die beiden ...

Anita M. hat ein Perlhuhn, das ihr von einem Nachbarn ... Eines Tages hat sie ...

8 Ihre Meinung zu den Geschäftsideen

Diskutieren Sie im Kurs:

- Würden Sie den Frühstücksservice auch einmal bestellen?
- Was könnte eine Gefahr für das Geschäft von Heiner S. und Petra F. werden?
- Wofür könnte man mit einem Perlhuhn (einer Ente, einer weißen Taube, einem Papagei ...) Werbung machen?
- Schadet man Tieren, wenn man sie für Auftritte in der Werbung oder im Film trainiert?

Erfolgs-Geschichten

Viele junge Leute träumen davon, ihr eigener Chef zu sein. Manche versuchen es und haben Pech. Andere schaffen den Sprung in die Selbstständigkeit. Was dazu gehört? – Eine gute Idee, ein bisschen Mut, ein bisschen Glück. Während in der Industrie immer mehr „klassische" Arbeitsplätze verloren gehen, haben ungewöhnliche Geschäftsideen für Dienstleistungen gute Aussichten auf Erfolg.

Die Idee kam im Bett

Die Idee kam Heiner S. ganz spontan an einem schönen Sonntagmorgen, als der arbeitslose Fernsehmechaniker neben seiner Freundin aufwachte. „Wenn uns jetzt jemand ein richtiges Luxusfrühstück ans Bett bringen würde – das wäre toll!", dachte er. Aber natürlich kam niemand und der Kühlschrank war leider auch leer.

Hungrig, aber mit einem verrückten Plan im Kopf weckte er seine Freundin. Sie war sofort von seiner Idee begeistert. In den folgenden Wochen besuchten sie zusammen Bäckereien und Lebensmittelmärkte, entwarfen Anzeigen und beantragten einen Kredit bei der Bank.

Ein halbes Jahr später war es so weit: Heiner S. und Petra F. eröffneten ihren Frühstücksservice. Anruf genügt – und nach ca. einer halben Stunde wird ein ausgezeichnetes Frühstück bis ans Bett geliefert. Zwischen vier Angeboten können die Kunden wählen: „Romantisch" (mit Kerzen und kleinen Törtchen), „Englisch" (mit Eiern und Schinken), „Gesund" (mit frischem Obst und Säften) und „Luxuriös" (mit Champagner und Kaviar).

Die Nachfrage ist groß und das Geschäft blüht. „An Feiertagen, wenn die Leute lange im Bett bleiben können, haben wir die meiste Arbeit", sagt Heiner S. „Viele Kunden leisten sich das Luxusfrühstück zum Geburtstag oder als Überraschung zum Hochzeitstag. Wenn es gewünscht wird, bringen wir auch einen Blumenstrauß mit."

Jede Einzelheit muss genau geplant werden; jeden Tag rechnen die beiden aus, wie viel sie von jedem Lebensmittel brauchen. Anfangs haben sie natürlich Fehler gemacht: Sie haben zu viele Aufträge angenommen, zu wenig Ware eingekauft, nicht genug Reklame gemacht. Glücklicherweise hat ihre Bank sie nicht fallen lassen. Bald mussten sie neue Räume mieten und Mitarbeiter einstellen. Inzwischen haben sie ihre Schulden bezahlt und es geht weiter aufwärts: In der Nachbarstadt haben sie gerade die erste Filiale eröffnet.

Nur eins können Heiner S. und Petra F. sich nicht mehr leisten: lange schlafen und im Bett frühstücken.

Es begann mit einem Huhn

Vor vier Jahren stieß die Studentin Anita M. beim Zeitunglesen zufällig auf die Anzeige einer Agentur, von der ein zahmes Huhn für Werbefotos gesucht wurde. Kurz entschlossen bewarb sie sich mit ihrem Perlhuhn Pünktchen – und wurde unter fast fünfzig Bewerbern ausgewählt.

„Pünktchen hat eine besondere Geschichte", erzählt Anita. „Es ist mir von einem Nachbarn geschenkt worden, da war es erst einen Tag alt. Als es noch ganz klein war, habe ich es überallhin mitgenommen – sogar in die Uni. Pünktchen ist deshalb mit Menschen völlig vertraut und hört sogar auf seinen Namen, wenn ich es rufe."

Bei den Werbeaufnahmen kam Anita M. in Kontakt mit einem Fernsehproduzenten, und bald darauf wurde Pünktchen der Star einer Kinderserie. Als weitere Projekte folgten, blieb für das Studium keine Zeit mehr. Anita M. setzte alles auf eine Karte und machte sich als Vogeltrainerin selbstständig. Heute hat sie außer Pünktchen noch zwei Enten, eine weiße Taube und einen Papagei – und ihre ungewöhnliche Geschäftsentscheidung wird immer mehr zum Erfolg.

Vor Aufträgen von Fernsehsendern und Filmgesellschaften kann sie sich kaum retten. Zurzeit sucht sie ein Häuschen auf dem Land, weil sie weitere Tiere anschaffen möchte und dafür mehr Platz braucht.

„Den Umgang mit allen möglichen Vögeln lernte ich schon als Kind", sagt Anita M. „Sobald ich laufen konnte, wurde ich von meinem Vater in den Vogelpark mitgenommen, wo er als Gärtner arbeitete. Schon damals habe ich mein Herz an diese Tierart verloren", erzählt sie und lacht.

Täglich wird mindestens fünf Stunden lang trainiert, aber für die Vögel muss es immer ein Spiel bleiben. Nur mit Liebe und Geduld lässt sich etwas erreichen, weiß die junge Unternehmerin.

„Jedes Tier hat eine Persönlichkeit und bestimmte Vorlieben", sagt Anita und legt für den Papagei wie immer nach dem Sprachtraining eine Mozart-CD ein. Wenn der Vogel nach der ‚Arbeit' in seinen Käfig gebracht worden ist, hört er gern noch etwas klassische Musik.

13 Fokus Hören

1 Wirtschaftsnachrichten im Rundfunk

1 | 37

a. Lesen Sie zuerst die Aufgaben. Achten Sie auf Unterschiede in den Aussagen.

b. Hören Sie dann die Nachrichten. Was ist richtig? X

A
- ◯ Das Bundesfinanzministerium plant zum ersten Dezember eine Erhöhung der Tabaksteuer.
- ◯ Zigaretten und Zigarren werden ab dem ersten Dezember billiger, weil die Tabaksteuer gesenkt wird.
- ◯ Nach Mitteilung des Bundesfinanzministeriums wird die Tabaksteuer zum Beginn des nächsten Jahres erhöht.

B
- ◯ Das Statistische Bundesamt hat mitgeteilt, dass das Einkommen der privaten Haushalte im letzten Jahr um 1,3 Prozent gestiegen ist.
- ◯ Nach Auskunft des Statistischen Bundesamtes hatten die privaten Haushalte im letzten Jahr 1,3 Prozent weniger Einkommen.
- ◯ Wie das Statistische Bundesamt mitteilte, nahm im letzten Jahr das Einkommen der privaten Haushalte um 2,3 Prozent zu.

C
- ◯ Die deutschen Verbraucher kaufen immer öfter teure Markenartikel. Auf Qualität wird mehr geachtet als auf niedrige Preise.
- ◯ In Deutschland werden mehr Markenwaren gekauft, denn die Preise für diese Artikel wurden gesenkt.
- ◯ Auf Preise wird immer mehr geachtet; die deutschen Verbraucher kaufen lieber billige Angebote als Markenartikel, wenn die Qualität gleich ist.

c. Formulieren Sie Nachricht C mit eigenen Worten. Lesen Sie Ihre Sätze im Kurs vor.

⊙ *In Deutschland kaufen die Verbraucher …*

2 „Dafür gebe ich gern Geld aus."

a. Hören Sie das Interview. Was passt zusammen?

1 | 38

A Sie gibt gern Geld für Markenkleidung aus, ◯
B Sie kauft gern Handtaschen, ◯
C Sie hat eine Schwäche für Schmuck, ◯
D Sie war schon in einem Ein-Euro-Laden, ◯
E Weil die Eintrittspreise erhöht wurden, ◯
F Sie kauft sich lieber teure Schuhe ◯

1. aber sie kann sich keinen teuren leisten.
2. hat dort aber nichts gekauft.
3. obwohl die Preise gestiegen sind.
4. und gibt weniger Geld für Reisen aus.
5. wenn es günstige Angebote gibt.
6. geht sie nicht mehr so oft ins Kino.

b. Ist die Person geizig, sparsam oder preisbewusst? Diskutieren Sie im Kurs.

3 „Bei manchen Dingen spare ich."

a. Lesen Sie die Sätze und überlegen Sie zu zweit, welche Wörter passen könnten.

(Handschrift: Unterwäsche → Paperback)

◎ Computerspiele ◎ Reisen ◎ Taschenbücher ◎ Kopien ◎ Kleidung ◎
◎ Unterwäsche ◎ Lautsprecher ◎ iPod ◎ Software ◎ Bildschirm ◎
◎ Computer ◎ Rennfahrrad ◎ Motorrad ◎ Uhr ◎ Taschenlampe

1. Er will nicht viel für *Kleidung* ausgeben, deswegen kauft er meistens gebrauchte Sachen zum Anziehen.
2. Heute findet er es unvernünftig, dass er früher viel Geld für *Computerspiele* ausgegeben hat.
3. Er hört sehr gern Musik. Deshalb spart er, um sich einen besseren *iPod* zu kaufen.
4. Wenn er *Taschenbücher* für das Studium braucht, vergleicht er zuerst die Angebote im Internet.
5. Er arbeitet in den Semesterferien, damit er sich bald ein *Rennfahrrad* leisten kann.
6. Seine *Uhr*, die er in einem Billigladen gekauft hat, ist immer noch in Ordnung.

b. Hören Sie dann das Interview und vergleichen Sie. 1 | 39

4 „Das leiste ich mir."

a. Lesen Sie zuerst die Fragen. *(collect)*

1. Was kauft sie sich jedes Jahr? *eine schicke ...* Sonnenbrille
2. Was sammelt sie schon lange? *alte Schallplatten*
3. Wie viel gibt sie dafür im Durchschnitt monatlich aus? *Fünfzig Euro für Kleider*
4. Bei welchen Artikeln ist die Auswahl gering? *Musik*
5. Wohin geht sie, wenn sie schicke Kleidung kaufen will? *Kaufhaus* (Department Store)
6. Was hat sie schon einmal in einem Billigladen gekauft? *Schal*
7. Worauf achtet sie beim Einkaufen?

b. Hören Sie dann das Interview und ergänzen Sie die Antworten in Stichworten. 1 | 40

(Halstuch → scarf, Sonderangebot → special offer)

5 Was kaufen Sie gern? Wo kaufen Sie gern?

Berichten Sie im Kurs.

◎ neu
◎ gebraucht
◎ ...

◎ Kleidung ◎ Schuhe ◎ Uhren ◎
◎ Ohrringe ◎ Handtaschen ◎ Handy ◎
◎ CDs ◎ Bücher ◎ Kosmetik ◎ DVDs ◎
◎ Konzertkarten ◎ Zeitschriften ◎ ... ◎

◎ Internet ◎ Billigläden ◎
◎ Kaufhaus ◎ Buchhandlung ◎
◎ Fachgeschäft ◎ Flohmarkt ◎
◎ Second-Hand-Shop ◎ ... ◎

⊙ *Ich kaufe nur gebrauchte CDs über das Internet.* ◆ *Manchmal kaufe ich Kleidung im Second-Hand-Shop.*
...

6 Weitere Wirtschaftsnachrichten

1 | 41

Lesen Sie die Sätze. Hören Sie dann und entscheiden Sie, welcher Satz für die jeweilige Meldung zutrifft. X

A ○ Es wird erwartet, dass die Europäische Zentralbank wegen des hohen Euro-Kurses auf ihrer nächsten Sitzung die Zinsen senkt.

○ Es wird erwartet, dass die Europäische Zentralbank wegen des hohen Dollar-Kurses auf ihrer nächsten Sitzung die Zinsen erhöht.

B ○ Der Berliner Unternehmer Franke wurde gestern im Ausland verhaftet, weil er zwei Millionen Steuerschulden hat.

○ Bei dem Versuch, ins Ausland zu fliehen, wurde heute der Berliner Unternehmer Franke verhaftet. Er hat zwei Millionen Steuerschulden, wie heute bekannt wurde.

C ○ Die Nachfrage nach Neuwagen ist im letzten Jahr stark zurückgegangen.

○ Im letzten Jahr stieg die Nachfrage nach Neuwagen um drei Prozent.

7 Automarkt in Deutschland

a. Betrachten Sie das Schaubild. Lesen Sie dann den Text und schreiben Sie ihn zu zweit weiter.

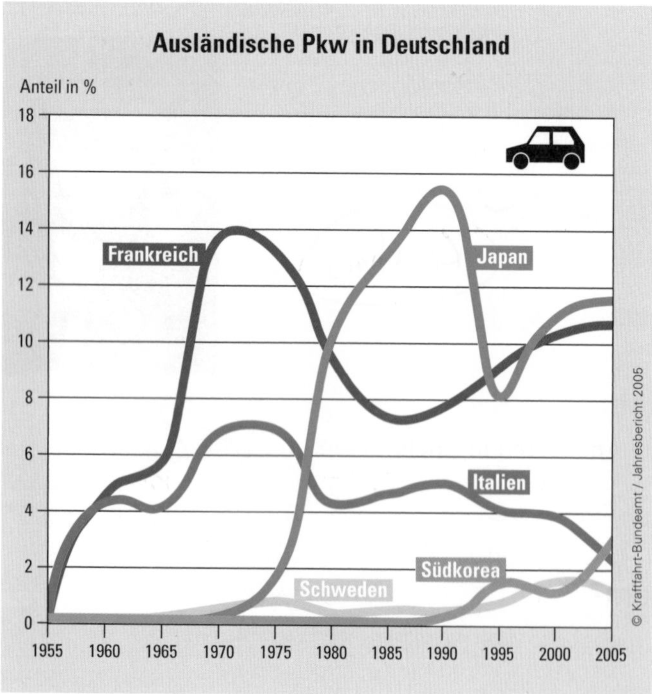

Die Grafik zeigt, dass es in Deutschland viele ausländische Pkw gibt. 1985 lag der Anteil der japanischen Wagen bei circa 14 Prozent. Im Jahr 1990 gab es die meisten japanischen Autos. Seit 1995 ist der Anteil der japanischen Wagen um knapp 4 Prozent gestiegen. Bei den Pkw aus Frankreich kann man folgende Entwicklung feststellen: 1985 ...

bei	... Prozent	liegen
um	... Prozent	steigen zunehmen
sich von ...	auf ... Prozent	erhöhen
um	... Prozent	zurückgehen abnehmen sinken
am höchsten sein am niedrigsten sein die meisten die wenigsten		

b. Berichten Sie:

- Welche ausländischen Autos sind in Ihrem Heimatland am beliebtesten?
- Welche Produkte exportiert Ihr Land?

8 In Hannover wird gestreikt. 1|42

Lesen Sie die Aufgaben und hören Sie anschließend das Gespräch. Was ist richtig? X

a. In Hannover ...
- wird für höhere Löhne in einem Werk des Volkmann-Konzerns gestreikt.
- wird dagegen protestiert, dass ein Werk des Volkmann-Konzerns geschlossen werden soll.
- wird für bessere Arbeitsbedingungen im Volkmann-Konzern gestreikt.

b. Es wird vermutet, dass etwa 400 Arbeitnehmer
- entlassen werden sollen.
- weniger Lohn bekommen sollen.
- in anderen Werken des Konzerns arbeiten sollen.

c. Es wird befürchtet, ...
- dass der Konzern in Zukunft im Ausland produzieren lässt.
- dass der Konzern in Zukunft immer mehr Mitarbeiter ins Ausland schickt.
- dass der Konzern in Zukunft keine Aufträge mehr aus dem Ausland bekommt.

d. Von der Betriebsleitung wird behauptet, ...
- dass das Werk Hannover nicht genug Gewinn macht.
- dass es für das Werk Hannover keine Aufträge mehr gibt.
- dass es im Werk Hannover keine Probleme gibt.

e. In den letzten beiden Jahren ...
- ist auf Lohnerhöhungen verzichtet worden.
- sind die Löhne gesunken.
- sind die Löhne gestiegen.

f. Vom Betriebsrat wird angeboten, dass die Mitarbeiter ...
- drei Monate lang auf Lohnerhöhungen verzichten.
- drei Monate lang auf 13 % ihres Lohnes verzichten.
- drei Monate lang auf ihren Urlaub verzichten.

In Hannover	**wird**	**gestreikt.**	
Es	**wird**	**gestreikt.**	
Es	**wird**	in Hannover	**gestreikt.**

9 Schlagzeilen zur Wirtschaft

Schreiben Sie Schlagzeilen zu aktuellen Wirtschaftsnachrichten. Tragen Sie Ihre Ergebnisse im Kurs vor.

Preise für ... · Steuer/n für ... · Zinsen · Produktion von ... · Löhne in ...industrie · ...

steigen · sinken · zurückgehen · erhöhen · senken · produzieren · herstellen · verkaufen · teurer · billiger · ...

Preise für Butter wieder gesunken

Bald Steuer für Fahrräder?

Produktion von Streichhölzern zurückgegangen

Mehr Zahncreme als im letzten Jahr verkauft

Waschmittel ab dem nächsten Jahr teurer

14 Fokus Sprechen

1 Hören Sie „d“ oder „t“, „b“ oder „p“, „g“ oder „k“? 2|2 11

a. Hören Sie zuerst die Wörter. Sprechen Sie dann nach und markieren Sie. ✗

Man schreibt: d	Man spricht: d	t
baden	✗	
Bad		✗
Bäder		
Hunde		
Hund		
Kind		
Kinder		

Man schreibt: b	Man spricht: b	p
bleiben	✗	
blieb		✗
gab		
hob		
geben		
heben		
schrieb		

Man schreibt: g	Man spricht: g	k
liegen	✗	
lag		✗
flog		
Flug		
fliegen		
Berge		
Berg		

b. Erfinden Sie Sätze mit Wörtern aus Übung a. und lesen Sie sie im Kurs vor.

Das Kind blieb im Bad. *Der Hund lag auf dem Berg.* *Im Bad gab ...*
Die Kinder wurden gebadet. *Es gab keine Flüge.*

2 Welche Silbe ist betont?

a. Hören Sie und unterstreichen Sie die Silbe, die betont ist. 2|3 12
Sprechen Sie dann die Wörter nach.

wiederholen abholen erholen	aussuchen besuchen versuchen	herstellen bestellen feststellen
bekommen ankommen mitkommen	verkaufen einkaufen	unterstreichen anstreichen

b. Hören Sie und sprechen Sie nach. 2|4 13
Achten Sie auf die Betonung.

Der Schüler soll den Satz wiederholen. Der Schüler wiederholt ihn. Der Satz wird wiederholt.	Sie wollen die Wand anstreichen. Sie streichen sie an. Die Wand wird angestrichen.
Wir müssen Heiner abholen. Wir holen ihn ab. Er wird abgeholt.	Sie sollen das Wort unterstreichen. Sie unterstreichen es. Das Wort wird unterstrichen.

Infinitiv:	abholen	wiederholen
Partizip:	abgeholt	wiederholt
Präsens:	holt ab	wiederholt

3 Was wird geöffnet? Was ist geöffnet?

Was passt? Ergänzen Sie.

a. 2 Die Tür wird geöffnet.
b. ___ Die Tür ist geöffnet.
c. ___ Das Fenster wird geputzt.
d. ___ Das Fenster ist geputzt.
e. ___ Das Auto wird repariert.
f. ___ Das Auto ist repariert.
g. ___ Das Auto wird gewaschen.
h. ___ Das Auto ist gewaschen.

Aktion:	Das Fenster	**wird**	geöffnet.
Ergebnis:	Das Fenster	**ist**	geöffnet

4 „Endlich Feierabend!"

a. Hören Sie das Gespräch. 2 | 5 14

○ Endlich Feierabend! Können wir gehen?
◆ Ja, gleich. Ich will nur noch nachsehen, ob alle Fenster zu sind.
○ Das brauchen Sie nicht. Die Fenster sind alle geschlossen.
◆ Gut. Da fällt mir noch ein: Haben Sie an die Rechnungen gedacht?
○ Ja, ja. Die Beträge sind überwiesen. Ich war vorhin auf der Bank.
◆ Gut. Dann können wir ja jetzt gehen. Was ist mit der Alarmanlage?
○ Keine Sorge. Die ist schon eingeschaltet.
◆ Prima. Aber die Post nehmen wir noch mit. Sind die Briefe frankiert?
○ Tut mir leid, die habe ich noch gar nicht geschrieben. Das mache ich morgen.
◆ In Ordnung. Dann kommen Sie gut nach Hause!

b. Spielen Sie das Gespräch mit verteilten Rollen im Kurs nach.

c. Variieren Sie das Gespräch. Sie können dazu die folgenden Ausdrücke benutzen.

Garage abschließen ◎ Tor schließen ◎ E-Mails schreiben ◎ Rechnungen kontrollieren ◎ Computer ausschalten ◎ Alarmanlage einschalten ◎ Fax abschicken ◎ …

5 „Die Konferenz beginnt in einer Viertelstunde."

a. Lesen Sie die Sätze und notieren Sie die richtige Reihenfolge.

- ( ) Dann ist ja wohl alles vorbereitet.
- ( ) Nein, bestimmt nicht, sie sind korrigiert. Das habe ich heute Morgen gemacht.
- ( ) Das ist nicht mehr nötig. Der Tisch ist gedeckt.
- (1) Die Konferenz beginnt in einer Viertelstunde. Haben wir die Verträge fertig?
- ( ) Ja, die sind kopiert und liegen bereit.
- ( ) Der Kaffee ist schon gekocht. Wir brauchen aber noch Saft und Mineralwasser.
- ( ) Gut, dass du daran gedacht hast. Jetzt müssen wir noch für die Getränke sorgen.
- ( ) Ich hole gleich ein paar Flaschen. Könntest du in der Zeit Tassen und Gläser hinstellen?
- ( ) Ich habe sie gar nicht mehr gelesen. Hoffentlich sind keine Fehler mehr drin.

b. Spielen Sie das Gespräch mit verteilten Rollen.

6 Vorbereitungen für ein Jubiläum

Ein Kollege / Eine Kollegin hat bald ein Arbeitsjubiläum. Planen Sie gemeinsam eine Feier.

a. Überlegen Sie zuerst, was schon erledigt bzw. noch nicht erledigt ist, und ergänzen Sie die Liste.

- ☐ den Blumenstrauß bestellen
- ☐ die Glückwunschkarte unterschreiben
- ☐ das Geld für ein Geschenk einsammeln
- ☐ das Geschenk besorgen
- ☐ das Geschenk einpacken
- ☐ die Rede vorbereiten
- ☐ die Getränke bestellen
- ☐ den Kaffee kochen
- ☐ den Tisch decken
- ☐ den Tisch schmücken
- ☐ den Raum vorbereiten
- ☐ den Beamer anschließen
- ☐ ...

Ist ... schon bestellt?
Muss ... noch bestellt werden?
Ist ... bestellt worden?
Haben wir daran gedacht, ... zu bestellen?
Hat sich jemand darum gekümmert, ... zu bestellen?
Wer übernimmt es, ... zu bestellen?
Wer will es übernehmen, ... zu bestellen?
...

b. Bereiten Sie zu dritt Fragen und Antworten vor und spielen Sie das Gespräch im Kurs.

○ *Ist der Blumenstrauß schon bestellt?*
◆ *Ja, das habe ich schon erledigt. Und das Geschenk ist auch schon besorgt.*
□ *Aber es muss noch eingepackt werden. Das würde ich gern machen. Weißt du, ob ...*

7 „Der Beamer funktioniert nicht richtig."

a. Lesen Sie zuerst das Gespräch.

- ⊙ Der Beamer funktioniert nicht richtig.
- ◆ Schau mal nach, ob der Netzstecker eingesteckt ist.
- ⊙ Augenblick … Ja, das ist er.
- ◆ Ist der Beamer richtig an den Computer angeschlossen?
- ⊙ Ja, das habe ich so gemacht, wie es in der Gebrauchsanweisung steht.
- ◆ Sind die Stecker von den Verbindungskabeln fest eingesteckt?
- ⊙ Da bin ich mir nicht ganz sicher.
- ◆ Dann überprüf doch noch mal, ob das in Ordnung ist.
- ⊙ Moment. Oh ja, jetzt funktioniert er. Ein Stecker war nicht richtig drin.

b. Betrachten Sie die Fotos und überlegen Sie: Was ist nötig, damit ein bestimmtes Gerät funktioniert?

1 der Beamer

2 der Monitor

3 der Kopierer

4 die Tastatur

5 das Notebook

6 der Rasierapparat

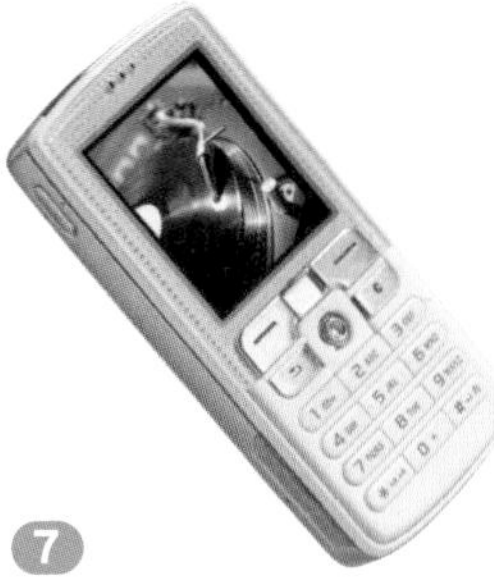

7 das Handy

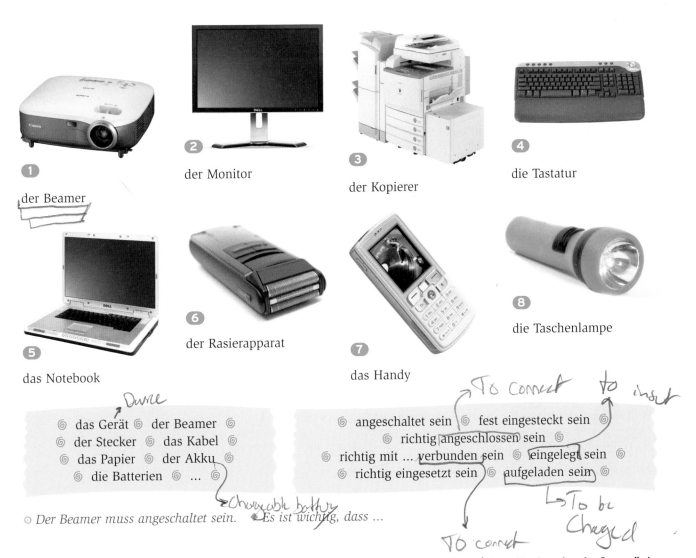

8 die Taschenlampe

das Gerät · der Beamer · der Stecker · das Kabel · das Papier · der Akku · die Batterien · …

angeschaltet sein · fest eingesteckt sein · richtig angeschlossen sein · richtig mit … verbunden sein · eingelegt sein · richtig eingesetzt sein · aufgeladen sein

⊙ *Der Beamer muss angeschaltet sein.* ◆ *Es ist wichtig, dass …*

c. Eins der Geräte funktioniert nicht richtig. Bereiten Sie mit einem Partner/einer Partnerin ein Gespräch wie in Übung a. vor. Spielen Sie es dann im Kurs.

Fokus Schreiben

1 Hören Sie zu und schreiben Sie. 2 | 6

.... Geburtstagsfeier ....

.... Kerzen ....,

.... Geschenke .... Grußkarte ....

.... Sekretärin ....

2 Die Eibrot-Fabrik

a. Betrachten Sie die Zeichnung auf der rechten Seite. Beschreiben Sie dann gemeinsam im Kurs die einzelnen Schritte der Eibrot-Herstellung.

Ganz am Anfang schaut der Hahn auf die Uhr und weckt die Hühner. Dann ...

b. Ergänzen Sie zusammen mit einem Partner/einer Partnerin die Verben in den Sätzen.

1. Morgens um fünf werden die Hühner vom Hahn geweckt.
2. Wenn alle Hühner ein Ei gelegt haben, ... die Eier in Körben ....
3. Dann .... die Eier in heißes Wasser ....
4. Dort bleiben die Eier acht Minuten, bis sie hart ....
5. Jetzt .... die Eier von einem Netz aus dem Topf ....
6. Dann .... die Eier mit kaltem Wasser ....
7. Wenn die Eier ...., schlagen kleine Hämmer auf die Schalen.
8. Danach .... die Eier von einer Roboterhand ....
9. Sobald die Schalen ...., kommen die Eier in eine Schneidemaschine.
10. Anschließend .... die Eischeiben mit Salz und Pfeffer ....
11. Wenn die Eischeiben ...., legen sie zwei Roboter auf Butterbrote.
12. Zum Schluss .... die fertigen Eibrote in Plastiktüten ....

gefischt werden · bestreut werden · geschüttet werden · gekocht sein · ~~geweckt werden~~ · gesammelt werden · abgekühlt sein · verpackt werden · gewürzt sein · entfernt sein · geduscht werden · geschält werden

3 Neue Ideen für die Eibrot-Fabrik

a. Überlegen Sie in einer kleinen Gruppe, wie man die Produktion der Eibrote verbessern könnte.

⊙ *Vielleicht sollte man die Eier nach dem Kochen in Eiswasser werfen. Da werden sie nämlich schneller kalt.*

◆ *Das ist eine gute Idee. Und dann könnten sie eine lange Treppe herunterfallen, damit die Schale …*

b. Tragen Sie Ihr Ergebnis vor und vergleichen Sie die Ideen gemeinsam im Kurs.

4 Ein Fahrrad zum Umbauen

a. Betrachten Sie die Zeichnungen. Wie finden Sie die drei umgebauten Fahrräder?

- ⊙ *Das Lastfahrrad finde ich sehr praktisch. Auf dem Dachgepäckträger ist viel Platz und man wird bei Regen nicht nass. Außerdem spart man Benzin, weil man für große Einkäufe kein Auto mehr braucht.*
- ◆ *Mir gefällt das Wasserfahrrad am besten, weil es so lustig aussieht. Besonders das Segel ist …*

Das Multifunki ®

Erfindung des Jahres: Das Multifunktionsfahrrad zum Selberbauen.

Grundmodell

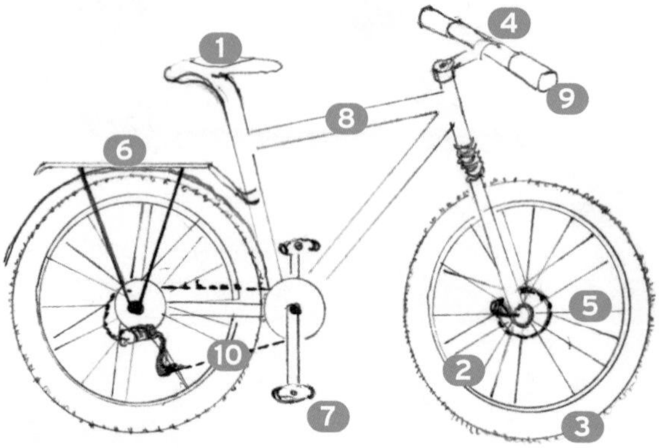

1 Sattel **2** Rad **3** Reifen **4** Lenker
5 Speichen **6** Rücksitz **7** Pedale
8 Querstange **9** Griff **10** Kette

Modell 1: Das Laubfahrrad

1 Stangen **2** Besen **3** Drahtkorb

Modell 2: Das Wasserfahrrad

1 Segel **2** Seitenruder
3 Schaufelrad **4** Luftmatratze

Modell 3: Das Lastfahrrad

1 Zusatzräder **2** Dachgepäckträger
3 Einkaufskorb **4** Holzkiste

b. Lesen Sie den Werbetext für Modell 1.

Haben Sie Mühe mit den Blättern im Herbst? Kein Problem mehr für Sie, wenn Sie Ihr **Multifunki**® zum Laubfahrrad umbauen. Das geht schnell und einfach: Rechts und links unter dem Sattel werden die beiden Besenstangen montiert und daran die großen Seitenbesen angeschraubt.	Jetzt müssen Sie nur noch den Drahtkorb am Vorderrad befestigen, damit das Laub aufgenommen werden kann. So ist endlich Schluss mit dem mühsamen Fegen. Hof und Wege werden sauber, während Sie bequem auf Ihrem **Multifunki**® fahren.	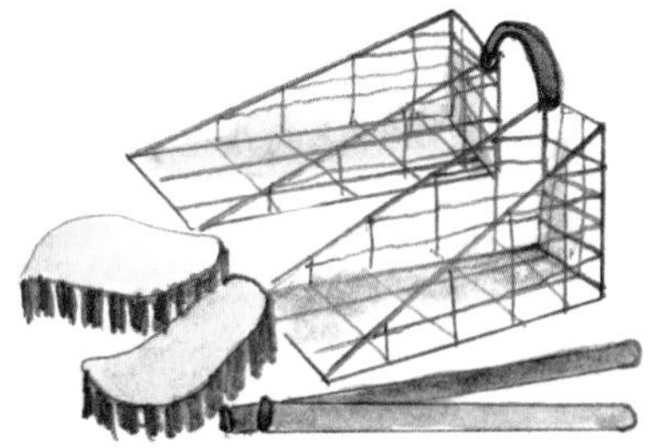

c. Schreiben Sie einen Werbetext für Modell 2 und Modell 3.

Gehen Sie mit Ihrem Multifunki aufs Wasser!
Der Sommer macht jetzt noch mehr Spaß,
wenn Sie ...

Einkäufe sind jetzt ...

◎ wird an den Lenker gesteckt ◎ wird an die Räder geschraubt ◎ wird auf dem Sattel montiert ◎ werden am Hinterrad festgemacht ◎ wird an den Rücksitz gehängt ◎ ... ◎

5 Das Multifunktionsauto

a. Wie könnte man ein Auto umbauen? Überlegen Sie zusammen mit einem Partner/einer Partnerin, was Sie besonders praktisch oder witzig fänden.

⊙ *Mir würde ein Auto gefallen, mit dem man in der Freizeit grillen könnte.*

◆ *Das ist eine gute Idee! Oder man könnte das Auto zum Schwimmbecken umbauen ...*

b. Schreiben Sie zusammen einen Werbetext für ‚Ihr Auto' und machen Sie eine Zeichnung dazu.

1 Fahrertür **2** Beifahrertür **3** Kofferraum **4** Motorhaube
5 Reifen **6** Scheinwerfer **7** Bremslicht **8** Windschutzscheibe

c. Stellen Sie Ihr Ergebnis im Kurs vor und wählen Sie dann zusammen das originellste Modell.

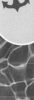

Das können Sie jetzt:

- Über handwerkliche Tätigkeiten sprechen
- Beschreiben, dass etwas gemacht wird bzw. wurde
- Feststellen, dass etwas gemacht werden muss
- Ausdrücken, dass etwas gemacht ist
- Kurzmeldungen aus der Wirtschaft verstehen
- Sich über Einkaufsgewohnheiten unterhalten
- Sich über kleinere technische Probleme verständigen
- Funktion und Gebrauch von Geräten darstellen

Auf der Baustelle

2 | 7

- ⊙ He! Der Lastwagen ist da. Die Steine müssen ausgeladen werden.
- ◆ Ach ja. Ich gehe gleich.
- ⊙ Die Fenster sind auch gekommen. Die können in den ersten Stock gebracht werden.
- ◆ Ja, das mache ich nachher.
- ⊙ Und vergiss den Briefkasten nicht. Der soll neben der Haustür montiert werden.
- ◆ Ja, neben der Haustür.
- ⊙ Wenn du damit fertig bist, muss das Garagentor repariert werden.
- ◆ Sonst noch was?
- ⊙ Ja, dann müssen die Kellertüren eingesetzt werden.
- ◆ Alles klar, die Kellertüren.
- ⊙ Danach bringst du die Papiere hier zum Chef. Die sollen heute noch abgerechnet werden.
- ◆ Das soll alles ich machen? Und was machst du, wenn ich fragen darf?
- ⊙ Ich mache Pause. Das muss ja auch mal gemacht werden.

Themenkreis

Humor und Alltag

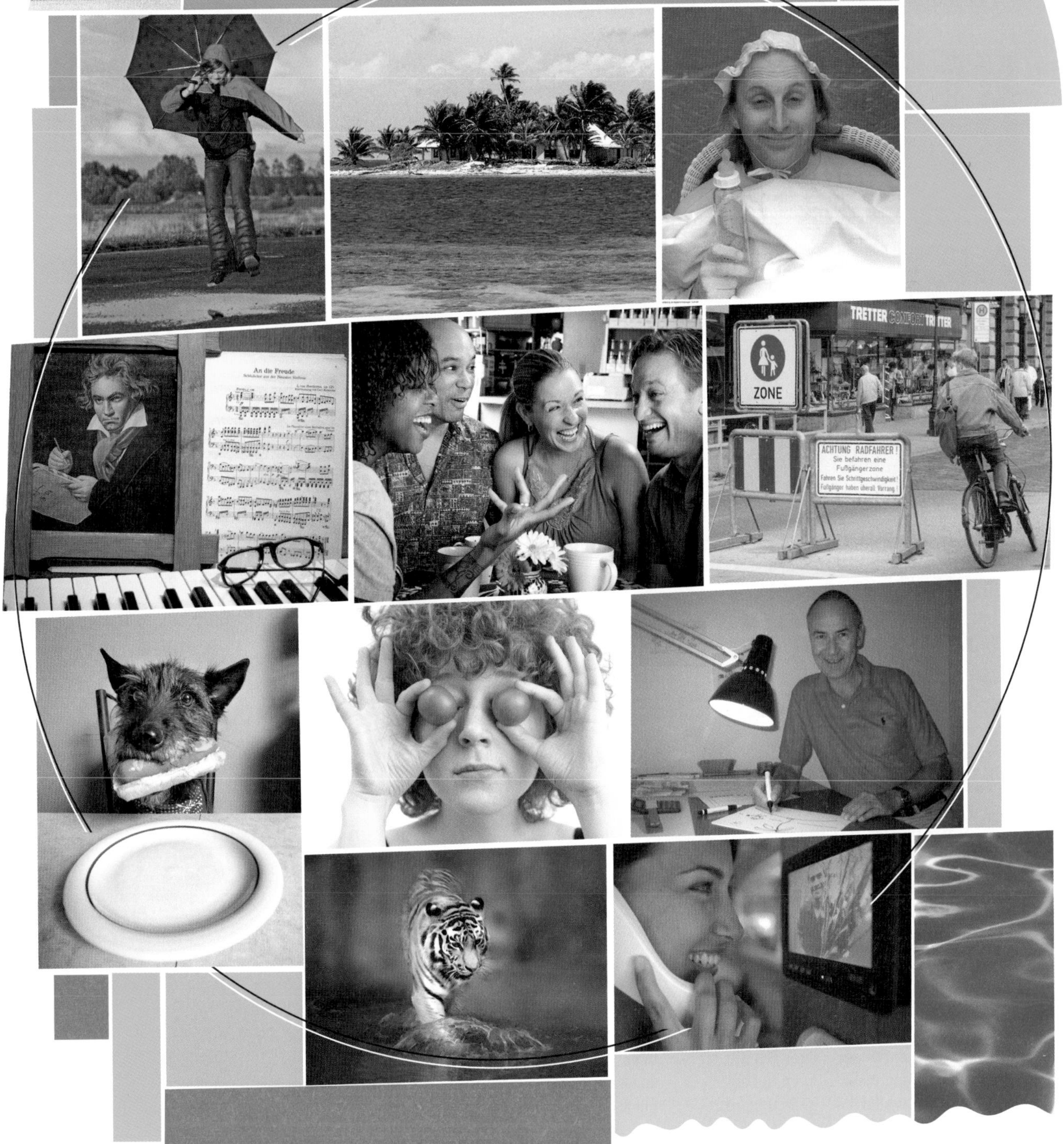

16 Fokus Strukturen

1 Menschen im Regen

a. Betrachten Sie die Zeichnungen und beschreiben Sie die vier Situationen im Kurs.

⊙ *Die Frau mit dem Regenschirm schaut nach oben, denn …*
◆ *Die Frau mit den hohen Schuhen überlegt vermutlich, …*
□ *Der Mann an der Haltestelle hat kein Problem, weil …*
▸ *Der Mann mit der Mütze möchte wahrscheinlich …, aber …*

b. Was passt?

A Sie hat zwar einen Regenschirm, ___
B Sie muss entweder durch die Pfütze laufen ___
C Er hat nicht nur Schwimmflossen an, ___
D Er kann weder den Fisch braten, ___

1. sondern er trägt auch eine Taucherbrille.
2. aber sie wird trotzdem nass.
3. noch kann er die Zeitung lesen.
4. oder sie muss zurückgehen.

Sie hat	**zwar**	ihren Hut auf,	**aber**	sie	wird	trotzdem	nass.
Sie muss	**entweder**	ihren Hut aufsetzen,	**oder**	ihre Haare	werden		nass.
Sie hat	**nicht nur**	ihren Hut auf,	**sondern**	sie	hält	**auch**	ihren Schirm über sich.
Sie hat	**weder**	ihren Hut auf,	**noch**	hat	sie		ihren Regenschirm dabei.

2 Cartoons: „Auf der einsamen Insel“

a. Betrachten Sie die Zeichnungen und ergänzen Sie zu zweit die Sätze.

1. Er muss .... mit dem Tiger kämpfen, ... er muss auf die Palme klettern.

2. Er hat .... Büchsen mit Lebensmitteln, ... er kann sie nicht öffnen.

3. Jetzt besitzt er .... eine Dusche, ... eine Badewanne.

4. Er kann .... sein Hemd retten, ... kann er seinen Hut festhalten.

zwar ..., aber ... · weder ... noch ... · entweder ... oder ... · nicht nur ..., sondern auch ...

b. Diskutieren im Kurs: Was könnte der Mann in diesen Situationen tun?

Er könnte dem Tiger Sand in die Augen werfen oder einen spitzen Stein ...

3 Wie könnte der Mann die einsame Insel verlassen?

Betrachten Sie zuerst die Zeichnungen. Sammeln Sie dann zu zweit Ideen zu den Punkten 1–3 und schreiben Sie dazu eine Geschichte. Lesen Sie Ihren Text anschließend im Kurs vor.

1. Gegenstände am Strand
2. Bau eines Bootes
3. Abfahrt

Eines Tages macht er eine Entdeckung: Am Strand der Insel liegen nicht nur ..., sondern er findet auch ... Sofort entwirft er Pläne für ein Boot. Er kann entweder ... verwenden oder er kann ... benutzen. Er entscheidet sich für ... und beginnt mit dem Bau: ... Er nimmt ... Das Segel stellt er aus ... her. Schließlich ist alles fertig und ...

4 Witze aus einer Illustrierten

a. Lesen Sie zuerst die Anfänge der vier Texte.

Gerd sitzt vor dem Fernseher, als seine Frau aufgeregt ruft: „Komm schnell! Das Baby isst die Zeitung!" –

....

.... A

Der Kassierer an der Kinokasse: „Jetzt kaufen Sie innerhalb von ein paar Minuten ja schon zum dritten Mal eine Eintrittskarte." –

....

.... C

Der kleine Stefan kommt am letzten Tag vor den Ferien aus der Schule nach Hause. „Sag mal", fragt die Mutter, „hast du kein Zeugnis bekommen?" – „Doch, aber das hat Kurt." – „Nanu, hat er es dir weggenommen?" –

....

.... B

Auf einer Betriebsfeier sagt die Sekretärin zum Abteilungsleiter: „Sie haben wohl gar keinen Humor. Sie waren der einzige, der nicht gelacht hat, als der Chef vorhin einen Witz erzählt hat." –

....

.... D

b. Besprechen Sie im Kurs: Welche Reaktion erwartet man normalerweise?

Bei Text A erwartet man, dass der Mann schnell aufsteht und dem Baby die Zeitung wegnimmt. ...

c. Welches Ende passt zu welchem Witz? Ergänzen Sie zu zweit die Texte oben.

- „Was soll ich bloß machen? Der Mann am Eingang zerreißt sie mir immer!"
- „Ich konnte es mir ja leisten. Ich habe gestern gekündigt."
- „Nein, ich habe es ihm geliehen. Er will seine Eltern damit erschrecken."
- „Du kannst sie ihm ruhig lassen. Sie ist von gestern."

5 Wie könnten die Witze auch enden?

a. Lesen Sie die Alternativen. Welche passen Ihrer Meinung nach am besten? Diskutieren Sie im Kurs.

A • „Du musst sie ihm nicht wegnehmen. Es mag wohl Katastrophen, wenn sie ganz frisch sind."
• „Lass sie ihm ruhig. Es verträgt schlechte Nachrichten besser als wir."

B • „Nein, ich habe es ihm freiwillig gegeben, weil es mir nicht gefallen hat."
• „Nein, ich habe es ihm nur geliehen. Ich wollte dich erst morgen mit dem Zeugnis überraschen."

C • „Tja, ich habe eben Pech. Meine Jackentasche hat anscheinend irgendwo ein Loch."
• „Der Mann am Eingang mag mich wohl nicht. Er nimmt sie mir jedes Mal weg."

D • „Ich konnte es mir erlauben. Ich habe im Lotto gewonnen."
• „Natürlich konnte ich es mir leisten. Ich habe die Firma gekauft und bin ab morgen der neue Chef."

b. Erfinden Sie zu zweit ein originelles Ende für einen der Witze. Tragen Sie Ihren Text im Kurs vor.

Er zerreißt der Frau den Fahrschein.	Er lässt dem Sohn die Zeitung.	Er zeigt dem Kind das Auto.	Er gibt den Kindern die Bonbons.
Er zerreißt **ihn ihr**.	Er lässt **sie ihm**.	Er zeigt **es ihm**.	Er gibt **sie ihnen**.

6 Überraschende Reaktionen

a. Beschreiben Sie die Situationen. Was wird da wohl gesagt? Erfinden Sie zu zweit Gespräche.

A

B

C

D

E

b. Überfliegen Sie zunächst die fünf folgenden Texte. Welche Zeichnung passt wo? Ergänzen Sie anschließend gemeinsam mit einem Partner/einer Partnerin die Pronomen.

1. C „Du darfst dir gern eine Hand voll Bonbons aus der Tüte nehmen." – „Ach, Sie haben so schön große Hände. Könnten Sie .... nicht geben?"
2. „Angeklagter, und jetzt beschreiben Sie uns in allen Einzelheiten die Methode, mit der Sie in die Bank eingebrochen sind." – „Aber Herr Richter! Ich kann .... doch nicht beschreiben. Meine ganze Konkurrenz sitzt ja im Saal."
3. „Hier gibt es eine Geschwindigkeitsbeschränkung. Sie sind viel zu schnell gefahren. Wir haben gerade ein Foto von Ihnen gemacht." – „Das ist ja nett! Wenn Sie es entwickelt haben, schicken Sie .... doch bitte."
4. „Wir haben leider überhaupt nichts mehr frei." – „Oh! Aber wenn jetzt die Bundeskanzlerin käme, hätten Sie doch bestimmt noch ein Zimmer für sie, oder?" – „Ja, dann natürlich". – „Na bitte. Dann geben Sie .... doch. Die Bundeskanzlerin kommt heute nicht!"
5. „Hans! Hier ist eine Dame, die für das neue Schwimmbad sammelt." – „Na schön, dann hol einen Eimer Wasser und gib ...."

es mir · es uns · sie Ihnen · ihn ihr · sie mir

c. Wählen Sie zu zweit einen Witz aus und spielen Sie ihn mit verteilten Rollen im Kurs nach.

1 Mit dem Rad unterwegs

a. Betrachten Sie das Foto. Was passiert hier wohl?

⊙ *Ich vermute, die Frau hat ein Problem mit ihrem Rad und bittet den Polizisten um Hilfe.*

◆ *Es könnte sein, dass sie eine Adresse sucht und ihn danach fragen will.*

□ *Sie hat vielleicht etwas fallen lassen. Der Polizist will es ihr aufheben.*

b. Lesen Sie die folgende Zeitungsmeldung.

Oldenburg Gestern Vormittag stoppte ein Polizist in der Innenstadt eine ältere Frau, denn sie war trotz des Verbots in der Fußgängerzone mit ihrem Rad gefahren. Nachdem sie abgestiegen war, trat der Beamte zu ihr. Er hatte bereits eine Verwarnung ausgeschrieben. Als er sie jedoch aufforderte, 10 Euro Strafe zu bezahlen, klagte sie: „Ach, ich habe ja nur wenig Rente. Und ich bin ja auch nur ein Stückchen gefahren, und ganz langsam. Können Sie da nicht ein Auge zudrücken?" Ein Straßenmusiker, der alles gehört hatte, näherte sich. Schließlich stand eine Gruppe von Passanten um den Beamten und die Frau herum. Jemand drückte ihr etwas Geld in die Hand. Andere folgten dem Beispiel und reichten ihr Münzen oder Scheine. Sie bedankte sich herzlich bei allen und hatte bald über 50 Euro eingenommen. Als sie brav ihre kleine Strafe bezahlt hatte, nahm sie ihr Rad und schob es weiter, wie es Vorschrift war. Nach ein paar Schritten drehte sie sich um, lächelte und rief dem Beamten zu: „Hat mich wirklich sehr gefreut. Sind Sie morgen wieder hier?"

c. Was passt zusammen? Arbeiten Sie mit einem Partner/einer Partnerin.

A Die Frau fuhr in der Fußgängerzone Rad, *3*
B Die Frau fing an zu klagen, ___
C Passanten gaben ihr Geld, ___
D Als sie über 50 Euro bekommen hatte, ___
E Nachdem sie ein paar Schritte gegangen war, ___

1. weil sie ihr helfen wollten.
2. bezahlte sie brav und schob ihr Rad weiter.
3. obwohl das nicht erlaubt war.
4. drehte sie sich um und rief dem Beamten etwas zu.
5. als der Polizist sie zum Bezahlen aufforderte.

	schieben	fahren
Perfekt	Sie **hat** das Rad **geschoben**.	Sie **ist** Rad **gefahren**.
Plusquamperfekt	Sie **hatte** das Rad **geschoben**.	Sie **war** Rad **gefahren**.

d. Wie finden Sie das Verhalten der alten Dame? Diskutieren Sie im Kurs.

e. Variieren Sie zu zweit die Geschichte und erzählen Sie Ihre Version im Kurs.

Fußgängerzone – Straßenmusiker – Dose auf die Straße werfen – Polizistin – Strafe – Passanten – Geld/Frühstück/Einladung/...

⊙ *In der Fußgängerzone hat ein Straßenmusiker eine Dose auf die Straße geworfen. Da ist eine Polizistin gekommen und ...*

2 Die Macht der Töne

a. Betrachten Sie die Bildgeschichte und beschreiben Sie im Kurs Situationen und Personen.

⊙ *Am Anfang läuft ein Mann auf einen Balkon zu. Als er beginnt, Gitarre zu spielen und ... , ...*

◆ *Dann kommt ein Musiker mit einer Geige. Leider ... Schließlich spielt ein Mann Triangel. Da ...*

b. Welche Erklärung könnte es für das Verhalten der Dame geben? Diskutieren Sie im Kurs.

⊙ *Sie ist vielleicht wütend, weil ihr das Stück des ersten Musikers zu modern ist.*

◆ *Ich glaube, sie reagiert so, weil sie den Mann mit der Gitarre unsympathisch findet. ...*

c. Denken Sie sich zu zweit ein Ende für die Geschichte aus. Tragen Sie dann Ihre Idee im Kurs vor.

d. Suchen Sie jetzt den Schluss der Geschichte in Lerneinheit 29 und vergleichen Sie ihn mit Ihrer Version.

3 Persönlichkeiten aus der Welt der Musik

Lesen Sie zunächst die biografischen Angaben auf der rechten Seite und berichten Sie im Kurs.

⊙ *Ludwig van Beethoven wurde 1770 in Bonn geboren. Ab 1792 arbeitete er in Wien. Er starb ...*
◆ *Georg Hellmesberger kam ... zur Welt. Er spielte Violine und war Konzertmeister der Wiener Hofoper.*
□ *Gustav Mahler wurde ... geboren. Er leitete ...*
▶ *Leo Slezak lebte von ... bis ... Er war ...*

4 Anekdoten über große Meister

a. Überfliegen Sie jetzt die Anekdote über Beethoven. Was passiert nacheinander? Ergänzen Sie.

- ( ) Er setzt sich.
- (1) Beethoven geht in ein Gasthaus.
- ( ) Er ruft nach der Kellnerin.
- ( ) Die Kellnerin kommt endlich.
- ( ) Beethoven nimmt Notenpapier.
- ( ) Sie will nicht stören und geht.
- ( ) Er schreibt eine Melodie auf.
- ( ) Beethoven will bezahlen.
- ( ) Er sieht von den Noten auf.
- ( ) Eine Stunde vergeht.

b. Lesen Sie die Anekdote über Hellmesberger. Was ist richtig? ✗

1. ( ) Der Musiker bekommt oft Einladungen zu Kaffee und Kuchen.
2. ( ) Er liebt es, bei diesen Einladungen Geige zu spielen.
3. ( ) Eines Nachmittags schmeckt es ihm nicht, sodass er nicht spielen will.
4. ( ) Die Gastgeberin bittet ihn, etwas vorzuspielen.
5. ( ) Hellmesberger entschuldigt sich und erklärt, dass seine Violine erkältet ist.

c. Lesen Sie die Texte über Mahler und Slezak. Fassen Sie sie mit eigenen Worten zusammen.

⊙ *Mahler ist ein großer Komponist, aber kein praktischer Mensch. Eines Morgens ... Beim Zahnarzt ...*
◆ *Slezak will mit seiner Frau ... Am Bahnhof beginnt er, ...*

5 Die kleinen Schwächen der großen Meister

a. Lesen Sie noch einmal aufmerksam den Schluss der Texte über Hellmesberger, Mahler und Slezak. Was ist richtig? ✗

1. ( ) Wie Hellmesberger es ausdrückte, hatte seine Geige keinen Appetit auf Süßes.
2. ( ) Hellmesberger hatte so viel Süßes gegessen, dass er nicht mehr richtig Geige spielen konnte.
3. ( ) Mahler fragte seine Frau, ob er eine Krankenversicherung für jeden Zahn hatte.
4. ( ) Nachdem Mahler herausgekommen war, fragte er seine Frau, in welchem Zahn er Schmerzen hatte.
5. ( ) Slezak hatte im Ernst geplant, den Schreibtisch auf die Reise mitzunehmen.
6. ( ) Slezak machte sich darüber lustig, dass er das Wichtigste vergessen hatte.

b. Wie sehen Sie die kleinen ‚Schwächen'? Sprechen Sie darüber im Kurs.

⊙ *Beethoven ist so sehr ins Komponieren vertieft, dass er alles um sich herum vergisst. Ich denke, das kann bei einem großen Musiker passieren.*

...

- vergesslich sein
- verliebt in Süßes sein
- unpraktisch sein
- diplomatisch sein
- ...

Große Meister – kleine ‚Schwächen'

Ludwig van Beethoven
(1770 bis 1827)
Organist in Bonn;
ab 1792 Komponist,
Pianist und Dirigent in Wien

Ludwig van Beethoven betrat ein Wiener Gasthaus, in dem er schon oft zu Mittag gegessen hatte. Er nahm an einem freien Tisch Platz und rief nach der Kellnerin.

Nachdem er eine Weile gewartet hatte, zog er sein Notenpapier aus der Tasche und begann eine Melodie aufzuschreiben, die ihm gerade eingefallen war. Schließlich kam die Kellnerin. Als sie jedoch sah, dass der Gast ganz mit dem Komponieren beschäftigt war, wollte sie ihn nicht stören und entfernte sich wieder. Beethoven schrieb und schrieb. Die Bedienung schaute immer wieder zu ihm hinüber, doch er schien weder etwas zu sehen noch zu hören.

Nachdem schließlich mehr als eine Stunde vergangen war, sah Beethoven zufrieden von seinen Noten auf und rief: „Ich möchte zahlen. Die Rechnung, bitte!"

Georg Hellmesberger
(1800 bis 1873)
Violinist, Komponist,
Konzertmeister der Wiener Hofoper

Georg Hellmesberger war dafür bekannt, dass er für sein Leben gern Süßes aß. Häufig wurde er deshalb zu Kaffee und Kuchen eingeladen. Er mochte es jedoch überhaupt nicht, dass er bei diesen Gelegenheiten auch Geige spielen sollte.

Eines Nachmittags saß er wieder einmal an einem gemütlichen Kaffeetisch. Die schönsten Torten wurden serviert, und es schmeckte ihm vorzüglich. Nachdem er sein drittes Stück gegessen hatte, fragte die Gastgeberin: „Ach, verehrter Meister, warum haben Sie denn heute Ihr wunderbares Instrument nicht mitgebracht?"

Der lächelte leicht und antwortete: „Meine Geige lässt sich entschuldigen. Sie mag momentan weder Kaffee noch Kuchen."

Gustav Mahler
(1860 bis 1911)
Komponist,
Direktor der Wiener Hofoper,
Dirigent der New Yorker
Philharmoniker

In der Öffentlichkeit trat Gustav Mahler zwar stets souverän und selbstbewusst auf, aber in praktischen Dingen des Lebens war er meist von seiner Frau abhängig, sodass sie ihm bei allen möglichen Kleinigkeiten helfen musste.

Eines Morgens wachte er mit Zahnschmerzen auf. Diese wurden schließlich so stark, dass seine Frau ihn zum Zahnarzt brachte. Nachdem Mahler im Behandlungsraum verschwunden war, trat sie ins Wartezimmer. Kaum hatte sie sich hingesetzt, da ging die Tür auf und ihr Mann stand wieder vor ihr.

„Alma", fragte er, „welcher Zahn tut mir eigentlich weh?"

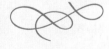

Leo Slezak
(1873 bis 1946)
Opernsänger in Wien, London,
Paris und New York;
ab 1934 Filmschauspieler
in komischen Rollen

Leo Slezak wollte mit seiner Frau ans Meer fahren. Als sie am Bahnhof angekommen waren, schaute er nachdenklich die vielen Gepäckstücke an, die der Taxifahrer ausgeladen hatte.

Dann drehte er sich zu seiner Frau um und sagte: „Wir haben sieben Koffer, drei Reisetaschen und fünf Hutschachteln dabei. Schade, dass wir nicht auch noch den Schreibtisch mitgenommen haben." Sie sah ihn verwundert an: „Wieso den Schreibtisch?"

„Weißt du", sagte er, „ich habe nämlich unsere Fahrkarten darauf liegen lassen."

18 Fokus Hören

1 „Kennt ihr den schon?“

a. Hören Sie den ersten Witz und ergänzen Sie dann den Text. Welche Wörter passen? 2 | 8

Zwei Tiere begegnen sich in einem Wald und fragen sich gegenseitig, was für Tiere sie sind. Das eine Tier ist ein ....: Sein Vater ist ein .... und seine Mutter eine ....
Das andere Tier sagt, dass es ein .... ist. Aber sein neuer Bekannter glaubt ihm das nicht.

◎ Bär ◎ Hündin ◎ Vogel ◎ Wolfshund ◎ Ameise ◎ Spinne ◎ Wolf ◎ Vogelspinne ◎ Ameisenbär ◎

b. Erklären Sie den Witz mit eigenen Worten.

○ *Der ... denkt, dass die Eltern von ... Aber das ist natürlich ...*

c. Hören Sie den zweiten Witz und ergänzen Sie dann den Text. Welche Wörter passen? 2 | 9

Ein kleiner .... und seine Mutter gehen bei großer Kälte am Nordpol spazieren. Auf einmal will der Kleine wissen, ob seine .... und seine .... auch .... waren. Die Mutter bestätigt ihm das. Aber das ist ihm egal, weil er trotzdem friert.

◎ Urgroßeltern ◎ Nichten ◎ Pinguin ◎ Eisbär ◎
◎ Cousins ◎ Pinguine ◎ Eisbären ◎ Neffen ◎ Großeltern ◎

d. Ergänzen Sie die Erklärung dieses Witzes.

„Deshalb hat er gehofft, dass seine ...“

e. Hören Sie den dritten Witz und erzählen Sie ihn mit Ihren Worten nach. 2 | 10

◎ Mäusevater – Kinder – nachts – Garten
◎ Plötzlich – Katze – Mäuse – Angst – weglaufen wollen
◎ Vater – „Wau-wau“ schreien
◎ Katze – verschwinden
◎ Vater – ihnen das schon oft gesagt haben: „... muss man können!“

○ *Ein Mäusevater geht mit seinen ...*

	Dativ	Akkusativ	
Er glaubt	ihm	**das**	nicht.
Sie bestätigt	ihm	**das.**	
Er hat	ihnen	**das**	schon oft gesagt.

f. Besprechen Sie im Kurs:

- In welcher Situation unterhalten sich die Leute auf dem Foto oben möglicherweise?
- Bei welchen Gelegenheiten erzählt man sich Witze?
- Welchen der drei Witze finden Sie am lustigsten?
- Kennen Sie andere Witze oder lustige Geschichten, in denen Tiere vorkommen?

2 „Den Witz kannst du auf keinen Fall erzählen!"

a. Hören Sie den ersten Teil des Gesprächs. Was ist richtig? ✗ 2 | 11

1. Der Chef der Firma feiert nächste Woche seinen 60. Geburtstag.
2. Robert soll auf der Feier etwas singen.
3. Robert ist erst seit kurzer Zeit in der Abteilung.
4. Er soll auch einen Witz erzählen, weil das immer gut für die Stimmung ist.

b. Diskutieren Sie im Kurs:

Was könnte man auf einer Betriebsfeier vortragen, um für eine gute Stimmung zu sorgen?

c. Hören Sie den zweiten Teil des Gesprächs.
Konzentrieren Sie sich auf die Witze, die Robert kennt. Was passt? 2 | 12

Robert kennt einen Witz ...

A über eine blonde Ehefrau, 4 c
B über einen Mann,
C über einen Pfarrer,
D über einen CDU-Politiker,
E über einen Ehemann,

1. der sonntags immer zu spät in die Kirche kommt,
2. der den Verdacht hat,
3. der immer eine rote Krawatte anzieht,
4. die die Frühstückseier eine Stunde kocht,
5. dem sein Arzt mitteilt,

a. dass er nur noch drei Tage zu leben hat.
b. weil er erst den Wein probiert.
c. damit sie endlich weich werden.
d. bevor er mit seiner Frau ins Bett geht.
e. dass seine Frau die Grünen wählt.

d. Hören Sie den Text noch einmal.
Konzentrieren Sie sich jetzt auf die Einwände des Kollegen. Was passt? 2 | 13

A Robert soll keine Sexwitze erzählen,
B Er soll keinen schwarzen Humor einsetzen,
C Er soll keinesfalls etwas Politisches sagen,
D Er soll keine Witze über die Kirche machen,
E Er soll auf Blondinenwitze verzichten,
F Er soll nicht den Mut verlieren,

1. weil das bestimmt niemand lustig findet.
2. weil sich die blonden Frauen darüber ärgern.
3. weil sein Kollege ihm Hilfe anbietet.
4. weil es darüber sowieso immer Streit gibt.
5. weil Kinder auf der Feier sind.
6. weil die Frau vom Chef katholisch und in diesen Dingen sehr empfindlich ist.

3 Worüber sollte man keine Witze machen bzw. erzählen?

Was meinen Sie? Diskutieren Sie im Kurs.

◎ Religion ◎ Sexualität ◎ Tod ◎ Politiker ◎ Polizisten ◎ Behinderte ◎
◎ psychisch Kranke ◎ Arbeitgeber ◎ Minderheiten ◎ Katastrophen ◎ ... ◎

○ *Ich finde, man sollte über ...*

4 Monikas Haare

a. Betrachten Sie das Foto und beschreiben Sie die Situation.

b. Hören Sie das Gespräch. Was ist richtig? X 2 | 14

1. Monika will ihre Haare blond färben.
2. Martin möchte, dass Monika ihre Haare grün färbt.
3. Monika sucht das Shampoo; Martin bringt es ihr.
4. Monika sagt: „Ich brauche den Föhn. Bringst du mir den mal?"
5. Nachdem Monika ihre Haare gewaschen hat, föhnt Martin sie ihr.
6. Martin sagt: „Was ist mit deinen Haaren? Die hast du dir ja hinten grün gefärbt!"
7. Monika möchte den zweiten Spiegel haben, aber Martin gibt ihn ihr nicht.
8. Monika ist froh, dass Martin nur einen Aprilscherz gemacht hat.

c. Wie finden Sie Martins Scherz?

○ *Was Martin macht, finde ich nicht gut. Seine Freundin erschrickt doch. So etwas sollte man nicht tun.*

◆ *Warum nicht? Das ist doch harmlos. Seine Freundin verzeiht ihm das doch sofort.*

□ *Ich würde ...*

	Dativ	**Akkusativ**
Ich brauche den Föhn. Bringst du	**mir**	**den?**
	Akkusativ	**Dativ**
Ich brauche den Föhn. Bringst du	**ihn**	**mir?**

5 Scherze

a. Berichten Sie im Kurs:

- Zu welchen Gelegenheiten macht man in Ihrem Land Scherze mit Freunden oder Verwandten?
- Haben Sie schon mal einen Aprilscherz oder etwas Ähnliches mit jemandem gemacht?
- Waren Sie schon einmal „Opfer" eines Scherzes?

b. Denken Sie sich in kleinen Gruppen einen harmlosen Scherz aus. Überlegen Sie zunächst:

- Mit welcher Person könnte man den Scherz machen? Hat sie genug Humor, so dass sie nicht böse wird?

◎ Freund(in) ◎ Kursteilnehmer(in) ◎ Kursleiter(in) ◎ Wohnungsnachbar(in) ◎ ... ◎

- Worüber würden Sie einen Scherz machen?

◎ einen kaputten Gegenstand ◎ einen Fleck auf der Kleidung ◎ eine unbezahlte Rechnung ◎ ... ◎

- Wie soll der Scherz geäußert werden?

◎ Gespräch ◎ Anruf ◎ Brief ◎ E-Mail ◎ ... ◎

c. Vergleichen Sie Ihre Ideen im Kurs. – Sie müssen den Scherz nicht wirklich ausführen ...

6 Ein Fernseh-Sketch

a. Betrachten Sie das Foto und überlegen Sie zusammen mit einer Partnerin / einem Partner:

- Wo spielt die Szene möglicherweise?
- Worüber könnten die Personen sich unterhalten?

b. Finden Sie zusammen mit einem Partner/einer Partnerin eine mögliche Reihenfolge für das Gespräch.

- ⊙ Das weiß ich nicht. Aber er hat mir eine Telefonnummer gesagt.
- ⊙ Doch, aber ich habe den Namen vergessen.
- ⊙ Das weiß ich nicht.
- 1 ⊙ Tag Kurt, gerade hat jemand für dich angerufen.
- ⊙ Nein, ich habe nicht alles vergessen. Eins weiß ich noch: Er hat gesagt, dass es sehr, sehr dringend ist. Und dass du dich sofort melden sollst, wenn du kommst.
- ⊙ Moment, sie war ganz einfach: 8–7 ... Nein, nein: 7–8 ... Nein: 4–8. Nein, ich habe sie vergessen.
- ⊙ Er hat gesagt, dass du ihn anrufen sollst.

- ◆ Hat er nicht gesagt, wie er heißt?
- ◆ Ja – und wie ist die Telefonnummer?
- ◆ Das kann doch nicht wahr sein! Du hast ja alles vergessen!
- ◆ Und wo soll ich anrufen?
- ◆ Und was hat er gesagt?
- 2 ◆ So, wer war das denn?

c. Hören Sie den Sketch und vergleichen Sie die Reihenfolge mit Ihrer Lösung. 2 | 15

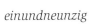

d. Spielen Sie den Sketch mit Ihren eigenen Worten im Kurs nach.

7 Humor im Fernsehen

Berichten Sie im Kurs:

- Was für Comedy-Sendungen gibt es in Ihrem Land?
- Schauen Sie solche Sendungen gern an?
- Was gefällt Ihnen daran? Was mögen Sie nicht?

Ich mag gern gute Comedy-Sendungen.
Ich finde es ganz lustig, wenn ...
Dabei kann man sich vom Alltag erholen.
Ich amüsiere mich eben gern.
Man weiß ja, dass es nicht ernst gemeint ist.
Das ist doch alles harmlos.

So einen Quatsch gucke ich mir gar nicht an.
Diese Sendungen sind nicht nur dumm, sondern auch geschmacklos.
Ich finde es überhaupt nicht witzig, wenn ...
Richtige Satire-Sendungen finde ich viel interessanter. Da muss man wenigstens ein bisschen nachdenken.

19 Fokus Sprechen

1 „M" und „n" 2 | 16-17 15-16

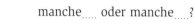

a. Hören Sie zu und sprechen Sie nach. Achten Sie auf „m" und „n".

dem oder den?
wem oder wen?
einem oder einen?

meinem oder meinen?
deinem oder deinen?
seinem oder seinen?

b. Was hören Sie? Ergänzen Sie „m" oder „n".

welche..... oder welche.....?
diese..... oder diese.....?
keine..... oder keine.....?
ihre..... oder ihre.....?

eure... oder eure.....?
jede..... oder jede.....?
manche..... oder manche.....?

2 Zungenbrecher 2 | 18-19 17-18

a. Lesen Sie den ersten Zungenbrecher laut im Kurs und hören Sie ihn dann.

b. Lesen und hören Sie anschließend nacheinander die anderen Zungenbrecher.

Fischers Fritz fischt frische Fische.
Frische Fische fischt Fischers Fritz.

Zehn zahme Ziegen ziehen zehn Zentner Zucker zum Zoo.
Zehn Zentner Zucker ziehen zehn zahme Ziegen zum Zoo.

Hinterm hohen Haus hackt Hans hartes Holz.
Hartes Holz hackt Hans hinterm hohen Haus.

Es klapperten die Klapperschlangen,
bis ihre Klappern schlapper klangen.

c. Üben Sie im Kurs. Jeder wählt einen Zungenbrecher aus und trägt ihn vor.

d. Gibt es in Ihrer Muttersprache auch lustige Zungenbrecher? Tragen Sie einen im Kurs vor und übersetzen Sie ihn ins Deutsche.

3 Es ihm – ihn ihr – …

a. Lesen Sie die Reime und ergänzen Sie die Pronomen.

- ihn ihr
- sie ihm
- es ihm
- sie ihm

Sie bringt dem Gast die Milch ans Bett und stellt .... auf das Tablett.

Er kauft der Frau den Blumenstrauß und legt .... vors Gartenhaus.

Sie holt dem Mann die neue Maus und packt .... dann auch gleich aus.

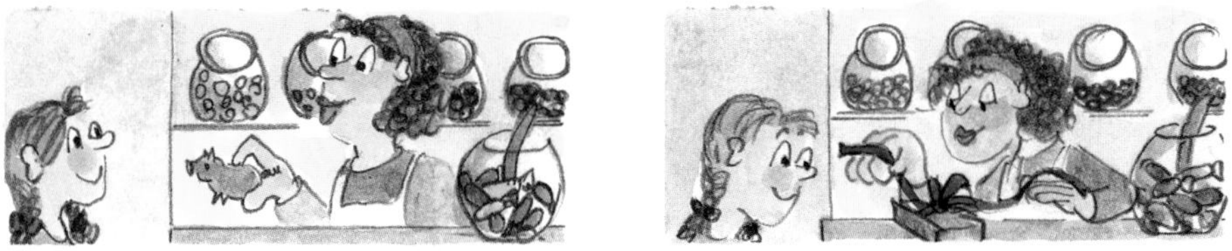

Sie zeigt dem Kind das süße Schwein und packt .... dann sehr hübsch ein.

b. Hören Sie die Reime und vergleichen Sie. 2 | 20 19

c. Finden Sie zusammen mit einem Partner/einer Partnerin ähnliche Reime. Stellen Sie Ihre Ergebnisse dann im Kurs vor.

Er bringt dem Kind den Toast ans Bett				auf den Tisch.
Sie kauft der Großmutter den Blumenstrauß				auf das Tablett.
Er angelt der Katze den Fisch		legt	ihn ihm	an den Spiegel.
Sie schenkt dem Opa die Tasse	und	hängt	ihn ihr	ans Gartenhaus.
Er malt der Mutter den Igel		stellt	sie ihm	ans Fensterbrett.
Sie holt dem Vater das neue Brett		…	…	auf die Terrasse.
Er/Sie …				…

4 Überraschender Besuch

a. Hören Sie das Gespräch und lesen Sie dabei still mit. 2 | 21 20

⊙ Stellen Sie sich vor, was mir gestern passiert ist!
◆ Erzählen Sie doch mal.
⊙ Es war acht Uhr, und ich hatte gebadet und es mir vor dem Fernseher gemütlich gemacht. Da klingelte es.
◆ Ach. Haben Sie Besuch bekommen?
⊙ Das kann man wohl sagen. Alle meine Freunde standen vor der Tür, mit Blumen und Geschenken. Sie wollten meinen Geburtstag feiern.
◆ Eine Überraschungsparty?
⊙ Nein, nein, ich hatte sie ja eingeladen – aber erst für nächste Woche.
◆ Warum sind sie denn gestern schon gekommen?
⊙ Na ja, ich hatte aus Versehen das falsche Datum auf die Einladungen geschrieben.
◆ Oh wie peinlich! Sind Ihre Freunde wieder nach Hause gegangen?
⊙ Natürlich nicht. Aber ich hatte ja nichts vorbereitet: nichts zu essen und keine Getränke im Haus.
◆ Und was haben Sie da gemacht?
⊙ Ich habe den Pizza-Service angerufen, Getränke haben wir von der Tankstelle geholt. Und dann haben wir bis vier Uhr morgens gefeiert.
◆ Das war sicher sehr lustig ...

b. Üben Sie das Gespräch mit einem Partner/einer Partnerin und spielen Sie es frei im Kurs vor.

c. Variation: Einer der Gäste erzählt die Geschichte einem Kollegen. Bereiten Sie das Gespräch zu zweit vor und spielen Sie es dann im Kurs.

⊙ *Gestern ist etwas Lustiges passiert.*
◆ *Was denn? Erzähl doch mal.*
⊙ *Wir haben am Abend eine Freundin besucht, weil sie uns zu ihrer Geburtstagsfeier eingeladen hatte. Aber sie hatte gar nichts vorbereitet und saß im Bademantel vor dem Fernseher.*
◆ *Was? Wusste sie denn nicht, dass ihr kommt?*
⊙ *Nein, sie dachte, dass ...*

5 Das war eine verrückte Geschichte!

a. Betrachten Sie nacheinander die zwei Bildgeschichten. Besprechen Sie im Kurs, was da passiert.

A Ein feiner Kuchen

B Eine satte Katze

b. Wählen Sie mit einem Partner/einer Partnerin eine Geschichte aus. Bereiten Sie dazu zusammen ein Gespräch vor und spielen Sie es im Kurs.

Stell dir vor, was ich erlebt habe ... Kaum zu glauben, was mir passiert ist ... Heute Morgen / Gestern / Vorgestern / Letzte Woche ...	Was war denn los? Erzähl doch. Da bin ich aber neugierig. Erzähl mal!
Ich habe beim Kuchenbacken Zucker und Salz verwechselt. Ich hatte vergessen, dass die Katze mit den Fischen allein in der Küche war.	Das ist ja wirklich lustig! Oh nein! Das ist ja schrecklich.
Den Kuchen konnten meine Gäste natürlich nicht essen. Wir hatten Hunger, aber nichts mehr zum Grillen. Was sollte ich machen? Das war natürlich ein Problem.	Was hast du denn dann gemacht? Wie hast du denn reagiert?
Dann habe ich einfach Butterbrote mit Honig gemacht. Ich habe Spaghetti gekocht und eine schöne Soße dazu gemacht.	Da hast du eine gute Lösung gefunden. Dann war ja alles gut.

c. Haben Sie selbst schon etwas Ähnliches erlebt? Erzählen Sie im Kurs.

20 Fokus Schreiben

1 Hören Sie zu und schreiben Sie. 2 | 22

Ich ...., ...

Draußen ...., ... Wort

...., ... Datum ....

.... April .... Nur ....

2 Bildhafte Vergleiche mit Tieren

a. Welches Adjektiv passt Ihrer Meinung nach am besten? Ergänzen Sie.

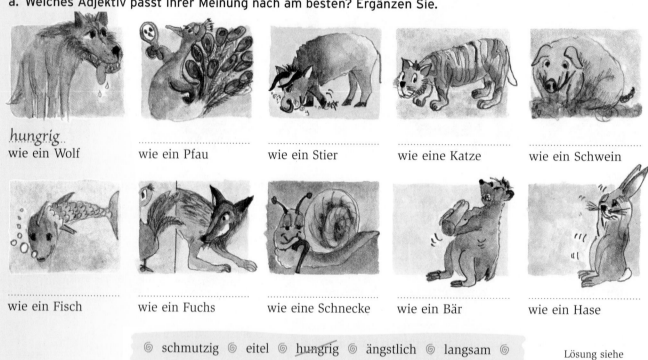

hungrig wie ein Wolf

.... wie ein Pfau

.... wie ein Stier

.... wie eine Katze

.... wie ein Schwein

.... wie ein Fisch

.... wie ein Fuchs

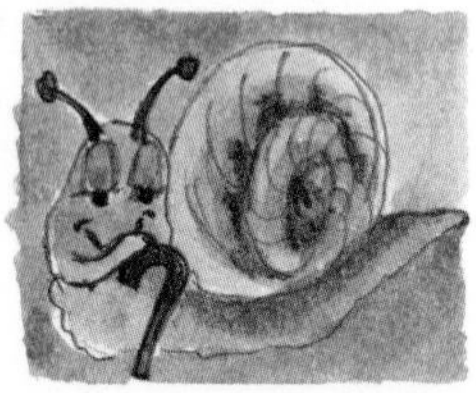

.... wie eine Schnecke

.... wie ein Bär

.... wie ein Hase

◎ schmutzig ◎ eitel ◎ ~~hungrig~~ ◎ ängstlich ◎ langsam ◎ leise ◎ schlau ◎ wütend ◎ stark ◎ stumm ◎

Lösung siehe Seite 222.

b. Schreiben Sie zu zweit Sätze zu jedem Vergleich. Tragen Sie Ihr Ergebnis dann im Kurs vor.

Nach der Bergwanderung hat mein Bruder in der Gaststätte drei Teller Spaghetti gegessen. Er war hungrig wie ein Wolf.

Meine Kollegin kommt immer ins Büro wie zu einer Modenschau. Sie ist eitel wie ein Pfau.

Weil er beim Kartenspiel verloren hat, war er ...

c. Welche Vergleiche benutzt man häufig in Ihrer Muttersprache?

⊙ *Bei uns sagt man auch ... Aber ... sagt man nicht, sondern ...*

3 Redensarten

a. Lesen Sie sechs Beispiele für bekannte Redensarten.

„Gestern brauchte ich eine Schere, aber sie war nicht an ihrem Platz. Nachdem ich *das ganze Haus auf den Kopf gestellt* hatte, fand ich sie schließlich hinter dem Sofa."

„Vorhin wollte ich Butter aus dem Kühlschrank holen. Ich habe sie erst nach Minuten gefunden, obwohl sie ganz oben lag. Manchmal habe ich wirklich *Tomaten auf den Augen*."

„Mein Chef hat morgens immer schlechte Laune. Vor der Mittagspause muss man ihn *wie ein rohes Ei behandeln*."

„Meine Schwester hat mir gestern erzählt, dass sie nächste Woche heiraten will. Ich bin *aus allen Wolken gefallen*, weil sie ihren Freund erst seit wenigen Wochen kennt."

„Letzte Woche bin ich von der falschen Seite in eine Einbahnstraße gefahren. Das hat ein Polizist gesehen, aber er war sehr freundlich und hat noch mal *ein Auge zugedrückt*."

„Meine Freundin ist schon zweimal durch die Führerscheinprüfung gefallen. Morgen hat sie den letzten Versuch. Ich *drücke ihr ganz fest die Daumen*."

b. Was bedeuten die Redensarten? Finden Sie die Lösung gemeinsam im Kurs.

A das ganze Haus auf den Kopf stellen
B Tomaten auf den Augen haben
C ein Auge zudrücken
D jemandem die Daumen drücken
E aus allen Wolken fallen
F eine Person wie ein rohes Ei behandeln

1. jemandem Glück wünschen
2. mit jemandem ganz vorsichtig umgehen
3. sehr überrascht sein
4. überall verzweifelt nach etwas suchen
5. etwas einfach nicht sehen, obwohl es da ist
6. jemanden für einen kleinen Fehler nicht bestrafen

c. Schreiben Sie die sechs Texte mit kleinen Varianten neu.

Gestern konnte ich meinen Autoschlüssel nicht finden. Nachdem ich überall verzweifelt gesucht hatte, ...

4 Sprichwörter

a. Welche Satzteile ergeben zusammen ein Sprichwort? Arbeiten Sie mit einer Partnerin/einem Partner.

Ein blindes Huhn	fällt nicht weit vom Stamm.
Wer anderen eine Grube gräbt,	Schweigen ist Gold.
Ende gut,	findet auch mal ein Korn.
Wer zuletzt lacht,	nicht vor dem Abend loben.
Man soll den Tag	frisst der Teufel Fliegen.
Der Apfel	wird man klug.
In der Not	hat Gold im Mund.
Reden ist Silber,	alles gut.
Morgenstund'	fällt selbst hinein.
Durch Schaden	lacht am besten.

b. Schreiben Sie die zehn Sprichwörter auf und vergleichen Sie dann im Kurs.

Ein blindes Huhn findet auch mal ein Korn. .... *Wer anderen eine Grube gräbt, ...* ....

Lösung siehe Seite 222.

c. Was bedeuten die Sprichwörter Ihrer Meinung nach? Diskutieren Sie im Kurs.

○ *Manchmal ist es besser, wenn man nichts sagt. Ich glaube, das ist die Bedeutung von „Reden ist Silber, Schweigen ist Gold". Ich kenne ein ähnliches Sprichwort: ...*

◆ *„Morgenstund' hat Gold im Mund" verstehe ich nicht ganz. Vielleicht heißt das, man soll ...*

5 Lügen haben kurze Beine.

a. Lesen Sie die vier Sprichwörter. Welche Erklärungssätze passen? Diskutieren Sie in einer Kleingruppe.

A Lügen haben kurze Beine.

....

....

B Eine Hand wäscht die andere.

....

....

C Viele Köche verderben den Brei.

....

....

D Liebe macht blind.

....

....

- Sauberkeit ist wichtig für die Gesundheit.
- Wenn man einen Menschen liebt, sieht man seine Fehler nicht.
- Man merkt es schnell, wenn jemand gelogen hat.
- Man interessiert sich nicht mehr für andere Menschen, wenn man verliebt ist.
- Wenn zu viele Menschen an der gleichen Sache arbeiten, gibt es ein schlechtes Ergebnis.
- Wenn man anderen Menschen hilft, bekommt man auch selbst Hilfe.
- Kleinen Kindern darf man nichts glauben.
- Es gibt viele Köche, die nicht gut kochen können.

b. Notieren Sie Ihre Lösung und vergleichen Sie im Kurs.

6 Auf dem Parkplatz

a. Betrachten Sie die Bildgeschichte. Erzählen Sie, was da passiert.

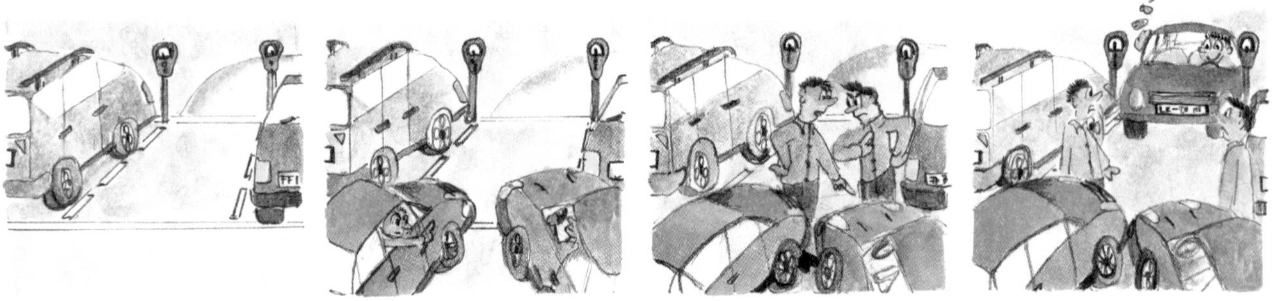

Autofahrer · zornig · Parkuhr · dumm gucken · gleichzeitig · schreien · Parklücke · schimpfen

b. Welches Sprichwort passt am besten zu der Geschichte? Diskutieren Sie im Kurs.

Wer anderen eine Grube gräbt, fällt selbst hinein.
Hunde, die bellen, beißen nicht.
Wer A sagt, muss auch B sagen.
Wenn zwei sich streiten, freut sich der dritte.
Durch Schaden wird man klug.
Irren ist menschlich.

7 Ende gut, alles gut.

a. Schreiben Sie eine kleine Geschichte, die zu dem Sprichwort „Ende gut, alles gut“ passt. Wählen Sie dafür einen der drei Vorschläge oder eine eigene Idee.

Gestern war ein heißer Tag und deshalb habe ich alle Fenster aufgemacht. Leider hatte ich ganz vergessen, dass mein Papagei frei war. Er flog ...

Am Tag seiner Abschlussprüfung hörte Karsten P. morgens seinen Wecker nicht. Er wurde erst um kurz nach neun wach und in einer Viertelstunde sollte er schon in der Uni sein. ...

Als Jens und Petra in Paris gelandet waren, nahmen sie ihren roten Koffer vom Rollband und fuhren ins Hotel. Erst da merkten sie, dass sie den Koffer eines fremden Fluggastes hatten. ...

b. Lesen Sie Ihre Geschichte im Kurs vor.

8 Sprichwörter in Ihrer Muttersprache

Erzählen Sie im Kurs, welche häufig verwendeten Sprichwörter es in Ihrer Muttersprache gibt.

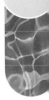

Das können Sie jetzt:

- Humorvolle Texte verstehen und nacherzählen
- Ereignisse in der Vorvergangenheit ausdrücken
- Satzergänzungen mit Hilfe von zwei Pronomen formulieren
- Bildgeschichten beschreiben
- Über lustige Erlebnisse und überraschende Situationen berichten
- Die Bedeutung von Redensarten und Sprichwörtern erklären
- Über Humor in Medien und Gesellschaft diskutieren

Ein guter Witz

2 | 23

⊙ Gestern habe ich einen Witz gehört. Den muss ich dir unbedingt erzählen.

◆ Oh ja, erzähl ihn mir.

⊙ Hör zu: Kommt eine Frau in ein Schuhgeschäft und zieht ihre Schuhe aus. Der Verkäufer nimmt sie ihr weg und ...

◆ Ach, den kenne ich schon.

⊙ Den kennst du schon? Warte, ich weiß noch einen: Geht eine Mutter mit ihrem Kind in die Stadt und das Kind sieht ein rotes Fahrrad. Die Mutter kauft es ihm, weil ...

◆ Du brauchst nicht weiterzuerzählen. Den kenne ich auch schon.

⊙ Oh, wirklich? Pass auf: Geht eine Sekretärin zu ihrem Chef und will ihr Arbeitszeugnis sehen. Der Chef zeigt es ihr und ...

◆ Ja, ja, den kenne ich auch.

⊙ Gut, letzter Versuch: Treffen sich zwei Männer. Der eine will dem anderen dauernd einen Witz erzählen, aber der hat sie alle schon mal gehört ... Oder kennst du den auch?

◆ Nein, den kenne ich nicht.

⊙ Das dachte ich mir.

◆ Warum?

⊙ Ich kenne ihn auch nicht. – Aber er fängt doch gut an, oder?

Themenkreis Vergangenheit und Zukunft

Fokus Strukturen

1 Historische Ereignisse

a. Betrachten Sie die Bilder. Was können Sie darauf erkennen? Was vermuten Sie?

b. Zu welchen Bildern passen die Sätze?

1. ◯ Christoph Kolumbus suchte einen Beweis dafür, dass die Erde rund ist, und segelte von Spanien aus nach Westen. Am 12. Oktober 1492 landete er in der Karibik, glaubte aber, in Indien zu sein.
2. ◯ „Ein kleiner Schritt für einen Menschen, aber ein großer Sprung für die Menschheit" – Am 21. Juli 1969 betrat der Astronaut Neil Armstrong als erster Mensch den Mond.
3. ◯ Johannes Gutenberg entwickelte um 1450 ein Verfahren zum Druck von Büchern mit Hilfe beweglicher Buchstaben aus Metall. Die Bibel, die er druckte, war der erste Bestseller der Geschichte.
4. ◯ Die erste Eisenbahn fuhr in Deutschland am 7. Dezember 1835 von Nürnberg nach Fürth. Die Kohle für die Lokomotive wurde von Pferdewagen geliefert.
5. ◯ Am 9. November 1989 wurden die Grenzübergänge zwischen den beiden deutschen Staaten geöffnet. Kurze Zeit danach fiel die Berliner Mauer.
6. ◯ Als erster Pilot überquerte Charles Lindbergh im Mai 1927 den Atlantik allein in einem Flugzeug und ohne Zwischenlandung. Für die 5.808 km lange Strecke von New York nach Paris brauchte er 33,5 Stunden.

2 Wer weiß was?

Bereiten Sie in kleinen Gruppen fünf Quizfragen zu historischen Ereignissen vor.
Stellen Sie die Fragen dann den anderen Gruppen.

Wann / Wo wurde ... ?
Wer hat / ist ... ?

◎ entdeckt ◎ erfunden ◎ betreten ◎ eröffnet ◎ gelandet ◎ überquert ◎ gefahren ◎ geflogen ◎ gebaut ◎ entwickelt ◎ gegründet ◎ ... ◎

3 Was wäre gewesen, wenn ...?

a. Was passt zusammen? Überlegen Sie zu zweit und lesen Sie dann Ihre Lösungen im Kurs vor.

A Wenn Johannes Gutenberg den Buchdruck nicht erfunden hätte, *6*
B Wenn der Eurotunnel nicht gebaut worden wäre,
C Wenn die Römer gewusst hätten, dass die Erde rund ist,
D Wenn man auf der Titanic den Eisberg rechtzeitig bemerkt hätte,
E Wenn der Computer nicht erfunden worden wäre,
F Wenn Alexander Fleming nicht durch Zufall das Penicillin entdeckt hätte,
G Wenn Nikolaus Otto den Benzinmotor nicht erfunden hätte,
H Wenn die UNO 1945 nicht gegründet worden wäre,
I Wenn es vor 65 Millionen Jahren keine Klimakatastrophe gegeben hätte,

1. hätte Carl Benz nicht das erste Auto bauen können.
2. hätte es seitdem wahrscheinlich noch mehr Kriege in der Welt gegeben.
3. würden die Dinosaurier vielleicht heute noch leben.
4. könnte man heute nicht mit dem Zug von Paris nach London fahren.
5. könnten wir heute nicht im Internet surfen.
6. wären Bücher vielleicht noch längere Zeit mit der Hand geschrieben worden.
7. wäre das Schiff nicht gesunken.
8. müssten viel mehr Menschen an Infektionskrankheiten sterben.
9. hätten sie vielleicht bereits den amerikanischen Kontinent entdeckt.

b. Was wissen Sie noch über diese Ereignisse? Berichten Sie im Kurs.

⊙ *Ein Tunnel zwischen England und Frankreich wurde schon im 19. Jahrhundert geplant, aber erst 1990 hat man mit dem Bau begonnen.*

◆ *Der erste richtige Computer wurde ... in ... gebaut. ...*

4 „Wenn es auf der Titanic genug Boote gegeben hätte, ..."

Überlegen Sie sich einen Satzanfang, der wie im Beispiel mit „wenn" beginnt. Einer fängt an. Wer eine interessante Fortsetzung gefunden hat, sagt den nächsten Satz usw.

⊙ *Wenn es auf der Titanic genug Boote gegeben hätte, ...*

◆ *... dann hätte man alle Passagiere gerettet. – Wenn Alexander Bell das Telefon nicht erfunden hätte, ...*

Wenn ... (nicht) ... hätte/wäre,	dann hätte/wäre ... dann gäbe es ... dann könnte/würde man heute ...

Gedankenspiele über die Vergangenheit:
Wenn Kolumbus nicht nach Westen **gesegelt wäre, hätte** er Amerika nicht **entdeckt**.

5 Was bringt die Zukunft?

a. Betrachten Sie die Zeichnung und stellen Sie Vermutungen über die Szene an.

⊙ *Die Frau ist vermutlich eine Wahrsagerin. Sie schaut in ...*

◆ *Der Mann möchte sicher gern wissen, was ...*

□ *In der vierten Szene von links hat er einen Hund ...*

▶ *Nein, das ist wohl eher ein ...*

b. Welche Antworten passen zu den Fragen des Managers?

A „Wie gehen die Verhandlungen mit unseren chinesischen Geschäftspartnern aus?" 3
B „Leite ich in zehn Jahren immer noch die Firma?"
C „Gehen die Zinsen bald zurück?"
D „Wie entwickelt sich der Handel mit dem Ausland?"
E „Was werde ich auf meiner Reise nach Neuseeland erleben?"
F „Werde ich endlich zum Manager des Jahres gewählt werden?"
G „Gibt es meine Firma in 30 Jahren noch?"
H „Wird meine Frau sich von mir scheiden lassen?"
I „Werde ich bald Großvater?"

1. „Sie wird dann immer noch existieren, aber Teil eines internationalen Konzerns sein."
2. „Leider nein. Diesen Preis wird Ihr schärfster Konkurrent bekommen."
3. „Sie werden Ihre Bedingungen akzeptieren und ein Geschäft über 7 Millionen Euro abschließen."
4. „Nein. Sie werden weiter steigen, aber die Inflation beträgt nächstes Jahr nur noch 1,5 Prozent."
5. „Sie werden in Auckland von Ihren Geschäftsfreunden ein Schaf geschenkt bekommen."
6. „Ihre Tochter bekommt in vier Jahren Zwillinge."
7. „Wenn Sie ihr treu bleiben, wird Ihre Ehe wieder glücklich werden und Sie bleiben zusammen."
8. „Zu diesem Zeitpunkt werden Sie kein Wirtschaftsboss mehr sein, sondern Ihren ersten Roman veröffentlichen."
9. „Die Exportchancen der Wirtschaft verbessern sich ab dem nächsten Jahr und Sie werden neue Arbeitnehmer einstellen müssen."

Annahmen über die Zukunft

mit dem **Präsens** (+ Zeitangabe)	mit dem **Futur**
Im nächsten Jahr **steigen** die Zinsen.	Die Zinsen **werden steigen**.
Er **wird** nächste Woche gewählt.	Er **wird** gewählt **werden**.
Er **muss** bald ... einstellen.	Er **wird** ... einstellen **müssen**.

6 Ihre Fragen an die Zukunft

Was würden Sie selbst gern über die Zukunft wissen? Überlegen Sie zu zweit fünf Fragen und tragen Sie diese dann im Kurs vor.

Werde ich ...?
Wann wird ...?
Wie werden ...?
Wer wird ...?
Wo werde ich ...?
Was wird ...?

◎ bestehen ◎ finden ◎ geben ◎ heiraten ◎ wohnen ◎ reisen ◎ gewinnen ◎ stattfinden ◎ kommen ◎ wählen ◎ beenden ◎ steigen ◎ bleiben ◎ bekommen ◎ ... ◎

○ *Werde ich Erfolg im Beruf haben?*
◆ *Wird es in Zukunft für mich ...?*
...

Futur

ich	**werde**	
du	**wirst**	
er/sie/es/man	**wird**	**kommen**
wir	**werden**	
ihr	**werdet**	
sie/Sie	**werden**	

7 Gute Vorsätze 2 | 24

a. Hören Sie sechs Interviews. Was ist richtig? ✗

1. Sie wird ihrem Partner ab jetzt beim Abwaschen und Abtrocknen helfen.
2. Er hat sich vorgenommen, Nichtraucher zu werden.
3. Sie haben ihren Eltern versprochen, keine Schulstunde mehr zu versäumen.
4. Sie will sich von ihrer Kollegin nichts mehr gefallen lassen.
5. Er wird sich in Zukunft im Auto immer anschnallen.
6. Sie hat sich entschlossen, Sozialarbeiterin zu werden und Jugendliche zu betreuen.

b. Was denken Sie über die Vorsätze der Personen?

○ *Ich finde es normal, dass man ... Das muss man sich doch nicht erst vornehmen.*
◆ *Man sollte sich bei der Arbeit wirklich nicht alles gefallen lassen, aber ...*

c. Berichten Sie im Kurs: Was sind typische Vorsätze zu Neujahr? Haben Sie selbst Erfahrungen damit?

◎ sich nicht mehr verspäten ◎ abnehmen ◎ sparen ◎ gesünder leben ◎ aufhören zu ... ◎ anfangen zu ... ◎ sich mehr Zeit nehmen für ... ◎ ... ◎

○ *Ein Freund hatte sich mal vorgenommen, ... zu ..., aber es war umsonst, weil ...*
◆ *Ich hatte mal den Vorsatz, ... zu ...*

22 Fokus Lesen

1 „Mein erstes Auto, mein erster Computer“

a. Betrachten Sie zuerst die Fotos und sprechen Sie gemeinsam im Kurs darüber.

Helmut B., Ingenieur, berichtet über Anschaffungen in seinem Leben.

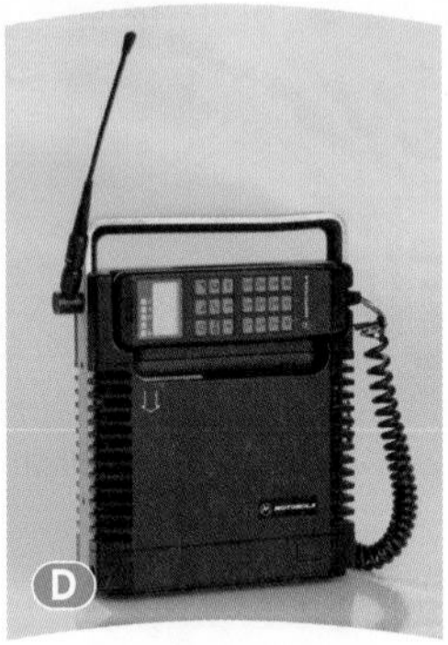

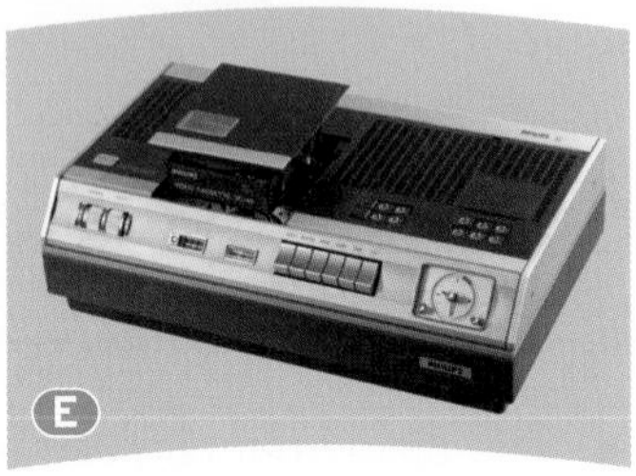

⊙ *Den Autotyp auf Foto A kenne ich. Das ist ein ... Bei uns nennt man ihn auch ... Er hat/ist ...*

◆ *Das Gerät auf Foto D könnte ein(e) ... sein, vielleicht aber auch ... Es hat ...*

b. Zu welchen Gegenständen passen die Texte?

1. ◯ „Den ersten Fernseher in der Familie hat uns mein Großvater geschenkt. Das war 1961. Es gab nur ein Programm, und das war natürlich schwarz-weiß. Wenn es auf dem Bildschirm mal ‚schneite‘, brauchte man dem Gerät nur einen Schlag auf die Seite zu geben, und schon war das Bild wieder da.“

2. ◯ „Als ich 1971 meine Führerscheinprüfung gemacht hatte, haben mir meine Eltern gleich danach mein erstes Auto geschenkt. Es war ein gebrauchter VW-Käfer, Baujahr 1963. Er hatte vier Gänge, der Motor war hinten und der Kofferraum vorne. Der Wagen verbrauchte 12 Liter Benzin auf 100 km.“

3. ◯ „Den ersten Videorekorder habe ich mir 1977 gekauft. Er hatte eine Zeitschaltuhr für die automatische Aufnahme und sechs Tasten für die Wahl von Fernsehprogrammen. Allerdings konnte ich damals überhaupt nur drei Programme empfangen.“

4. ◯ „Meinen ersten Computer habe ich 1980 gekauft. Er hatte 4 Kilobyte Speicher und bestand eigentlich nur aus einer Tastatur und einem Monitor.“

5. ◯ „Weil ich auch im Urlaub für meine Mitarbeiter erreichbar sein wollte, habe ich 1989 mein erstes Mobiltelefon angeschafft. Es wog 4 kg, und der Akku reichte für 10 Stunden.“

c. Zu welchen Texten passen diese Fortsetzungen?

- „Die Dateien wurden auf einem einfachen Kassettenrekorder gespeichert, weil es noch kein Disketten-Laufwerk für die Maschine gab."
- „Aber um den Benzinpreis brauchte man sich damals keine Gedanken zu machen. Er betrug ungefähr 0,53 DM, also ca. 0,27 €."
- „Dumm war nur, dass es an meinem Urlaubsort im Bayerischen Wald noch gar kein Funknetz gab und mir das teure Gerät dort gar nichts nutzte."
- „Der Apparat ist natürlich längst kaputt und die Kassetten kann ich nicht mehr abspielen, weil es das Video-System VCR gar nicht mehr gibt."
- „Am liebsten habe ich übrigens die Märchenstunde gesehen, weil ich ja noch ein Kind war."

d. Diskutieren Sie im Kurs: In welchem Jahr könnte Helmut B. geboren sein?

e. Berichten Sie: Wann haben Sie Ihr erstes Handy, Ihren ersten ... gekauft/geschenkt bekommen?

⊙ *Mein erstes ... haben mir meine Eltern im Jahr ...*
◆ *Bei mir war das viel später. Ich habe erst ...*

Das Handy haben meine Eltern **mir** geschenkt.
Das Handy haben **mir** meine Eltern geschenkt.

2 Weiterentwicklungen

Wählen Sie in einer kleinen Gruppe einen der Gegenstände aus und beschreiben Sie:

- Wie sehen die heutigen Versionen der Gegenstände aus Übung 1 aus? Wie werden sie in 10 Jahren aussehen?
- Was kann man damit tun? Was braucht man nicht mehr zu tun? Was braucht man nur noch zu tun?

Ein Videorekorder hat heute eine Festplatte. Darauf kann man bis zu ... Stunden Filme aufnehmen und sie dann auf eine DVD brennen. Man braucht keine ... Außerdem gibt es ...

In 10 Jahren wird ... Dann braucht man nur noch ...

Elektromotor · Satelliten-Navigation · Heimkino · Fernbedienung · Bildschirm · Akku · Batterie · Laufwerk · MMS · Gewicht · Programm · Lautsprecher · ...

sparsam · breit · flach · automatisch · farbig · leicht · ...

tanken · speichern · aufnehmen · löschen · fotografieren · filmen · telefonieren · sich orientieren · klicken · verbrauchen · schicken · ...

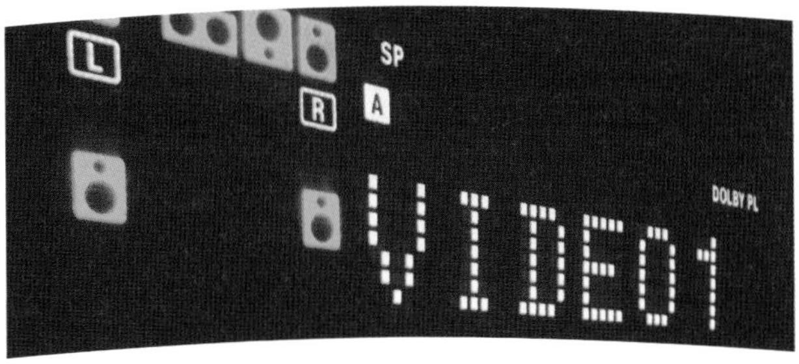

Man **muss** nicht mehr tanken.
Man **muss** nur noch einen Knopf drücken.

Man **braucht** nicht mehr **zu** tanken.
Man **braucht** nur noch einen Knopf **zu** drücken.

3 Ein kontroverses Gespräch

a. Lesen Sie den Text auf der rechten Seite schnell durch. In welcher Reihenfolge werden die folgenden Themen angesprochen?

A Internet-Recherchen
B Umweltschutz und Veränderung des Klimas
C Medizinische Versorgung
D Erreichbarkeit am Mobiltelefon
E Gefahren neuer Technologien
F Computer als Schreibmaschine

b. Lesen Sie den Text noch einmal genau. Zu welcher Person passen die folgenden Aussagen: Andrea (A) oder Christoph (C)?

1. Die alten Kommunikationsmittel reichen aus, um Kontakt zu seinen Mitmenschen zu halten.
2. Ohne Handy wäre man einsam, weil man den Kontakt zu seinen Mitmenschen verlieren würde.
3. Ein Handy braucht man nicht immer einzuschalten, aber in Notfällen kann es nützlich sein, eins dabeizuhaben.
4. Im Internet gibt es viele Sicherheitsrisiken.
5. Ein Computer ist mehr als eine Schreibmaschine.
6. Das Internet ist die Grundlage für viele technische Entwicklungen der Zukunft.
7. Es macht keinen Spaß, Filme auf einem zu kleinen Bildschirm anzuschauen.
8. In naher Zukunft kann man den gesundheitlichen Zustand der Menschen ständig durch Elektronik kontrollieren.
9. Die dauernde Kontrolle des Gesundheitszustands wäre eine schreckliche Vorstellung.
10. In der Vergangenheit hat man nicht genug für den Umweltschutz getan.
11. Vor der Zukunft braucht man keine Angst zu haben.

4 Was ist Ihre Meinung?

Welche Antworten hätten Sie selbst gegeben? Wählen Sie eine der vier Interviewfragen aus und notieren Sie eine kurze Antwort. Machen Sie dann Interviews im Kurs.

Ein Leben ohne ... kann ich mir nicht/gut vorstellen. Dann ...
Ich könnte mir (nicht) vorstellen, ohne ... auszukommen.
Den größten Fortschritt hat ... gebracht. Dadurch kann man ...
Für mich ist ... kein echter Fortschritt. Im Gegenteil; man muss ...
Fortschritt ist alles, was ...
Man hätte ... sollen/müssen.
Es wird immer noch nicht genug für/gegen ... getan. Da müsste ...
Ich hoffe/fürchte, dass ...
Ich habe (kein) Vertrauen in ...

Ein Leben ohne Internet kann ich mir nicht vorstellen. Dann müsste ich sehr viel Geld ausgeben für ... und könnte auch nicht ...

„Die Zukunft hat schon begonnen"

Heute bei → kontrovers ← im Gespräch: Christoph K. (52, Installateurmeister) und seine Tochter Andrea (21, Studentin der Medienwissenschaften)

Könnten Sie sich vorstellen, ohne Handy auszukommen, so wie es die Leute früher mussten?

A. Auf keinen Fall. Ohne Handy könnte ich mich z.B. nicht spontan mit meinen Freundinnen verabreden. Ich möchte überall erreichbar sein, sonst würde ich eine Menge verpassen: Partys, Shopping, eben mal zusammen Eis essen bei Renato ... Das wäre eine Katastrophe. Ich wäre dann ja völlig isoliert und wüsste gar nicht mehr, wo was los ist.

C. Das brauche ich gar nicht zu wissen. Deswegen schalte ich mein Handy auch meistens aus und benutze es nur dann, wenn ich jemanden anrufen möchte. Wie nützlich das allerdings sein kann, habe ich gleich an dem Tag gemerkt, an dem ich es gekauft hatte. Ich war nachts auf einer Landstraße unterwegs, vor mir hatte sich ein Unfall ereignet, und ich konnte gleich den Krankenwagen rufen.

A. Da sieht man doch, wie wichtig so ein Ding ist.

C. In diesem einen Fall – ja. Aber ich will nicht davon abhängig sein. Meine privaten Treffen und geschäftlichen Termine kann ich prima über den guten alten Festnetzapparat abmachen. Und auf SMS und E-Mail kann ich gut verzichten. Ich weigere mich, mich damit überhaupt zu beschäftigen.

Dann brauchen Sie wohl auch keinen Computer?

C. Doch, ich habe einen, aber der ist schon etwas älter, und ich benutze ihn fast nur, um Briefe und Rechnungen zu schreiben.

A. Du benutzt den eben nur wie eine intelligente Schreibmaschine. Aber man kann doch ganz andere Sachen damit machen: Internet-Recherchen, Videos ansehen, Musik runterladen, chatten, telefonieren, Video-Konferenzen – und alles fast umsonst.

C. Mag sein. Aber das Netz bringt auch Gefahren. Man liest so viel von Viren. Bankgeschäfte würde ich nie im Internet machen, das ist viel zu unsicher. Außerdem kann man nicht ausschließen, dass man überwacht wird. Die Politiker machen Gesetze, um Terroristen jagen zu können, aber hinterher haben sie die Verbindungsdaten von sämtlichen Bürgern, und keiner weiß, was damit geschieht.

A. Da darf man nicht so ängstlich sein. Bei jeder neuen Technik gibt es erst einmal Risiken. Diese Probleme werden allmählich gelöst werden, da habe ich volles Vertrauen.

Wie sehen Sie die Zukunft des Internet?

A. Die hat schon begonnen. Die verschiedenen Geräte wachsen zusammen, und zwar auf der Basis vom Internet. Computer und Fernseher wird man bald nicht mehr unterscheiden können. Die Fernsehsender werden kein festes Programm mehr senden, sondern Datenbanken anbieten, aus denen man sich Filme, Dokumentationen und Nachrichten selbst aussuchen kann. Ins Internet kommt man schon mit der heutigen Handy-Generation und fernsehen kann man damit auch längst.

C. Ich möchte mir keinen Spielfilm in der Größe einer Briefmarke anschauen!

A. Brauchst du auch nicht. Du wirst ihn mit einem winzigen Beamer an die Wohnzimmerwand werfen. Aber das ist ja noch nicht alles. Das Internet kann noch sehr viel mehr. In einigen Jahren werden wir kleine Chips in unserer Kleidung oder auf der Haut tragen, die über das Internet Informationen über unseren Gesundheitszustand direkt an die Arztpraxis oder die Krankenversicherung schicken.

C. Wie bitte? Das ist ja der nackte Horror!

A. Nein, das ist Fortschritt. Stell dir vor, du bist gerade in der Stadt und bekommst einen Herzanfall oder brichst dir ein Bein. Sofort benachrichtigt der Chip die Gesundheitszentrale und die schickt den Rettungswagen los.

C. Den hätte ich dann ja auch mit meinem Handy rufen können, wie damals auf der Landstraße. Nein – Fortschritt ist für mich etwas anderes.

Und wie würden Sie Fortschritt definieren?

C. Ein echter Fortschritt wäre für mich z.B. gewesen, wenn man schon vor Jahren massiv in alternative Technologien zum Schutz der Umwelt investiert hätte. Dann käme jetzt nicht der Klimawandel auf uns zu, unter dem die ganze Welt leiden wird.

A. Da stimme ich zu. Aber warten wir doch mal ab. Vielleicht wird es ja auch Spaß machen, eines Tages bei 40 Grad unter Palmen an der Ostsee zu liegen.

Fokus Hören

1 Eine Wahlkampfrede

a. Lesen Sie zunächst die Wahlslogans im Hintergrund. Was könnte man sich konkret darunter vorstellen?

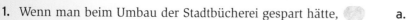

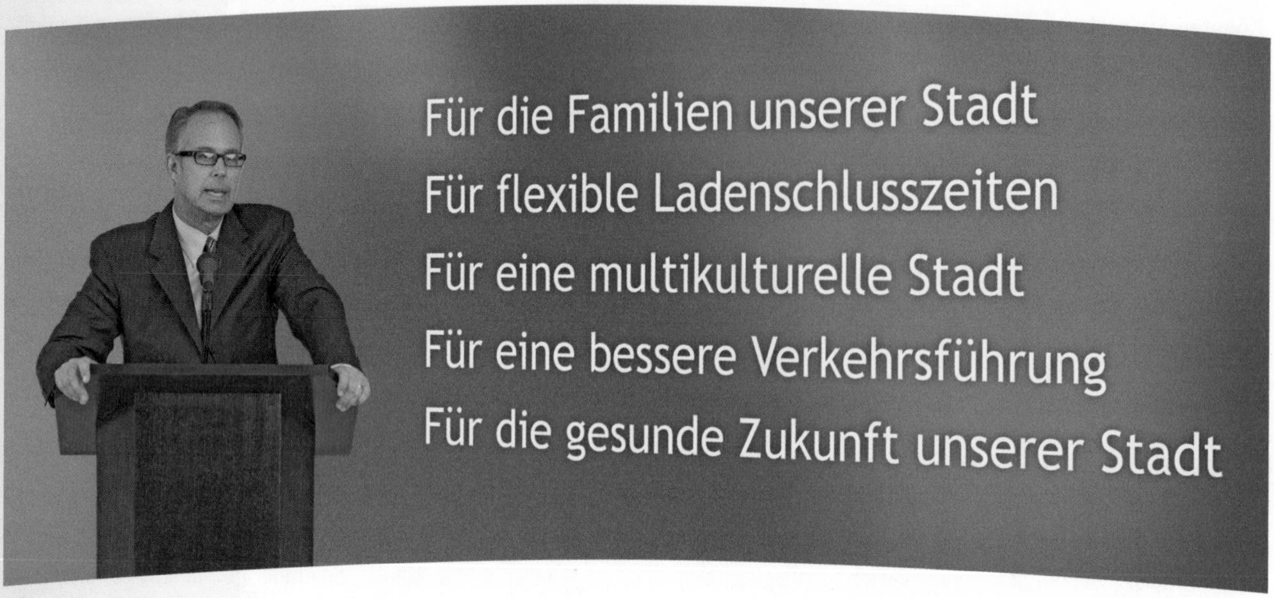
Für die Familien unserer Stadt
Für flexible Ladenschlusszeiten
Für eine multikulturelle Stadt
Für eine bessere Verkehrsführung
Für die gesunde Zukunft unserer Stadt

⊙ *Die Partei will etwas für ... tun, z.B. ...* ◆ *Man will dafür sorgen, dass ...* □ *Ein Ziel ist auch ..., d.h. ...*

b. Hören Sie die Wahlkampfrede.
Über welche der folgenden Punkte spricht der Redner? ✗ 2 | 25

1. Einkaufsfreundliches Parken
2. Ladenöffnungszeiten
3. Kinderfreundlichkeit
4. Umweltfreundlicher Verkehr
5. Tierfreundliche Stadt
6. Engagement für Familien

c. Hören Sie nun Teil 1 und 2 der Rede noch einmal. Was ist richtig? ✗ 2 | 26

1. Die Sozialdemokraten und die Grünen haben für viel Geld das Rathaus renovieren lassen.
2. Vor allem die Grünen sind für die hohen Kosten des Rathausumbaus verantwortlich.
3. SPD und Grüne haben zu viel Geld für die Einrichtung des Rathauses ausgegeben.
4. Das Parken in der Fußgängerzone soll in Zukunft verboten werden.
5. Von den Regierungsparteien ist es verboten worden, in der Fußgängerzone zu parken.
6. In der Fußgängerzone wurden nicht genügend Parkplätze gebaut.

d. Hören Sie noch einmal den dritten und vierten Teil der Rede. Was passt zusammen? ✗ 2 | 27

1. Wenn man beim Umbau der Stadtbücherei gespart hätte,
2. Die CDU wird neue Kindergartenplätze schaffen.
3. Der Eintritt für das Schwimmbad soll günstiger werden,
4. Die CDU wird den öffentlichen Nahverkehr fördern,

a. so dass es für Familien attraktiver wird.
b. Busfahren soll wieder billiger werden.
c. Eine Stadt soll kinderfreundlich sein.
d. hätte man einen Kindergarten bauen können.

2 Welche Themen finden Sie in einem kommunalen Wahlkampf wichtig/unwichtig?

Stellen Sie zu zweit eine 3-Punkte-Liste auf. Berichten Sie im Kurs und begründen Sie Ihre Auswahl.

◎ Gebühren der Stadtbücherei ◎ Bustarife ◎
◎ Parkgebühren ◎ finanzielle Probleme der Stadt ◎
◎ Sprachkurse für ausländische Mitbürger ◎
◎ neue Verkehrszeichen ◎ Straßenreinigung in den Vororten ◎
◎ Skandale ◎ Klimaanlage im Rathaus ◎ ... ◎

1. ....
2. ....
3. ....

○ *Das wichtigste Thema ist unserer Meinung nach ..., denn ...*
An zweiter Stelle steht ... Eher unwichtig finden wir ..., weil ...

3 Eine Sendung zur Wahl aus dem Fernsehstudio

a. Betrachten Sie die drei Grafiken zu möglichen Wahlresultaten und beschreiben Sie die Unterschiede.

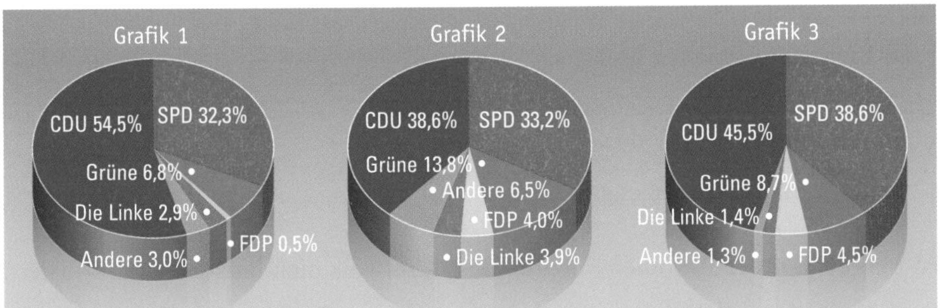

Abkürzungen: CDU: Christlich Demokratische Union
SPD: Sozialdemokratische Partei Deutschlands
Grüne: Bündnis 90 Die Grünen
FDP: Freie Demokratische Partei

b. Hören Sie den Bericht zur ersten Hochrechnung. Welche Grafik passt zum Text? ✗ 2 | 28

○ Grafik 1 ○ Grafik 2 ○ Grafik 3

c. Lesen Sie die Sätze. Hören Sie nun den zweiten Teil der Wahlsendung. Was ist richtig? ✗ 2 | 29

1. ○ Die CDU ist der große Gewinner der Wahl.
2. ○ Die SPD hat viele Stimmen gewonnen.
3. ○ Die Grünen haben ihr Ergebnis gegenüber der letzten Wahl etwas verbessert.
4. ○ Das Ergebnis der FDP hat sich gegenüber der letzten Wahl stark verschlechtert.
5. ○ Es ist völlig sicher, dass die FDP wieder in das Stadtparlament kommt.
6. ○ Die übrigen Parteien können auf jeden Fall nicht in den Stadtrat einziehen.
7. ○ Der Vertreter der CDU will auf keinen Fall eine Koalition mit den Grünen.
8. ○ Die Grünen ziehen eine Koalition mit der SPD vor.
9. ○ Der Vertreter der SPD will sich noch nicht auf eine Koalition festlegen.

d. Wie könnte die weitere Entwicklung aussehen? Sprechen Sie im Kurs darüber.

○ *Wahrscheinlich wird die CDU eine Koalition mit der FDP eingehen, um regieren zu können.*
◆ *Ich glaube, mehrere Parteien werden über mögliche Koalitionen sprechen. ...*

4 Rundfunk – Kurznachrichten aus der Politik 2 | 30

a. Lesen Sie zuerst die Aufgabe. Hören Sie dann die drei Meldungen. Was ist richtig? X

1. In der ersten Meldung geht es um
   - ein Gesetz zur Steuerreform.
   - einen Vorschlag zur Steuersenkung.
2. Thema der zweiten Meldung ist
   - der Reisebericht eines Ministers.
   - eine Frage zu den Reisekosten.
3. Die dritte Meldung befasst sich mit
   - einem Gesetz für die Banken.
   - einer Reform des Staatshaushalts.

b. Hören Sie die Nachrichten noch einmal. Was passt zusammen?

A Im Bundestag fand das Gesetz zur Steuerreform keine Mehrheit.

B Nach seiner Rückkehr aus Japan berichtete der österreichische Außenminister auf einer Pressekonferenz von den Eindrücken seiner Reise.

C Der Nationalrat in Bern verabschiedete ein neues Bankengesetz.

1. Von einzelnen Mitgliedern des Parlaments wurde das Gesetz als nicht ausreichend kritisiert.
2. Die Opposition kritisierte die Vorschläge der Bundesregierung scharf.
3. Er lobte die guten Beziehungen zwischen beiden Ländern und hofft auf positive Wirkungen für die Exportwirtschaft.

5 Weitere Nachrichten aus der Politik 2 | 31

a. Lesen Sie die Sätze, hören Sie dann die Meldungen und ergänzen Sie.

1. Der deutsche *Landwirtschaftsminister* traf gestern in Brüssel mit seinem britischen Kollegen zusammen. In dem .... ging es um die europäischen Vorschriften für den .... aus anderen Ländern.
2. In Luxemburg kamen die .... der Europäischen Union zusammen. Auf der .... wurde beschlossen, die Werte für Auto- und Industrie- .... neu zu regeln.
3. Um pünktlich zu einer .... im Landtag zu erscheinen, fuhr der .... der Energiekommission mit Blaulicht im Krankenwagen an. Ein Sprecher war zu keinem .... bereit.

Vorsitzende ~~Landwirtschaftsminister~~ Umweltminister Sitzung Konferenz Gespräch Kommentar Abgase Viehimport

b. Formulieren Sie zu zweit ähnliche Meldungen und lesen Sie sie im Kurs vor.

Außenminister	von Frankreich / Frankreichs	Konferenz	Import / Export von ...
Vorsitzende	der Niederlande	Gespräch	Verbesserung ...
Sprecher	der CDU	Treffen	Fragen des / der ...
Vertreter	der Regierungspartei	Beratungen	Beziehungen zwischen ...
...	...	...	...

In Wien traf der Außenminister von Österreich mit seinem ungarischen Kollegen zusammen. Bei dem Treffen ging es um die Verbesserung der wirtschaftlichen Zusammenarbeit der beiden Staaten. ...

6 Wie denken junge Leute über Politik? 2 | 32

a. Hören Sie die Interviews. Welcher Satz passt zu welcher Person?

Markus *M*, Stefanie *S*, Urs *U*, Renan *R*

1. *M* Das wichtigste politische Thema ist für mich der Umweltschutz.
2. Es ist nicht zu verstehen, dass die meisten Menschen Tiere gern haben und trotzdem noch Fleisch essen.
3. Der Frieden auf der Welt sollte das wichtigste Thema in der Politik sein.
4. Die Politiker sind so alt, dass sie die Probleme der jungen Leute nicht verstehen.
5. Millionen Menschen sterben an Hunger, aber für Kriege und Waffen ist immer genug Geld da.
6. Besonders in der Energiepolitik ist noch sehr viel zu tun.
7. In der Politik geht es doch immer nur um Geld und Machtinteressen.
8. Ich gehe nicht zu den Wahlen, weil die Politiker nichts für mich tun.
9. Die Politiker haben auch an die nächsten Generationen zu denken, wenn sie Gesetze machen.
10. Es ist nicht zu glauben, dass ein einziges modernes Kampfflugzeug Milliarden Dollar kostet.
11. Wir haben uns nicht zu beschweren, obwohl die Universitäten viel zu voll sind und es zu wenig Professoren gibt.
12. Was die Leute von Greenpeace machen, ist für mich die wichtigste Politik.

b. Welche Rolle sollten in der Politik folgende Themen spielen? Diskutieren Sie im Kurs.

Umweltschutz · Klimaveränderung · Studienkosten · berufliche Zukunft · Schulausbildung · Ernährung · Frieden · Energie · Wahlbeteiligung · ...

- *Es ist mir egal, ob ...*
- *Mich interessiert sehr, wie man ... kann.*
- *Es interessiert mich überhaupt nicht, ob man ...*
- *Es ist wichtig, dass die Politiker endlich ...*

Es **ist nicht zu** verstehen, dass ...	(Man **kann nicht** verstehen, dass ...)
In der Energiepolitik **ist** noch viel **zu** tun.	(In der Energiepolitik **muss** man noch sehr viel tun.)
Die Politiker **haben** an die Zukunft **zu** denken.	(Die Politiker **müssen** an die Zukunft denken.)
Wir **haben** uns **nicht zu** beschweren.	(Wir **dürfen** uns **nicht** beschweren.)

24 Fokus Sprechen

1 Hochzeit 2 | 33 21

Hören Sie die Sätze und sprechen Sie nach.

Herbert heiratet heute Hilde. Hilde heiratet heute Herbert.
Herbert hält Hildes Hand. Hilde hält Herberts Hand.
Herberts Hund heißt Hasso. Hildes Hund heißt Hermann.
Herberts Hund Hasso hasst Hildes Hund Hermann.

2 Hilde holt heute ... 2 | 34 22

a. Ergänzen Sie zuerst die Sätze. Hören Sie dann, sprechen Sie nach und kontrollieren Sie.

Hilde holt heute Herberts Hemd.
Heute holt Hilde Herberts Hemd.

Herzlich hält Hermann Helgas Hand.
Hermann hält h ....

Hendrik hebt häufig Hannas Herd hoch.
Häufig ....

Heimlich hilft Hans Hellas Handwerkern.
Hans ....

b. Erfinden Sie zu zweit ähnliche Sätze und lesen Sie sie im Kurs vor.

⊙ Hilde holt heimlich Hermanns Hut. ◆ Heute hält Hendrik Hannas Handy hoch. ...

3 Vor dem Haus 2 | 35 23

Hören Sie und sprechen Sie nach. Achten Sie auf die Aussprache des „h".

- ⊙ Vor dem Gemüsehaus sitzt ein Sonnenhändler mit Holzhut.
- ◆ Wie bitte?
- ⊙ Ach, nein. Vor dem Sonnenhaus sitzt ein Holzhändler mit Gemüsehut.
- ◆ Wie bitte?
- ⊙ Ach, nein. Vor dem Holzhaus sitzt ein Gemüsehändler mit Sonnenhut.
- ◆ Ach so!

4 Zehn Lehrer – fünfzehn Söhne 2 | 36 24

a. Hören Sie zu und sprechen Sie nach. Das „h" in den Wörtern wird nicht ausgesprochen.

Zehn Lehrer wohnen in Kehl.

Ihre fünfzehn Söhne wohnen in Bühl.

Wann sehen sich die Lehrer und ihre Söhne?

Im Frühling nehmen die Lehrer fröhlich das Fahrrad und fahren von Kehl nach Bühl.

An Weihnachten nehmen die Söhne gewöhnlich die Bahn und fahren von Bühl nach Kehl.

b. Erfinden Sie Sätze zusammen mit einer Partnerin/einem Partner.

Sohn	bezahlen	fröhlich	Sahnetorte
Fahrer	sehen	wahrscheinlich	Zähne
Zahnärztin	nehmen	wohl	Fahrkarten
Ehemann	wählen	früh	S-Bahn
Ehefrau	zählen	gewöhnlich	Fahrrad
Feuerwehrmann	frühstücken	froh	Hähnchen
…	…	…	…

Die Zahnärztin zählt fröhlich die Zähne.
Der Sohn frühstückt wohl Sahnetorte.
…

5 Vor der Wahl

a. Hören Sie zu und sprechen Sie nach. 2 | 37 25

„Wir werden die Wahl gewinnen!“
„Sie werden uns wählen!“
„Es wird einen klaren Sieg geben!“
„Wir werden alle positiv überraschen!“
„Wir werden ins Rathaus einziehen!“
„Ich werde Bürgermeister werden!“

b. Formulieren Sie nun ähnliche Äußerungen und lesen Sie sie reihum im Kurs vor.

einen interessanten Wahlkampf haben · alle überzeugen · unser Programm erfüllen · Reformen durchführen · die Arbeitslosen unterstützen · niemanden enttäuschen · frischen Wind in die Politik bringen · siegen · die großen Gewinner sein · in allen Schulen eine Klimaanlage einbauen lassen · …

6 Nach der Wahl

2 | 38 26

a. Hören Sie zu und sprechen Sie nach.

„Hätten wir nur die Wahl gewonnen!“
„Hätten sie uns bloß gewählt!“
„Hätte es doch einen klaren Sieg gegeben!“
„Hätten wir bloß alle positiv überrascht!“
„Wären wir nur ins Rathaus eingezogen!“
„Wäre ich doch Bürgermeister geworden!“

b. Was könnte der Politiker noch äußern? Erfinden Sie weitere Beispiele.

klüger sein · ein besseres Programm haben · mehr Interviews geben · die letzten Wahlkämpfe kritisch analysieren · sich mehr anstrengen · sich intensiver um junge Wähler kümmern · realistisch planen · gratis einen Abholdienst für ältere Wähler anbieten · sparsam sein · …

- *Wären wir doch klüger gewesen!*
- *Hätten wir bloß ein besseres Programm gehabt!*

…

7 „Weißt du eigentlich, was aus Klaus geworden ist?"

a. Hören Sie das Gespräch und lesen Sie still mit.
Spielen Sie es dann mit einem Partner/einer Partnerin nach. 2 | 39 27

⊙ Sag mal, weißt du eigentlich, was aus Klaus geworden ist?
◆ Nein, ich habe auch schon lange nichts mehr von ihm gehört.
⊙ Er wird wohl gerade viel zu tun haben.
◆ Wahrscheinlich. Sonst hätte er sich bestimmt mal gemeldet.
⊙ Hatte man ihm nicht eine Stelle in Berlin angeboten?
◆ Stimmt. Mag sein, dass er schon umgezogen ist.
⊙ Aber dann hätte er sich doch bestimmt verabschiedet.
◆ Vielleicht ist er nicht mehr dazu gekommen.
⊙ Hast du eigentlich noch Kontakt zu seinen Eltern?
◆ Ja. Ich werde sie einfach mal anrufen.

b. Variieren Sie das Gespräch zu zweit. Sie können folgende Ausdrücke verwenden:

wohl vermutlich wahrscheinlich	gerade augenblicklich zurzeit	sehr beschäftigt sein viel Arbeit haben viel zu erledigen haben oft auf Reisen sein
in diesem Fall dann falls das so ist, ...	bestimmt sicher garantiert	Bescheid geben sich mal kurz melden eine SMS schicken von sich hören lassen
einfach demnächst bald	mal kurz schnell	bei ... vorbeigehen ... besuchen mich bei ... nach ... erkundigen bei ... nach ... fragen

8 „Würden Sie mich bitte mit Herrn Lehr verbinden?"

a. Hören Sie zuerst das Gespräch. 2 | 40 28

⊙ Schönen guten Tag. Hier ist Kai Seger von der Firma Lüders. Würden Sie mich bitte mit Herrn Lehr verbinden?
◆ Der Chef ist leider gerade in einer Besprechung.
⊙ Wissen Sie, wie lange es dauern wird?
◆ Nicht genau. Er wird nachmittags zurück sein.
⊙ Könnten Sie ihm ausrichten, er möchte mich anrufen? Es handelt sich um das neue Angebot.
◆ Gern. Wann sind Sie denn zu erreichen?
⊙ Ab 14 Uhr.

b. Bereiten Sie zu zweit ein ähnliches Gespräch zu einer der folgenden Situationen vor. Spielen Sie es dann im Kurs.

(Mitarbeiter/-in des Steuerbüros)
→ Abteilungsleiter/-in
- in Konferenz
- bis Nachmittag
- es geht um: Rechnungen
- bis 18 Uhr Rückruf

(Sportarzt/Sportärztin)
→ Trainer/-in der Sportschule
- bei Training
- bis zum späten Nachmittag
- es handelt sich um: Termin
- erreichbar: bis 19 Uhr in der Praxis

(Angestellter/Angestellte)
→ Hausmeister/-in
- in Besprechung
- bis halb drei
- Frage zu: Bestellung
- ruft später wieder an

9 „Weißt du, wo der Autoschlüssel sein kann?"

a. Hören Sie zuerst das folgende Gespräch und sprechen Sie es dann mit verteilten Rollen nach. 2 | 41 29

⊙ Weißt du, wo der Autoschlüssel sein kann?
◆ Der wird wohl in der Kommode liegen.
⊙ In der oberen Schublade ist er nicht, in der unteren auch nicht.
◆ Dann könnte er in irgendeiner Tasche sein.
⊙ Warte, ich schau mal in meiner Jackentasche nach.
◆ Und ... ?
⊙ Da ist leider nur der Hausschlüssel. Was sollen wir denn jetzt machen?

b. Wählen Sie zu zweit einen Gegenstand aus. Spielen Sie dann ähnliche Gespräche im Kurs.

die Scheckkarte
- das mittlere Fach des Regals
- die untere Schublade der Kommode
- Brieftasche
- nur Telefonkarte
...

das Portemonnaie
- das linke Fach des Regals
- die rechte Schublade des Tisches
- Manteltasche
- nur ein Geldschein
...

die Kopie des Vertrags
- der vordere Schreibtisch
- der hintere Schreibtisch
- Nebenraum
- nur eine Rechnung
...

25 Fokus Schreiben

1 Hören Sie zu und schreiben Sie. 2 | 42

Andrea .... zum ....

Wahrscheinlich .... gar .... , weil ....

.... ziemlich .... , ...

.... Zukunft .... ihm ....

2 Wohnen per Knopfdruck

a. Lesen Sie den Text und schreiben Sie eine Fortsetzung. Was kann das Haus in Ihrer Vorstellung vielleicht noch?

Die Zukunft des Wohnens

Wenn Sie nach Hause kommen, erkennt ein Sensor Ihr Auto und öffnet automatisch die Garage. Während Sie aussteigen, drücken Sie eine Taste, damit sich in Ihrem Badezimmer die Badewanne mit warmem Wasser füllt und Sie darin gleich entspannen können. Ohne Schlüssel öffnet sich die Haustür, und wenn Sie eintreten, geht ein weiches Licht an. Dann schaltet sich in allen Räumen leise Ihre Lieblingsmusik ein.
Eine ferne Zukunftsvision? Nein, das alles ist bereits heute verfügbare Technik für das Wohnen der Zukunft. Und noch viel mehr ist schon in der Gegenwart möglich: Im Eingang zeigt ein kleiner Bildschirm an, wer in Ihrer Abwesenheit angerufen hat und welche E-Mails eingegangen sind. Im ganzen Haus brauchen Sie keine Türklinke mehr anzufassen, denn alle Türen öffnen sich von selbst. Heizung, Kühlung und Lüftung der Räume werden durch ein Computerprogramm geregelt.

Sie brauchen auch Ihre Zimmerpflanzen nicht mehr selbst zu gießen, denn ...

....

....

Fensterläden · Vorhänge · Luftfeuchtigkeit · Garten · Fernseher · Schlafzimmer · Küche · ...

b. Lesen Sie Ihre Ideen im Kurs vor.

c. Besprechen Sie im Kurs, wie Sie sich perfektes Wohnen vorstellen.

- ○ *Ich finde es sehr praktisch, wenn alles automatisch ist. Am besten wäre es, wenn sich ein Haus auch noch von selbst reinigen würde, damit man nicht mehr putzen muss.*
- ◆ *Eigentlich möchte ich gar nicht so viel Technik im Haus haben. Aber eine große Fernsehwand in jedem Raum würde mir gefallen, damit ich überall meine Lieblingssendungen sehen könnte.*

3 Zukunftshäuser

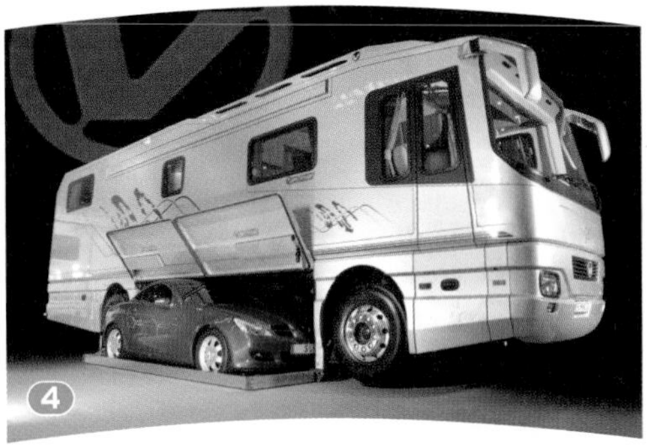

a. Beschreiben Sie die Häuser.

⊙ *Das erste Haus ist sehr groß. Da können bestimmt mehr als tausend Menschen wohnen. Alles ist aus Glas und Metall …*

◆ *Das zweite Haus bekommt Energie über Solarzellen …*

b. Welche Vorteile und welche Nachteile hat das Wohnen in diesen Häusern wohl? Diskutieren Sie im Kurs.

⊙ *Wenn man unter Wasser wohnt, braucht man immer künstliches Licht. Man weiß auch nicht, welches Wetter draußen gerade ist. Aber man kann Fische beobachten …*

◆ *In einem mobilen Haus …*

c. Wohin geht der Trend in Zukunft? Was glauben Sie?

4 Umfrage einer Jugendzeitschrift: Was wird die Zukunft bringen?

Lesen Sie die folgenden Zukunftsprognosen und formen Sie die Sätze um.

a. Die Arbeitswelt in 50 Jahren

- In der industriellen Produktion arbeiten nur noch Automaten.
- Nach Menschen wird man in den Fabriken vergeblich suchen.
- Man wird alle Maschinen nur noch über Computer bedienen.
- Niemand braucht sich mehr die Hände schmutzig zu machen.
- Die Menschen werden kürzer arbeiten und wesentlich mehr Freizeit haben.

In fünfzig Jahren arbeiten in der industriellen Produktion nur noch Automaten.

Deshalb wird man in den Fabriken vergeblich ...

Sicher wird man ...

Dann braucht ...

Außerdem ...

b. Reisen in 100 Jahren

- Wir werden ganz anders reisen als heute.
- Autos und Eisenbahnen wird es nicht mehr geben.
- Mit superschnellen kleinen Flugzeugen wird man in wenigen Minuten an jeden Ort der Welt kommen.
- Für alle Menschen werden Flüge ins Weltall möglich sein.
- Man wird Urlaub auf dem Mond oder fernen Planeten machen.

Mit Sicherheit werden ...

In hundert Jahren wird es ...

Stattdessen wird man ...

Auch ...

Und natürlich ...

c. Die Natur in 150 Jahren

- Über den städtischen Gebieten wird man riesige Glasglocken bauen.
- Dort gibt es keine Unterschiede zwischen den Jahreszeiten mehr.
- Man kann auf der ganzen Erde das Klima beeinflussen.
- Wärme, Kälte und Regen wird man weltweit regeln können.
- Die Leistung der Landwirtschaft wird nicht mehr vom Zufall abhängen.

Vermutlich wird ... .

Dann ... .

In 150 Jahren ... .

Sogar ... .

Aus diesem Grund ... .

d. Die Welt in 200 Jahren

- In 200 Jahren gibt es keine Staaten mehr, sondern nur noch eine einzige Weltregierung.
- Es wird eine allgemeine Weltsprache geben, die jedes Kind neben seiner Muttersprache lernt.
- Waffen und Kriege kennen die Menschen nur noch aus Geschichtsbüchern.
- Islam, Christentum, Judentum, Hinduismus, Buddhismus und alle anderen Religionen werden tolerant nebeneinander bestehen.

Ich bin sicher, dass es ... .

....

Außerdem ... .

....

Endlich werden ... .

Und ich bin der Überzeugung, dass ... .

5 Welche Zukunftsvorstellungen halten Sie für realistisch?

Diskutieren Sie im Kurs.

⊙ *Ich glaube auch, dass es in der Zukunft Ferienanlagen auf dem Mond geben wird.*

◆ *Ja, den Weltraumtourismus wird es sicher geben. Aber ich glaube nicht, dass man in der Zukunft das Klima völlig kontrollieren kann. ...*

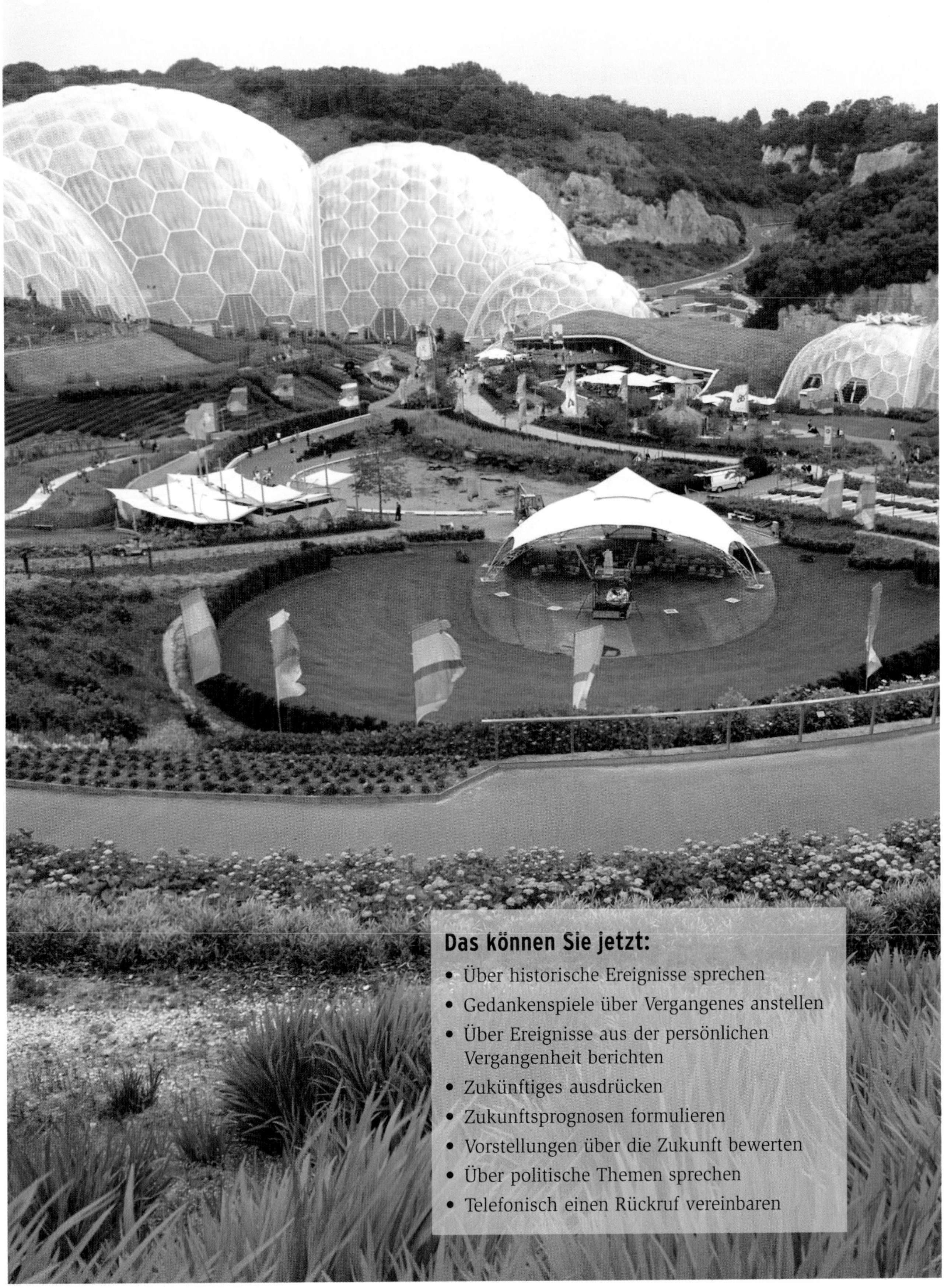

Das können Sie jetzt:

- Über historische Ereignisse sprechen
- Gedankenspiele über Vergangenes anstellen
- Über Ereignisse aus der persönlichen Vergangenheit berichten
- Zukünftiges ausdrücken
- Zukunftsprognosen formulieren
- Vorstellungen über die Zukunft bewerten
- Über politische Themen sprechen
- Telefonisch einen Rückruf vereinbaren

Beste Zukunftsaussichten 2 | 43

⊙ Soll ich dir mal dein Horoskop vorlesen?

◆ Nein, danke, ich glaube nicht an den Quatsch.

⊙ Ist doch nur Spaß. Jetzt hör doch mal zu. Also: Du wirst lange leben und keine Krankheiten bekommen.

◆ Ja, ja, wer glaubt denn das?

⊙ Und du wirst eine fantastische Karriere machen. In deinen Sternen steht für den Beruf nur das Beste.

◆ So?

⊙ Und dann erst das Liebesleben. Bald wirst du deinen Traummann kennenlernen. Er wird dich immer lieben und dir treu sein.

◆ Wirklich?

⊙ Deine Kinder werden dir nur Freude machen und du wirst stolz auf sie sein.

◆ Oh ...

⊙ Geld wirst du auch mehr als genug haben. Du wirst dir jeden Luxus leisten können.

◆ Echt? Super!

⊙ Und du wirst viel reisen und die ganze Welt kennenlernen.

◆ Fantastisch! Das muss ich sofort meinen Freundinnen erzählen.

⊙ Was? Aber du hast doch gerade gesagt, dass du nicht an Horoskope glaubst.

◆ Na ja, da wusste ich doch noch nicht, dass ich eine so tolle Zukunft haben werde.

Themenkreis
Literatur und Kunst

26 Fokus Strukturen

1 Eine Szene aus einem Theaterstück

a. Betrachten Sie die Zeichnung und beschreiben Sie Ihren ersten Eindruck von der Szene.

⊙ *Ich glaube, die Szene spielt in einem alten Schloss. Die Situation ist gerade sehr dramatisch.*
◆ *Ein Ritter kniet vor der Prinzessin. Wahrscheinlich liebt er sie und …*

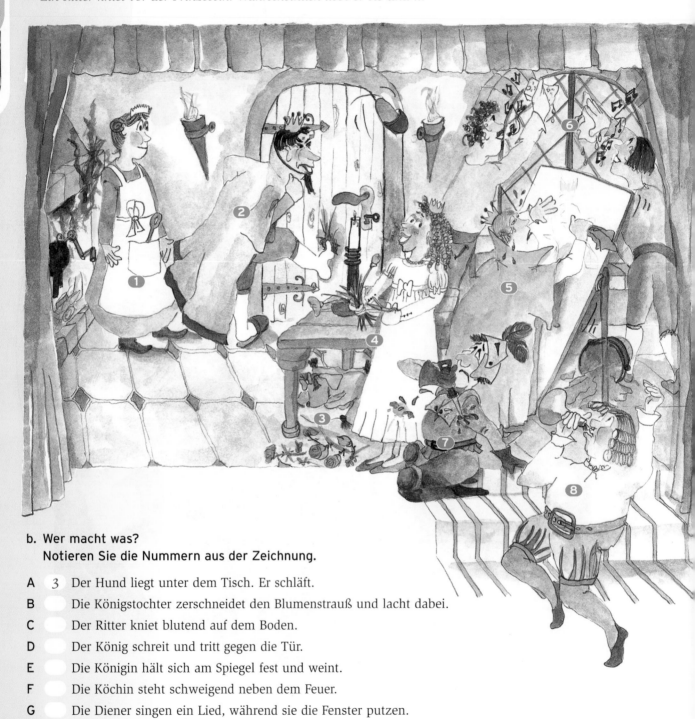

b. Wer macht was?
Notieren Sie die Nummern aus der Zeichnung.

A 3 Der Hund liegt unter dem Tisch. Er schläft.
B ___ Die Königstochter zerschneidet den Blumenstrauß und lacht dabei.
C ___ Der Ritter kniet blutend auf dem Boden.
D ___ Der König schreit und tritt gegen die Tür.
E ___ Die Königin hält sich am Spiegel fest und weint.
F ___ Die Köchin steht schweigend neben dem Feuer.
G ___ Die Diener singen ein Lied, während sie die Fenster putzen.
H ___ Der Minister tanzt und trinkt dabei Wein.

2 Der tanzende Minister ...

a. Schauen Sie die Szene noch einmal an. Wie passen die Sätze zusammen?

A Der tanzende Minister
B Der blutende Ritter
C Die lachende Königstochter
D Der schreiende König
E Die weinende Königin
F Der schlafende Hund
G Die singenden Diener
H Die schweigende Köchin

1. verletzt sich den Fuß an der Tür.
2. wirft den Spiegel um.
3. winkt der Königstochter.
4. hat ein Kissen unter dem Kopf.
5. hat Blut auf ihrem weißen Kleid.
6. schaut die Königstochter an.
7. vergisst den Braten.
8. machen den Boden nass.

Der Hund liegt unter dem Tisch **und schläft**.
Der Hund liegt unter dem Tisch, **während** er **schläft**.
Der Hund liegt **schlafend** unter dem Tisch.
Der **schlafende** Hund liegt unter dem Tisch.

b. Tragen Sie Ihr Ergebnis vor und vergleichen Sie gemeinsam im Kurs.

c. Schreiben Sie die Sätze anders.

Der Minister tanzt und winkt der Königstochter.
Der Ritter blutet und ...
Die Königstochter ...

3 Was ist los im Schloss?

a. Welche Fragen fallen Ihnen zu der Theaterszene ein? Erstellen Sie gemeinsam im Kurs eine Liste.

König	Königin	Königstochter	Ritter	Minister
Warum tritt er gegen die Tür?	Warum weint sie?	Weshalb macht sie die Blumen kaputt?	Will er sich töten oder nur verletzen?	Tanzt und trinkt er aus Freude?
Ärgert er sich über den Ritter?	Hat sie Angst um ihre Tochter?	Was ist der Grund für ihre gute Laune?	Warum kniet er vor der Königstochter?	Warum winkt er der Königstochter?
Was schreit ...?	Ist sie ...?	Hat sie ...?	Weshalb schaut ...?	Wie viel Wein ...?

b. Erfinden Sie in einer Kleingruppe eine Geschichte, die zu der Szene passt. Orientieren Sie sich dabei an den Fragen oben. Erzählen Sie dann im Kurs.

⊙ *Der Ritter hat der Königstochter Blumen geschenkt und sie gefragt, ob sie seine Frau werden möchte. Die Königstochter ist aber in den Minister verliebt und ...*

◆ *Unsere Geschichte ist ganz anders: Die Königin ist heimlich in den Ritter verliebt. Der Minister wusste davon und hat es dem König verraten. Deshalb ist der König furchtbar wütend und ...*

4 Ausschnitte aus der nächsten Szene des Theaterstücks

Ergänzen Sie die Sätze mit den Vorgaben auf der rechten Seite.

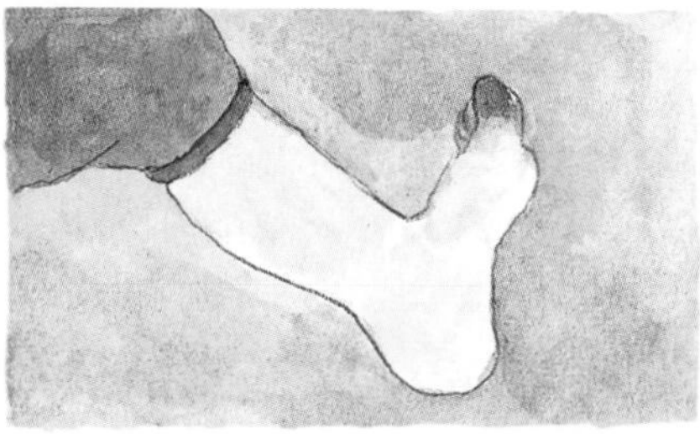

a. Der Fuß des Königs ist verletzt.
Der verletzte Fuß ist blau geworden.

b. Die Köchin ist ....
Die Diener winken ....

c. Der Spiegel ist ....
Die Königin sitzt neben ....

d. Die Blumen sind ....
.... liegen auf dem Boden.

e. Die Tür ist ....
Die Diener streichen ....

f. Der Braten ist ....
Der Hund darf .... fressen.

g. Die Wunde des Ritters ist ....
.... blutet noch ein bisschen.

h. Der Minister ist ....
Die Königstochter küsst ....

- zerschnitten
- eingesperrt
- verbrannt
- verbunden
- ~~verletzt~~
- zerbrochen
- repariert
- entlassen

- der entlassenen Köchin
- die reparierte Tür
- dem zerbrochenen Spiegel
- die zerschnittenen Blumen
- den eingesperrten Minister
- ~~der verletzte Fuß~~
- die verbundene Wunde
- den verbrannten Braten

Der Braten ist **verbrannt**. Der Hund darf ihn fressen.
Der Hund darf den **verbrannten** Braten fressen.

5 Wie könnte das Theaterstück enden?

a. Erfinden Sie in Kleingruppen einen glücklichen und einen dramatischen Schluss. Schreiben Sie dazu jeweils einen kurzen Text.

- Die Königstochter verliebt sich doch noch in den verletzten Ritter.
- Die Königstochter hilft dem eingesperrten Minister bei der Flucht aus dem Gefängnis.
- Der König bekommt Mitleid mit seiner verliebten Tochter und lässt sie den Minister heiraten.
- Der Ritter heiratet die entlassene Köchin.
- Der Minister und der Ritter werden Freunde.
- …

- Die Königstochter muss den Ritter heiraten, obwohl sie ihn nicht liebt.
- Der Minister tötet den König und wird selbst König.
- Der Minister und die Königstochter begehen gemeinsam Selbstmord.
- Der verletzte Ritter geht heimlich ins Gefängnis und ermordet den Minister.
- Der König lässt den Minister aufhängen, und seine Tochter muss das Schloss verlassen.
- …

b. Lesen Sie die Texte im Kurs vor und sprechen Sie darüber.

○ *Mir gefällt ein Theaterstück immer am besten, wenn am Ende alle glücklich sind. Deshalb sollte die Königstochter den Minister heiraten und …*

◆ *Ich finde, dass dieses Stück tragisch ausgehen sollte. Der Ritter …*

6 Theater

Erzählen Sie im Kurs: Welche Theaterstücke kennen Sie? Was haben Sie schon auf der Bühne gesehen? Mögen Sie lieber klassische Stücke oder lieber moderne?

1 Klassiker der Spannungsliteratur

a. Welche der sechs Bücher bzw. deren Verfilmung kennen Sie? Erzählen Sie im Kurs.

b. Welche der kurzen Inhaltsangaben passt zu welchem Buchtitel?

1. ☐ Ein Milliardär hat auf einer einsamen Insel einen Erlebnispark mit lebendigen Dinosauriern geschaffen. Doch schon die erste Besuchergruppe ist bald auf der Flucht vor den mörderischen Tieren.

2. ☐ Smilla Jaspersen zweifelt daran, dass der Tod ihres kleinen Freundes ein Unfall war. Je entschlossener sie nachforscht, umso mehr kommt sie selbst in Lebensgefahr.

3. ☐ Einsam und unheimlich ist das Berghotel, in dem der sechsjährige Danny mit seinen Eltern den Winter verbringt. Unter dem Einfluss böser Geister wird sein Vater bald zum tödlichen Feind.

4. ☐ Im Jahr 1327 soll der Franziskaner William von Baskerville rätselhafte Morde in einem Kloster aufklären. Trotz Verbots findet er einen Weg in die Bibliothek, wo er eine geheime alte Schrift entdeckt.

5. ☐ Die FBI-Agentin Clarice Starling muss einen Serienmörder finden. Dabei hofft sie auf die Hilfe des höchst gefährlichen Dr. Hannibal Lecter, der in einem psychiatrischen Gefängnis eingesperrt ist.

6. ☐ Der Direktor des Louvre liegt ermordet vor der weltberühmten Mona Lisa. Mit der Suche nach dem Täter beginnt eine Verfolgungsjagd, die am Ende die Heilige Schrift des Christentums in Frage stellt.

c. Welche Autoren lesen Sie selbst gern? Erzählen Sie im Kurs.

⊙ *Meine Lieblingsautorin ist J. K. Rowling. Ich habe alle Bände von Harry Potter gelesen.*

◆ *Stephen King finde ich gut. Ich habe zwar kein Buch von ihm gelesen, aber ein paar Filme gesehen. …*

- J. K. Rowling
- Gabriel García Márquez
- Astrid Lindgren
- Patricia Highsmith
- Henning Mankell
- …

2 Ein Bestseller

a. Lesen Sie den Werbetext. Welche Informationen gibt er über Buch und Autor?

Frank Schätzing: Der Schwarm
„Frank Schätzing rettet den deutschen Thriller." So schreibt das Hamburger Abendblatt über den Kölner Autor (Jahrgang 1957) und den Erfolg seines Buches *Der Schwarm*. Zurzeit ist Schätzing gleichzeitig mit mehreren Titeln Dauergast auf den deutschen Bestsellerlisten. Auch weltweit ist er so erfolgreich, wie es die deutsche Unterhaltungsliteratur seit Jahrzehnten nicht gesehen hat.

b. Lesen Sie eine kurze Inhaltsangabe des Buches.

In schneller Folge passieren überall auf der Welt rätselhafte Dinge: In Kanada werden Touristenschiffe von Walen angegriffen, vor der norwegischen Küste entdecken Ölbohrexperten auf dem Meeresboden Unmengen von merkwürdigen Würmern, hochgiftige Quallen greifen Schwimmer an den Stränden von Australien an, Schiffe werden vom Meer verschluckt, an der amerikanischen Ostküste kommen Millionen augenlose Krebse aus dem Meer und vergiften das Trinkwasser.
Eine weltweite Krise droht, und einige Experten verdächtigen zunächst Terroristen. Sigur Johanson, ein norwegischer Biologe, vermutet als Erster einen anderen Zusammenhang zwischen den Ereignissen und sieht die Schuld bei den Menschen selbst. Könnten die Bewohner der Weltmeere einen Krieg gegen die Menschheit führen, weil diese dabei ist, ihren Lebensraum zu zerstören? Als ein von den Würmern ausgelöster unterseeischer Erdrutsch einen Tsunami verursacht, der halb Europa verwüstet, wird der Ernst der Situation endgültig klar. Mit dem kanadischen Walforscher Leon Anawak und anderen Wissenschaftlern sucht Johanson nach dem unheimlichen Feind im Meer.

c. Diskutieren Sie: Hätten Sie Lust, das Buch zu lesen? Oder weshalb würden Sie es nicht lesen?

3 Leserkommentare zu „Der Schwarm"

a. Lesen Sie die Auszüge.

... Ich habe das Buch in nur vier Tagen gelesen. Obwohl es tausend Seiten dick ist, habe ich mich keine Sekunde gelangweilt.

... In diesem Buch ist am Ende die halbe Menschheit tot. Nur Gewalt und Katastrophen. Sehr spannend, aber kein Lesevergnügen.

... Das Buch ist wie eine Droge. Wenn man angefangen hat, kann man nicht mehr aufhören.

... Die Handlung springt zwischen zu vielen verschiedenen Orten hin und her. Auch die langen Personenbeschreibungen haben für mich keinen Sinn.

... Ich hatte das Buch leider im Badeurlaub dabei. Weil ich Angst vor gefährlichen Meerestieren bekam, bin ich nicht mehr ins Wasser gegangen.

... Man lernt wirklich sehr viel in diesem Buch, weil es eine große Menge an wissenschaftlichen Fakten und interessanten Tatsachen bietet.

b. Besprechen Sie im Kurs: Was finden die Leser positiv? Welche Kritikpunkte werden genannt?

4 Leseproben aus „Der Schwarm"

a. Lesen Sie zuerst die Worterklärungen, danach den ersten Textauszug auf der rechten Seite.

1

Schwarm große Menge einer Tierart; z. B. Fischschwarm, Vogelschwarm
starren lange intensiv auf etwas schauen
Orca eine Walart
Zodiac modernes, schnelles Schlauchboot
Schwerter *hier* Rückenflossen der Wale
etwas am Hals haben *umgangssprachlich* ein Problem mit etwas haben
locker *hier umgangssprachlich* ohne Probleme
zerdeppern *umgangssprachlich* zerstören, kaputtmachen
die Grauen *hier* Grauwale
jemanden erledigen *umgangssprachlich* töten
Insassen Menschen in einem Fahrzeug

b. Besprechen Sie die zwei folgenden Fragen im Kurs.

Was weiß Anawak über das normale Verhalten von Walen?

- *Es ist noch nie passiert, dass ein Orca einen Menschen angegriffen hat. Auch andere Wale ...*
- *Wale sind gegenüber Menschen nicht aggressiv, sondern im Gegenteil ...*

Sind Leon Anawak und sein Begleiter Shoemaker in aktueller Gefahr?

- *Ich glaube schon. Sie sind in einem Schlauchboot auf dem Meer. Offenbar sind die Wale ...*
- *Shoemaker wird weiß im Gesicht. Ganz bestimmt hat er große Angst, weil ...*

c. Lesen Sie die drei weiteren Textauszüge auf der rechten Seite.

2

wegsacken nach unten fallen
sich aufrappeln mühsam aufstehen
Reling Geländer am Deck eines Schiffes
brodeln Wasser brodelt, wenn es kocht
Planken Holzboden eines Schiffs

3

stutzen überrascht schauen
zurückweichen zurückgehen
sich verfinstern dunkel werden
Eilzug Schnellzug

4

Klippen Felsen am Meer
krabbeln sich auf vier Beinen bewegen
erhöhte Warte Standort mit Überblick
unzählige so viele, dass man sie nicht zählen kann

d. Fassen Sie den Inhalt der Textauszüge mit eigenen Worten zusammen.

- *Im zweiten Auszug ist ein Mann namens Bauer auf einem Schiff und merkt, dass ...*
- *Im dritten Abschnitt kommt offenbar ein Tsunami auf die Küste zu. Ein Mann namens Johanson sieht, dass ...*
- *Im vierten Abschnitt sind ein Mann und eine Frau an einem Strand ...*

e. Wie ist Ihr Eindruck von dem Buch? Vergleichen Sie mit den Leserkommentaren auf S. 133.

- *Ich habe den Eindruck, dass es wirklich spannend ist und ...*
- *Ich kriege schon beim Lesen der Auszüge Angst. Ich weiß nicht, ob ich ...*

5 Welches spannende Buch haben Sie zuletzt gelesen?

Fassen Sie kurz den Inhalt zusammen und erzählen Sie, wie es Ihnen gefallen hat. Sie können alternativ auch von einem Film erzählen.

Name des Autors oder der Autorin	Titel	Handlung; wichtige Personen	Schluss	Urteil

- *Ich habe gerade ein Buch von ... gelesen. Es heißt ... In der Geschichte geht es um ... Die Hauptfigur ist ... Das Ende ist dramatisch, weil ... Ich fand das Buch ...*

Wie paralysiert starrte er auf die heranstürmenden Orcas. Etwas in ihm protestierte: Nie zuvor hatte ein Orca einen Menschen in freier Wildbahn angegriffen. Orcas verhielten sich Menschen gegenüber neugierig, freundlich oder gleichgültig. Wale griffen keine Schiffe an. Sie taten es einfach nicht. Nichts von dem, was hier geschah, hatte Anspruch auf Gültigkeit. (...)

Während das Zodiac über die Lagune brauste, kreisten Anawaks Gedanken um die Frage nach dem Warum. Er hatte immer geglaubt, viel über die Tiere zu wissen. Nun war er völlig ratlos und außerstande, eine halbwegs vernünftige Erklärung zu finden. (...)

Die schwarzen Schwerter lösten sich aus ihrer Umlaufbahn und tauchten ab. „Die werden wir gleich am Hals haben", sagte Anawak. „Orcas?" Shoemaker sah ihn mit aufgerissenen Augen an. Erstmals schien er zu begreifen, was hier draußen wirklich stattfand. „Was wollen die denn machen? Das Zodiac umwerfen?" – „Könnten sie locker, aber das Zerdeppern besorgen die Großen. Die Tiere scheinen so etwas wie eine Arbeitsteilung entwickelt zu haben. Die Grauen und die Buckelwale versenken die Boote, und die Orcas erledigen die Insassen." Shoemaker wurde weiß im Gesicht und starrte ihn an.

Im nächsten Moment sackte der Boden unter ihm weg, als ob das komplette Schiff in ein Loch fiele. Bauer wurde rücklings zu Boden geschleudert. Angst nahm Besitz von ihm, tiefe, schreckliche Angst. Er rappelte sich auf und taumelte aus seiner Kammer hinaus auf den Gang. Lautere Schreie drangen an sein Ohr. (...) Er schaffte es zur Reling und sah hinaus. Ringsum brodelte weiß die See. Als säßen sie in einem Kochtopf. Das waren keine Wellen. Kein Sturm. Es waren Blasen. Riesige, aufsteigende Blasen. Wieder sackte der Schiffsboden weg. Bauer fiel nach vorn und schlug mit dem Gesicht hart auf die Planken. In seinem Kopf explodierte der Schmerz. Als er wieder aufsah, war seine Brille zu Bruch gegangen. Ohne Brille war er so gut wie blind. Aber er sah auch so, dass die See über dem Schiff zusammenschlug. Oh Gott!, dachte er. Oh Gott, hilf uns.

Wo war das Meer? Johanson stutzte und blieb stehen. Wo eben noch Brandungswellen an den Strand geschlagen hatten, breitete sich eine schlammige Ebene aus, durchsetzt mit flachen Felsen. Das Meer hatte sich zurückgezogen, aber es musste innerhalb der letzten Minuten passiert sein. Auf weiter Fläche war nur Boden zu sehen. Keine Ebbe konnte das in derart kurzer Zeit bewirken. Das Wasser war Hunderte von Metern zurückgewichen. (...) Ein Geräusch drang an seine Ohren, schwoll an, wurde lauter. (...) Im selben Moment sah er, wie sich der Horizont verfinsterte (...). Die Welle war riesig. Sie mochte an die 30 Meter hoch sein, eine senkrechte Wand aus tosendem schwarzgrünem Wasser. Wenige hundert Meter trennten sie noch vom Ufer, aber sie näherte sich mit der Geschwindigkeit eines Eilzugs.

Die Tiere folgten ihm. „Die tun nichts", rief er gegen seine Überzeugung, aber Linda hatte sich schon umgedreht und rannte die Klippen rauf. „Linda!" Sie stolperte und fiel der Länge nach hin. Hooper lief zu ihr. Im nächsten Augenblick waren die Krebse überall, krabbelten über sie hinweg und an ihnen hoch. (...) Hooper wandte im Laufen den Kopf und stöhnte auf. Von der erhöhten Warte des Leuchtturms konnte er sehen, dass der komplette Strand von Krebsen nur so brodelte. Sie kamen aus dem Meer, unzählige von ihnen und immer neue.

28 Fokus Hören

1 Nachrichten aus dem kulturellen Leben

a. Hören Sie die Reportagen. Was passt zusammen? 3 | 2

A Ein aus alten Türen und Fenstern bestehender Holzturm ___

B 180 elegant gekleidete junge Paare ___

C Die Hälfte der bei den Salzburger Festspielen aufgeführten Musikstücke ___

D Die seit 1876 stattfindenden Bayreuther Festspiele ___

E 180.000 aus über 100 Ländern erwartete Fachbesucher ___

F Das von einer chilenischen Künstlerin nachts auf eine Straße geklebte Kunstwerk ___

1. ist von der Kasseler Stadtreinigung entfernt worden.
2. wurden gestern eröffnet.
3. haben den Wiener Opernball eröffnet.
4. werden dieses Jahr die Frankfurter Buchmesse besuchen.
5. stammt von Wolfgang Amadeus Mozart.
6. ist auf der **DOCUMENTA** bei einem Unwetter eingestürzt.

b. Zu welcher Meldung passen die Fotos?

c. Formulieren Sie die Sätze aus Übung a anders.

A *Ein Holzturm, der aus alten Fenstern und Türen besteht, ist ...*

B *180 Paare, die ...*

C ....

D ....

E ....

F ....

Ein **Holzturm, der aus alten Fenstern und Türen besteht,** ...
Ein **aus alten Türen und Fenstern bestehender Holzturm** ...

d. Hören Sie die Reportagen noch einmal. Was ist richtig? X

1. Der Holzturm soll wieder aufgebaut werden.
2. Der Opernball wird nur von berühmten Schauspielern und Künstlern besucht.
3. Bei den Salzburger Festspielen spielt auch das Theater eine große Rolle.
4. Eine Urenkelin von Richard Wagner hat eine Rolle als Opernsängerin in Bayreuth bekommen.
5. Digitale Medien sind auf der Buchmesse kein Thema.
6. Vor Jahren wurde in einem Museum in Leverkusen eine zum Teil mit Fett gefüllte Badewanne von Putzfrauen gereinigt.

e. Berichten Sie im Kurs: Welche Festspiele, Messen oder Ausstellungen sind in Ihrem Land besonders bekannt?

2 „Welche kulturellen Veranstaltungen besuchen Sie in Ihrer Freizeit?" 3 | 3

a. Hören Sie das Gespräch. Was passt zu welcher Person? (A , B , C , D)

1. A Für mich ist so ein Abend immer ein kleines Fest.
2. Alte Gemälde mag ich besonders.
3. Moderne Theaterstücke sind meistens nicht nach meinem Geschmack.
4. Ich treffe mich oft mit Freunden im Jazzclub.
5. Ich mag auch Actionfilme, aber Liebesgeschichten ziehe ich vor.
6. Das mache ich meistens nur an Wochentagen, weil es samstags und sonntags immer sehr voll ist.
7. Ins Kino gehe ich mindestens einmal pro Woche.
8. Ich bin schon mal nach New York geflogen, nur um eine Ausstellung zu sehen.
9. Am liebsten sehe ich klassische Opern und Operetten, die ich schon kenne.
10. Ich liebe diese Musik und höre auch zu Hause nichts anderes.
11. Was einige moderne Künstler machen, ist doch nicht mehr normal.
12. Es ist für mich ein großer Unterschied, ob ich einen Film im Fernsehen oder im Kino sehe.

b. Berichten Sie im Kurs: Welche Veranstaltungen besuchen Sie gern? Welche überhaupt nicht?

Ich gehe oft in / zu / auf ...	... besuche ich nie.
Am liebsten besuche ich ...	... ist / sind überhaupt nicht nach meinem Geschmack.
Am besten gefällt / gefallen mir ...	... habe ich noch nie angeschaut/angehört.
Ich liebe ...	... macht / machen mir kein Vergnügen.

3 Sechsundsechzig Äpfel

a. Betrachten Sie das Foto und stellen Sie Vermutungen über die Situation an.

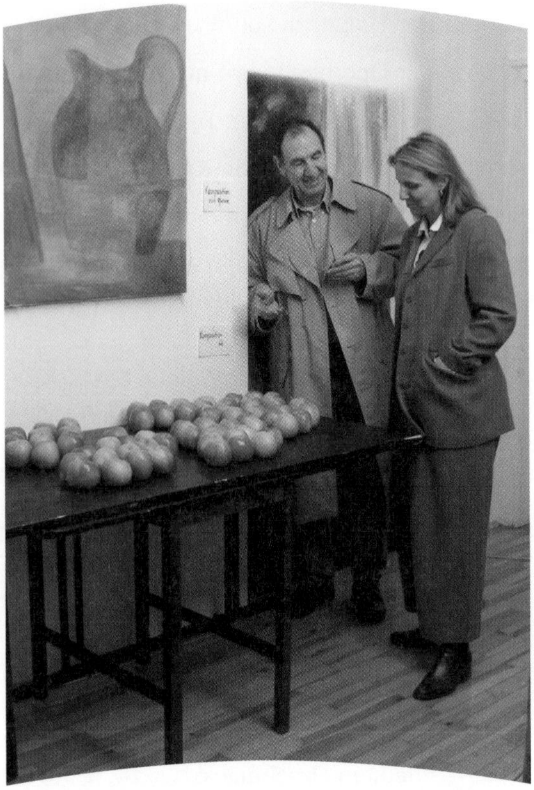

⊙ *Die Personen könnten in einem Restaurant sein.*
◆ *Ich vermute eher, dass sie in ... sind. An der Wand ...*
□ *Es könnte auch sein, dass ...*

b. Hören Sie das Gespräch. Wer sagt was? 3 | 4

M der Mann   F die Frau   W die Wärterin

1. Das soll Kunst sein?
2. Das muss Kunst sein.
3. Das kann keine Kunst sein.
4. Das müssten 66 Äpfel sein.
5. Das sollen Formen sein?
6. Das könnte ein Auge sein.
7. Das dürfte der Mund sein.
8. Das kann nur ein Mund sein.
9. Je länger man hier steht, desto mehr Appetit bekommt man.
10. Da könnte jemand einen Fehler gemacht haben.
11. Das muss die Wärterin sein.
12. Da muss jemand von der Komposition gegessen haben.

c. Besprechen Sie im Kurs:

- Welche Vermutungen waren richtig?
- Wie finden Sie das Verhalten der Frau?
- Was hätten Sie in dieser Situation gemacht?

d. Wie wirken die 66 Äpfel auf Sie? Was sollen sie möglicherweise ausdrücken? Diskutieren Sie im Kurs.

frisch ◎ schön farbig ◎ noch nicht reif ◎ giftig ◎ nicht lange haltbar ◎ künstlich ◎ gesund ◎ ...

vegetarische Ernährung ◎ Gesundheit ◎ Gegensatz zwischen Natur und Kunst ◎ Protest gegen den Hunger in der Welt ◎ Engagement für die Landwirtschaft ◎ ...

⊙ *Auf mich wirken die Äpfel künstlich. Sie können gar nicht echt sein. Sie würden ja nach ein paar Tagen faul werden.*

◆ *Ich finde, sie sehen sehr frisch aus. Sie sind bestimmt ein Symbol für gesunde Ernährung.*

...

4 Ein modernes Gemälde

Schauen Sie das Gemälde genau an. Notieren Sie, was Sie sehen oder zu sehen glauben. Tragen Sie Ihre Interpretation dann im Kurs vor und vergleichen Sie.

Ich sehe ein / eine / einen ...
Der dunkle Fleck oben rechts dürfte ... sein.
Dann muss die helle Fläche links ... sein.
Unten sieht man meiner Meinung nach ...
Aber es könnte auch ... sein.
Für mich ist das ...
In meinen Augen ...
Auf mich wirkt das wie ...
Je länger man hinsieht,
desto mehr könnte man meinen, ...

Gesicht · Hund · Berg · Strand · Schnee · Sand · Wellen · Wüste · Landschaft · Fluss · Wolken · Sturm · Mond · ...

Ich sehe eine Landschaft.
In der Mitte ist ein Berg. Auf der linken Seite liegt ...
Der dunkle Fleck dürfte ...

5 Ungewöhnliche Kunstwerke

Erfinden Sie selbst in kleinen Gruppen ungewöhnliche Kunstwerke aus Alltagsgegenständen. Stellen Sie sie im Kurs vor. Was wollen Sie damit ausdrücken?

alte · leere · gefüllte · brennende · beschädigte · zerbrochene · farbige · gelbe · ...

CDs · Getränkedosen · Taschenlampen · Fußbälle · Biergläser · Luftballons · Stühle · Tomaten · Rosen · Schuhe · ...

Lebensfreude · Hoffnung · Protest · Vergnügen · Spaß · Einsamkeit · Klimawandel · Fitness · Schönheit · ...

○ *Wir möchten 200 leere CDs in einen Baum hängen. Damit wollen wir den Gegensatz zwischen Technik und Natur ausdrücken.*
◆ *Wir stellen ... Damit ...*

29 Fokus Sprechen

1 Aussage oder Frage? 3 | 5 30

Hören Sie zu, sprechen Sie nach und notieren Sie ! oder ? .

Das soll Kunst sein !	Er findet den Film gut	Luisa liebt Liebesgeschichten
Das soll Kunst sein ?	Er findet den Film gut	Luisa liebt Liebesgeschichten
Das soll Musik sein	Cora kommt schon morgen	Die Probe dauert zwei Stunden
Das soll Musik sein	Cora kommt schon morgen	Die Probe dauert zwei Stunden

2 Ein Kunstwerk wurde aufgegessen. 3 | 6 31

a. Hören Sie die Sätze und sprechen Sie sie nach.

Ein Kunstwerk wurde aufgegessen.
Ein Kunstwerk aus Äpfeln wurde aufgegessen.
Ein Kunstwerk aus handpolierten Äpfeln wurde aufgegessen.
Ein Kunstwerk aus 66 handpolierten Äpfeln wurde im Museum aufgegessen.

Ein Bild von einem Paar ist ausgestellt.
Ein Bild von einem musizierenden Paar ist ausgestellt.
Ein Bild von einem musizierenden Paar ist im Museum ausgestellt.
Ein Bild von einem glücklich musizierenden Paar ist im Museum ausgestellt.

Mehrere Figuren wurden gestohlen.
Mehrere bemalte Figuren wurden gestohlen.
Mehrere bunt bemalte Figuren wurden gestohlen.
Mehrere von Künstlern bunt bemalte Figuren wurden aus dem Museum gestohlen.

b. Erfinden Sie zu zweit weitere Sätze nach dem Muster unten.

einige	mit Tüchern	aufgenommene	Fotos	aus Holz	stehen	im Museum
ein paar	bunt	verpackte	Figuren	mit Rahmen	hängen	in der Galerie
mehrere	gut	versicherte	Bilder	von Gorillas	liegen	auf dem Marktplatz
zahlreiche	im letzten Jahr	bemalte	Werke	von Bäumen	sind	ausgestellt
viele	vor kurzem	entdeckte	Zeichnungen	von Künstlern	waren	gestohlen worden

Viele Fotos hängen im Museum.
Viele Fotos von Bäumen hängen im Museum.
Viele vor kurzem aufgenommene Fotos von Bäumen hängen im Museum.

3 Der Opa grillt ...

a. Hören Sie die Sätze und sprechen Sie nach. 3 | 7 32

Der Opa grillt hustend den Fisch.
Das Kind deckt pfeifend den Tisch.

Der Vater streicht schwitzend die Bank.
Die Mutter schließt lächelnd den Schrank.

Die Oma riecht den gegrillten Fisch.
Das Kind sitzt am gedeckten Tisch.

Der Opa sitzt auf der gestrichenen Bank.
Der Vater steht vor dem geschlossenen Schrank.

b. Variieren Sie zu zweit die folgenden Sätze und lesen Sie Ihre Ergebnisse im Kurs vor.

Der Opa *brät lächelnd* den Fisch.
Das Kind *putzt singend* den Tisch.
Die Oma riecht den *gebratenen* Fisch.
Das Kind sitzt am *ge ...* .... Tisch.

Der Vater .... die Bank.
Die Mutter .... den Schrank.
Der Opa sitzt auf der .... Bank.
Der Vater steht vor dem .... Schrank.

- braten
- würzen
- bemalen
- putzen
- montieren
- reparieren

- nickend
- lächelnd
- singend
- lachend
- schimpfend
- schweigend

4 „Hat dir denn das Festival gefallen?" 3 | 8 33

a. Hören Sie das Gespräch und lesen Sie still mit.

⊙ Sag mal, du warst doch auch auf dem Festival. Hat es dir denn gefallen?
◆ Oh ja. Schon die erste Gruppe war richtig gut.
⊙ Für mich war sie total enttäuschend!
◆ Wieso?
⊙ Also weißt du, der Sänger hatte überhaupt keine gute Stimme.
◆ Ich finde, er hat wahnsinnig toll gesungen, und auch die Texte waren richtig gut.
⊙ Ich fand sie eher nichtssagend. Außerdem hat der Gitarrist für meinen Geschmack zu viele Solos gespielt.
◆ Gerade die haben mir gut gefallen! Fandest du die anderen Bands wenigstens besser?
⊙ Ehrlich gesagt, waren sie alle schrecklich – viel schlechter, als ich erwartet hatte.
◆ Na ja. Aber die Stimmung im Publikum war doch hervorragend, besonders als die dritte Band gespielt hat.
⊙ Die Stimmung war ganz okay, aber diese Gruppe war so laut, dass man sich hinterher wie taub fühlte.
◆ Ach, laut ist es doch immer. Jedenfalls hatte ich großen Spaß und fahre nächstes Jahr wieder hin.

b. Ergänzen Sie die Bewertungen, die in dem Gespräch geäußert werden. Vergleichen Sie dann im Kurs.

	erste Band	Sänger	Texte	Gitarrensolos	Stimmung
⊙	*total enttäuschend*	......	......	......	......
◆	*richtig gut*	......	......	......	......

5 „Wie hat dir denn das Konzert gefallen?" – „Wie fandest du den Film?"

a. Lesen Sie zuerst die Aufgaben. Wählen Sie zu zweit eine Situation und verteilen Sie die Rollen. Bereiten Sie dann ein Gespräch zu den einzelnen Punkten vor.

	Rolle A	Rolle B
Konzert	von Anfang bis Ende ausgezeichnet	erst ab der zweiten Hälfte gut
Sängerin	wirklich ausgezeichnet	eine total schöne Stimme haben, aber leider manchmal den Text vergessen
Texte	alle sehr interessant	manche ziemlich gut, andere eher langweilig
Gitarrist	von den Musikern am allerbesten	nicht so gut, bei ruhigen Stücken zu schnell spielen
Lautstärke	immer genau richtig	zu Beginn falsch eingestellt
Stimmung	von Anfang an prima	erst am Ende richtig gut

	Rolle A	Rolle B
Film	wirklich gut, echt sehenswert	zum Teil enttäuschend, nicht empfehlenswert
Schauspieler in der Hauptrolle	vom Anfang bis zum Schluss sehr gut spielen	nur in manchen wichtigen Szenen eine gute Leistung bringen
Schauspielerin in der Hauptrolle	natürlich und lebhaft spielen	manchmal unnatürlich wirken
Handlung	spannend und lebendig	manchmal leider langweilig, nicht immer glaubwürdig
Ende	überraschend	leider schon früh vorauszusehen

Wie hat dir ... gefallen?
Wie fandest du ...?
Was meinst du zu ...?
Welchen Eindruck hattest du von ...?
Wie war ... für dich ...?
...

Für mich war ... erstaunlich gut.
Am allerbesten war ...
... gefiel mir ausgezeichnet.
... machte auf mich einen guten Eindruck ...
... hat mich sehr beeindruckt.
... fand ich beeindruckend.
... war besser, als ich erwartet hatte.
... war sehr gut, finde ich.
...

Ich fand ... nicht so gut.
Es war schade, dass ...
... hat mir nicht so gefallen.
Diesen Eindruck hatte ich auch.
Da hatte ich einen anderen Eindruck.
... war nicht so gut, wie ich erwartet hatte.
...

b. Spielen Sie anschließend die Gespräche im Kurs.

⊙ *Wie hat dir denn das Konzert gefallen?*
◆ *Ich fand es vom Anfang bis zum Ende ausgezeichnet.*
⊙ *Für mich war es erst ab der zweiten Hälfte gut. Was meinst du zu der Sängerin?*
◆ *Sie war wirklich ausgezeichnet.*
⊙ *Ja, diesen Eindruck hatte ich auch. Sie hatte eine total schöne Stimme, aber leider ...*

Fokus Schreiben

1 Hören Sie zu und schreiben Sie. 3 | 9

.... lachend .... schaut ...., ...

.... besteht. .... und ....

.... Als .... rollen, ...

.... gefällt .... besser ....

2 Ein Veranstaltungskalender

a. Lesen Sie die Veranstaltungshinweise.

Veranstaltungskalender für Berlin
Samstag, den 1. September

Musical & Show

Riverdance

A

20:00 Tempodrom

Tanz der Vampire

Roman Polanskis Theaterversion des gleichnamigen Films

20:00 Theater des Westens

Kabarett & Comedy

Mario Barth

Männer sind primitiv, aber glücklich

B

20:00 Max-Schmeling-Halle

Sissi Perlinger

Singledämmerung

Die Heldin des dritten Jahrtausends ist ein glücklicher Single. Hier erfahren Männer, was sie ernsthaft nie wissen wollten, nämlich wie Frauen funktionieren.

20:30 Das Zelt am Kanzleramt

Oper & Ballett

Die Zauberflöte

Mozarts meistgespielte Oper über den Kampf zwischen Gut und Böse in einer neuen Inszenierung.

18:00 Deutsche Oper

Training zum Zuschauen

C

10:30 Staatsoper Unter den Linden

Rock, Pop & Jazz

Wir sind Helden

Wunderbar kritische Texte mit einzigartigen Melodien, gemischt aus Pop, Elektro und Punk, treffen den Nerv der Zeit.

18:00 Kindl-Bühne Wuhlheide

Silje Nergaard

D

20:00 Kammermusiksaal der Philharmonie

Schauspiel

Warten auf Godot

E

20:00 Berliner Ensemble

Der Besuch der alten Dame

Tragische Komödie von Friedrich Dürrenmatt über Schuld und Moral, Geld und Gemeinschaft

19:30 Renaissance-Theater

Ausstellungen

Henry Moore und die Landschaft

Arbeiten auf Papier sowie Plastiken aus dem Spätwerk

11:00–18:00 Haus am Waldsee

Von Strandträumen und Traumstränden

F

10:00–18:00 Ephraim-Palais

b. Welche Veranstaltung (A) - (F) passt?

1. ( ) Wer ist er? Wann kommt er? Gibt es ihn überhaupt? – Absurdes Theater von Samuel Beckett über den Sinn des Lebens.

2. ( ) Vom Volkstanz bis zum Breakdance: die getanzte Geschichte irischer Auswanderer.

3. ( ) Die Norwegerin mit der Ausnahmestimme. Mit ihrer neuen Band – nicht nur für Jazzfreunde geeignet!

4. ( ) Sind Männer eventuell doch nicht gleichberechtigt? Der bekannte Comedian klärt auf.

5. ( ) Berlin geht baden: Gemälde, Fotografien, Postkarten zum 100jährigen Jubiläum des Strandbades Wannsee.

6. ( ) Gelegenheit für das Publikum, den Tänzerinnen und Tänzern des Staatsballetts Berlin beim Proben zuzuschauen.

c. Berichten Sie im Kurs:

- Welche der Personen oder Stücke kennen Sie und was können Sie dazu sagen?
- Welche Veranstaltung würden Sie gern besuchen? Warum?
- Was vermissen Sie im Veranstaltungskalender?

3 Eine Anfrage

Nehmen Sie an, Sie haben überraschend die Gelegenheit, das kommende Wochenende in Berlin zu verbringen. Da würden Sie gern eine kulturelle Veranstaltung besuchen. In der Stadt wohnt ein Bekannter/eine Bekannte von Ihnen. Sie haben den Veranstaltungskalender gelesen und bitten ihn/sie um Hilfe bei der Organisation Ihres Besuchs.

Schreiben Sie eine E-Mail. Berücksichtigen Sie dabei die folgenden Punkte:

- Für welche Veranstaltung interessieren Sie sich?
- Kann Ihr Bekannter/Ihre Bekannte eine Eintrittskarte besorgen/reservieren?
- Hat er/sie vielleicht Lust/Zeit mitzukommen?
- Wo und wann können Sie sich treffen?
- Welche Veranstaltung würden Sie gern besuchen, falls die von Ihnen gewählte ausverkauft ist?

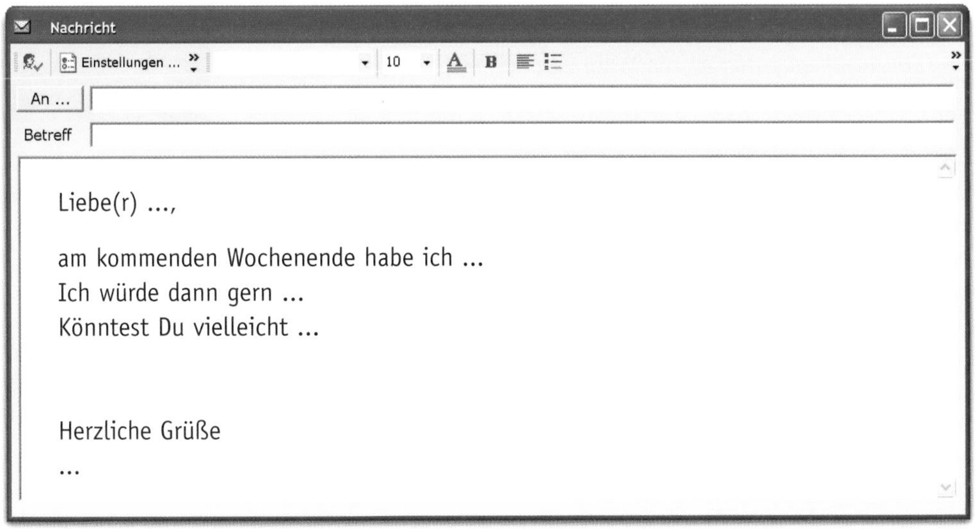

4 Der Besuch der alten Dame

a. Lesen Sie die Inhaltsangabe zum Anfang des Theaterstücks.

Die Milliardärin Claire Zachanassian besucht die Kleinstadt Güllen, in der sie ihre Jugend als armes Mädchen verbracht hat. Hier trifft sie ihren früheren Geliebten Alfred Ill wieder. Der geachtete Ladenbesitzer hat gute Chancen, nach der nächsten Wahl Bürgermeister zu werden.

Inzwischen hofft die in armen Verhältnissen lebende Bevölkerung, dass Claire etwas Geld in ihrer Heimat investieren wird. Auf einer Versammlung verspricht Claire den dankbaren Bürgern eine Milliarde in bar. Die Hälfte der Summe soll die Stadtverwaltung bekommen, die andere Hälfte soll auf die in der Stadt wohnenden Familien verteilt werden.

Aber für dieses großzügige Geschenk stellt sie eine Bedingung: Sie will, dass Alfred Ill getötet wird! Er hatte sie nämlich verlassen, als sie ein Kind von ihm erwartete. Als es dann zu einem Prozess um die Vaterschaft kam, brachte er falsche, von ihm bezahlte Zeugen vor Gericht. Sie wanderte aus und heiratete einen Milliardär. Mit ihrem Geld will sie sich jetzt Gerechtigkeit kaufen.

b. Fassen Sie die wichtigsten Informationen kurz mit eigenen Worten zusammen.

⊙ *Claire Zachanassian ist ... Sie kommt ... und will ...*
◆ *Alfred Ill ist ... Er möchte ... Er war früher ..., aber er hat ...*

c. Diskutieren Sie den Vorschlag der alten Dame im Kurs.

d. Lesen Sie die folgende Szene aus dem Stück zunächst still durch.

II. Akt, 2. Szene

An den Tisch links setzt sich der Polizist. Trinkt Bier. Er spricht langsam und bedächtig. Von hinten kommt Ill. [...]

DER POLIZIST: Was wünschen Sie, Ill? Nehmen Sie Platz. *(Ill bleibt stehen.)*

DER POLIZIST: Sie zittern.

ILL: Ich verlange die Verhaftung der Claire Zachanassian.

DER POLIZIST: *(Stopft sich eine Pfeife, zündet sie gemächlich an.)* Merkwürdig. Äußerst merkwürdig. [...]

ILL: Ich verlange es als der zukünftige Bürgermeister.

DER POLIZIST: *(Rauchwolken paffend)* Die Wahl ist noch nicht vorgenommen.

ILL: Verhaften Sie die Dame auf der Stelle. [...] Sie fordert die Einwohner unserer Stadt auf, mich zu töten.

DER POLIZIST: Und nun soll ich die Dame einfach verhaften. *(Er schenkt sich Bier ein.)* [...]

ILL: Ihre Pflicht. [...]

DER POLIZIST: Passen Sie mal auf, Ill. Eine Anstiftung zum Mord liegt nur dann vor, wenn der Vorschlag, Sie zu ermorden, ernst gemeint ist. Das ist doch klar.

ILL: Meine ich auch.

DER POLIZIST: Eben. Nun kann der Vorschlag nicht ernst gemeint sein, weil der Preis von einer Milliarde übertrieben ist, das müssen Sie doch selber zugeben, für so was bietet man tausend oder vielleicht zweitausend, mehr bestimmt nicht, da können Sie Gift drauf nehmen, was wiederum beweist, daß der Vorschlag nicht ernst gemeint war, und sollte er ernst gemeint sein, so kann die Polizei die Dame nicht ernst nehmen, weil sie dann verrückt ist. Kapiert?

e. Ergänzen Sie die Zusammenfassung der Szene.

1. Ill fordert, dass die Polizei die Milliardärin ....
2. Er meint, dass er als .... das Recht hat, die Verhaftung ....
3. Aber der Polizist macht ihm klar, dass er .... noch nicht gewonnen hat.
4. Ill meint, der Polizist hat ...., die Dame ....
5. Nach der Meinung des Polizisten ist eine Milliarde .... für einen Mordauftrag.
6. Wenn die Dame weniger ...., würde er den Mordauftrag ....
7. Aber wenn der Vorschlag ernst gemeint wäre, wäre die alte Dame ....
8. In beiden Fällen könnte die Polizei angeblich .... vornehmen.

die Wahl · ernst nehmen · zu verhaften · der neue Bürgermeister · zu verlangen · verrückt · verhaftet · geboten hätte · keine Verhaftung · die Pflicht · zu viel Geld

f. Üben Sie die Szene jeweils zu zweit mit verteilten Rollen und spielen Sie sie im Kurs vor.

5 Das Ende des Theaterstücks

a. Lesen Sie die Zusammenfassung der Schlussszene.

Alfred Ill wird immer stärker von Angst und Schuldgefühlen verfolgt. Auf einer weiteren Bürgerversammlung wird er wegen seiner früher begangenen Taten verurteilt. Am Ende der Szene liegt er tot am Boden. „Herzschlag", stellt der Arzt fest. Die Gerechtigkeit hat scheinbar gesiegt und die Güllener bekommen das ihnen von der alten Dame versprochene Geld.

b. Besprechen Sie im Kurs: Wie finden Sie dieses Ende?

○ *Ich finde es sehr merkwürdig. Man weiß nicht, ob ... oder ...*
◆ *Die Bevölkerung hat sich jetzt ebenso schuldig gemacht. Alfred Ill ist gestorben, weil ...*

c. Erfinden Sie in kleinen Gruppen einen anderen Schluss für das Stück. Schreiben Sie zusammen in der Gruppe eine Zusammenfassung Ihrer Schlussszene. Vergleichen Sie danach Ihre Texte im Kurs.

Überlegen Sie u. a. folgende Punkte:
- Soll Alfred am Leben bleiben?
- Soll er für seine früheren Taten bestraft werden?
- Was geschieht mit der alten Dame?
- Wie kann wirkliche Gerechtigkeit hergestellt werden?

Nachdem Alfred bei der Polizei nichts erreicht hat, geht er zu ...
Die alte Dame hat inzwischen ...
Plötzlich kommt ... und ...
Am Ende sind alle ...
...

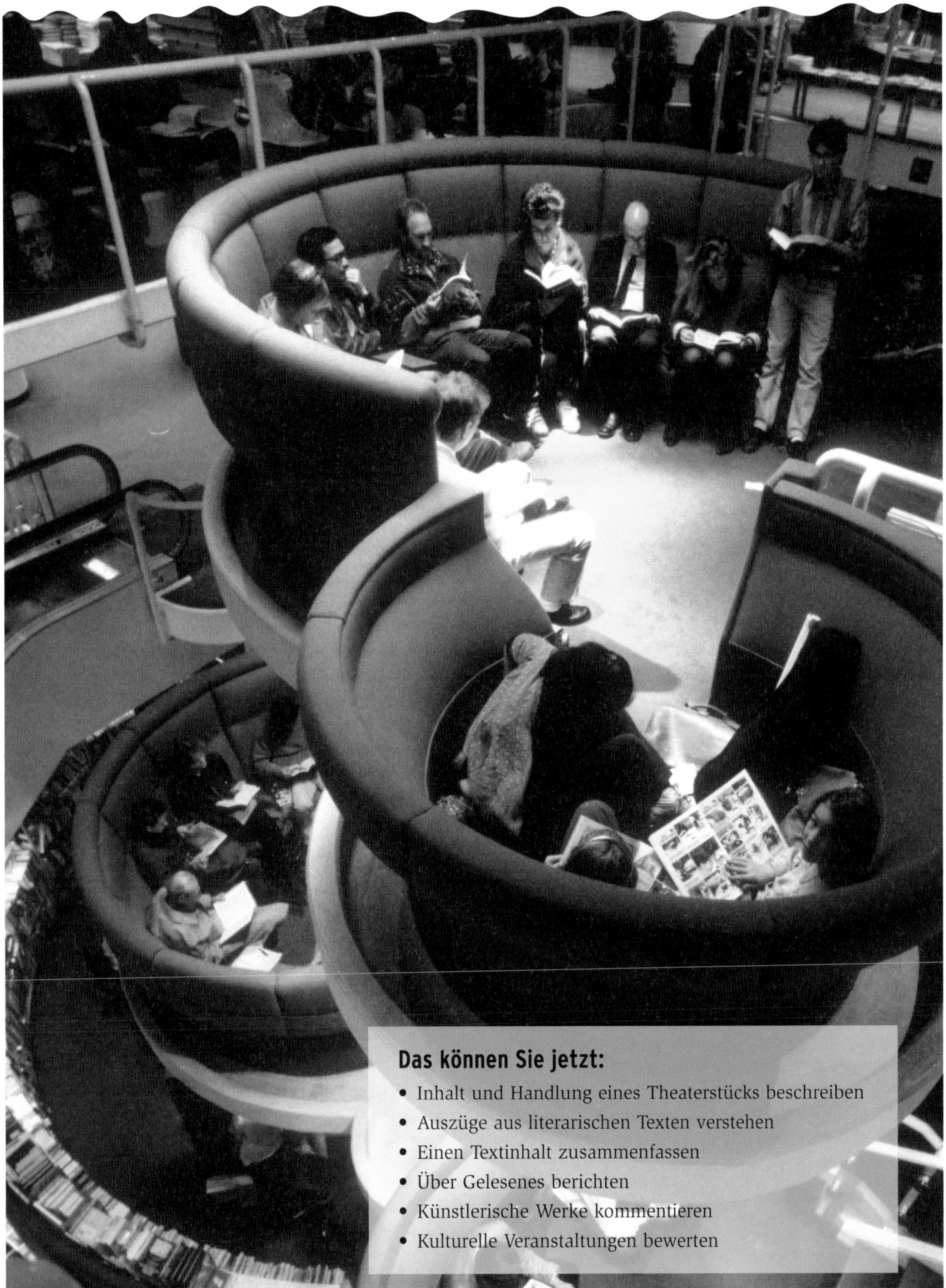

Das können Sie jetzt:

- Inhalt und Handlung eines Theaterstücks beschreiben
- Auszüge aus literarischen Texten verstehen
- Einen Textinhalt zusammenfassen
- Über Gelesenes berichten
- Künstlerische Werke kommentieren
- Kulturelle Veranstaltungen bewerten

Der Kunstkenner 3 | 10

⊙ Oh, ich sehe, dass Sie wundervolle Gemälde haben. Ich verstehe etwas von moderner Kunst, wenn ich das so sagen darf.

◆ Bitte, schauen Sie sich die Bilder gern an.

⊙ Also, dieses hier hat viel Charakter. Ich sehe darin eine blühende Landschaft. Wirklich sehr schön.

◆ Ja, uns gefällt es auch.

⊙ Und das nächste – ein wirklich bewegendes Motiv. Wie ein fließendes Feuer in einem brennenden Tal. Wundervoll.

◆ Ja, wir mögen dieses Gemälde auch sehr.

⊙ Und hier ... Punkte wie funkelnde Sterne. Und diese einladende Wärme. Ein schönes Gemälde.

◆ Ja, das finden wir auch.

⊙ Aber dieses hier, das muss ich sagen, das ist das beste! Etwas ganz Besonderes. Diese leuchtenden Farben, diese befreienden Formen, diese provozierende Kraft. Ganz wundervoll!

◆ Finden Sie wirklich?

⊙ Ja, ja. Ganz ungewöhnlich. Darf ich fragen, welcher Künstler dieses beeindruckende Meisterwerk geschaffen hat?

◆ Also, dieses Bild hat unser jüngster Sohn im Kindergarten gemalt. Aber schön, dass es Ihnen so gut gefällt.

Themenkreis Sprachen und Begegnungen

31 Fokus Strukturen

1 Eine kleine Silbe macht den Unterschied.

a. Beschreiben Sie die Zeichnungen. Ergänzen Sie dann die folgenden Sätze.

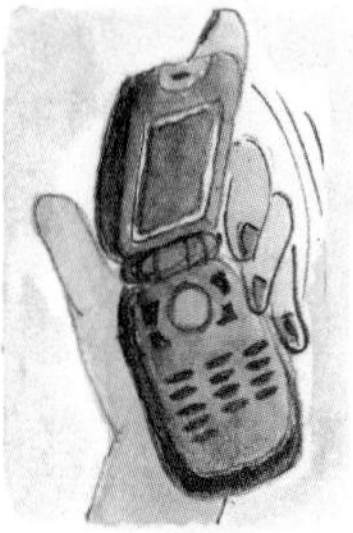
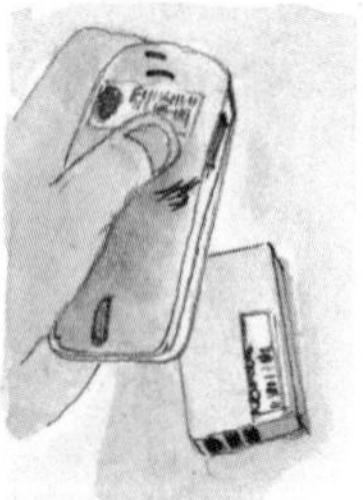

1. Sie will jemanden anrufen. Sie *macht* das Handy *an*.
2. Sie möchte ungestört schlafen. Sie .... das Handy ....
3. Sie will den Handy-Akku wechseln. Dazu .... sie das Handy ....
4. Sie hat den Akku gewechselt. Sie .... das Handy wieder ....

5. Sie ist am Bahnhof angekommen. Dort .... sie vom Rad ....
6. Dann geht sie zum Gleis. Sie .... in den Zug ....
7. Später nimmt sie den Bus. Sie .... vom Zug in den Bus ....
8. An der Endhaltestelle .... sie aus dem Bus ....

9. Sie will Kartons nach unten tragen. Sie .... Arbeitshandschuhe ..... .
10. Sie trägt Kartons nach unten. Sie .... aus der alten Wohnung ....
11. Sie trägt Kartons hinein. Sie .... in die neue Wohnung ....
12. Sie zieht von Hamburg nach Berlin. Sie ....

ausmachen ◎ aufmachen ◎ ~~anmachen~~ ◎ zumachen ◎ umsteigen ◎ absteigen ◎ aussteigen ◎ einsteigen ◎ einziehen ◎ ausziehen ◎ umziehen ◎ anziehen

b. Ergänzen Sie die passende Silbe.

1. Es klingelt, aber Sie haben zu tun. Sie bitten eine Kollegin: „Machen Sie die Tür ....?"
2. Sie sehen zu zweit einen langweiligen Film und sagen: „Machen wir den Fernseher ...."
3. Sie holen mit dem Auto eine Freundin ab und sagen: „Grüß dich. Steig bitte ...."
4. Auf einer Radtour warnen Sie einen Freund: „Vorsicht, Glas! Steigen wir besser ....!"

c. Lesen Sie die Kurzbeschreibungen der folgenden Situationen. Wählen Sie eine davon aus und bereiten Sie in Kleingruppen ein Gespräch vor. Spielen Sie es dann im Kurs.

- Luft im Büro schlecht – draußen sehr kalt
- Feierabend – Bürotür schon abgeschlossen – Kaffeemaschine noch an
- um sieben vom Joggen nach Hause kommen – pünktlich um acht in der Oper sein wollen
- mit einem Bekannten sprechen, der jetzt in einer anderen Stadt wohnt
- sich bei der Deutschen Bahn nach Reisemöglichkeiten erkundigen

○ *Die Luft hier im Büro ist schlecht. Kann ich ein Fenster aufmachen?*

◆ *Aber es ist doch so kalt draußen. Wir können ja die Tür ...*

aufmachen ◎ ausmachen ◎ anziehen ◎ ausziehen ◎ sich umziehen ◎ einziehen ◎ ausziehen ◎ umziehen ◎ umsteigen ◎ aussteigen ◎ einsteigen

2 Ein Verb – zwei Bedeutungen

a. Was passt zusammen?

A Sie **schließt** die Tür zweimal **ab.** 2
B Sie **schließt** bald ihr Studium **ab.**
C Er lässt die Tasse fallen und ein Stück **bricht ab.**
D Der Schiedsrichter **bricht** das Spiel **ab.**
E Sie **stellen** ihre schweren Koffer **ab.**
F Der Elektriker **stellt** den Strom **ab,**
G Sie **nimmt** den Telefonhörer **ab,**
H Sie **nimmt** nicht **ab,**
I Sie **nimmt** bei der Bank einen Kredit **auf.**
J Sie **nehmen** den Film mit dem Rekorder **auf.**

1. Bald wird sie es beenden.
2. Sie dreht den Schlüssel zweimal im Schloss.
3. bevor er den Herd anschließt.
4. Sie stellen sie auf den Boden.
5. Sie braucht Geld für ein neues Auto.
6. um das Gespräch anzunehmen.
7. So können sie ihn später noch einmal anschauen.
8. Es wird beendet.
9. obwohl sie eine Diät macht.
10. Ein Stück davon fehlt.

b. Erfinden Sie Sätze zusammen mit einer Partnerin/einem Partner.

abschließen	Tür – Tor – Auto	Sprachkurs – Vertrag
abbrechen	Schlüssel – Schalter	Studium – Satz
abstellen	Tasche – Gepäck	Motor – Heizung
abnehmen	Hut – Mütze	2 Kilo – um 10 Prozent
abmachen	Preisschild – Nummernschild	Treffen – Termine
aufgeben	Stelle – Job	Einschreiben – Anzeige

○ *Sie will mit dem alten Schlüssel ein Schloss öffnen. Dabei geht er kaputt und bricht ab.*
◆ *Sie beendet ihren Satz nicht. Warum bricht sie ihn ab? …*

3 Fährst du mit dem Fahrrad zur Arbeit?

a. Lesen Sie zunächst nur die Fragen und ergänzen Sie anschließend das passende Verb.

1. Fährst du mit dem Fahrrad zur Arbeit? *(reiten | ~~fahren~~)*
2. .... das Wetter schlechter? *(bekommen | werden)*
3. .... du sonntags lange im Bett? *(bleiben | stehen)*
4. Kannst du eine Glühbirne ....? *(ändern | wechseln)*
5. Wie .... dir das Bild? *(gefallen | schmecken)*
6. .... du bitte mit der nächsten Frage ....? *(weitermachen | weitergehen)*
7. .... du dich manchmal mit dem Auto? *(verfahren | verlieren)*

b. Wählen Sie nun zu zweit eine Frage unter a. aus und spielen Sie ein kurzes Gespräch im Kurs.

1. Auto leider kaputt ◎ Bewegung brauchen
2. vielleicht bald schöner ◎ bald regnen
3. gern lange schlafen ◎ immer früh aufstehen
4. schon oft gemacht haben ◎ kein Problem sein
5. es sehr schön finden ◎ kitschig finden
6. die nächste Frage stellen ◎ nicht aufgepasst haben
7. mir nie passieren ◎ keine so gute Orientierung haben

○ *Fährst du mit dem Fahrrad zur Arbeit?* ◆ *Ja, ich muss. Mein Auto ist leider kaputt.* ○ *Warum nimmst du nicht …*

4 Die Reihenfolge der Wortteile macht den Unterschied.

Lesen Sie die Sätze und ergänzen Sie. Vergleichen Sie anschließend im Kurs.

a. Eine Blume, die auf Wiesen wächst, ist eine *Wiesenblume*.
b. Eine Wiese, auf der Blumen wachsen, ist eine *Blumenwiese*.
c. Eine Leitung, durch die Wasser fließen kann, ist eine ....
d. Wasser, das aus der Leitung kommt, ist ....
e. Salat, der aus Gurken gemacht ist, ist ....
f. Eine Gurke, aus der man Salat machen kann, ist eine ....
g. Ein Archiv, in dem Fotos gesammelt sind, ist ein ....
h. Ein Foto, das aus einem Fotoarchiv stammt, ist ein ....
i. Jemand, der neben einem am Tisch sitzt, ist ein ....
j. Ein Tisch, der nebenan steht, ist ein ....
k. Ein Schrank mit vielen Spiegeln ist ein ....
l. Ein Spiegel, der auf einer Schranktür angebracht ist, ist ein ....
m. Eine Karte, mit der man ein öffentliches Telefon benutzen kann, ist eine ....
n. Ein öffentliches Telefon, das man nur mit einer Karte benutzen kann, ist ein ....

Fotoarchiv · ~~Blumenwiese~~ · Kartentelefon · Wasserleitung · Leitungswasser · Nachbartisch · Telefonkarte · Salatgurke · Schrankspiegel · Tischnachbar · ~~Wiesenblume~~ · Spiegelschrank · Gurkensalat · Archivfoto

5 Traumstrände – Strandträume

Ergänzen Sie zu zweit die Sätze und vergleichen Sie im Kurs.

a. Traumstrände sind *Strände*, die *so herrlich wie ein wunderschöner Traum sind*.
b. Strandträume sind *Träume*, die ....
c. Ein Wandspiegel ist *ein Spiegel*, der ....
d. Eine Spiegelwand ist ...., die ....
e. Eine Nachbarwohnung ist ...., die ....
f. Ein Wohnungsnachbar ist ...., der ....
g. Suppengemüse ist ...., das ....
h. Gemüsesuppe ist ...., für die ....
i. Eine Zeitungsanzeige ist ...., die ....
j. Eine Anzeigenzeitung ist ...., in der ....

aus Spiegeln bestehen · für Suppe verwendet werden · am Strand haben · in einer Zeitung erscheinen · ~~so herrlich wie ein wunderschöner Traum sein~~ · sich nebenan befinden · als Zutaten vor allem Gemüse verwendet werden · nur Anzeigen erscheinen · in der Wohnung nebenan wohnen · an der Wand hängen

6 Was kann man da sagen?

a. Lesen Sie zuerst die folgenden Texte. Entscheiden Sie dann, was man in den verschiedenen Situationen sagen kann und ergänzen Sie.

A Sie treffen eine Person, die Sie kennen. Sie hat eine schlimme Erkältung und erzählt Ihnen, wie schlecht es ihr geht. Beim Verabschieden können Sie sagen: 5

B Sie sind mit einem Bekannten / einer Bekannten verabredet. Die Person hat sich um ein paar Minuten verspätet. Auf ihre Entschuldigung können Sie antworten:

C Ein Kollege / Eine Kollegin lädt Sie zu einem Glas Wein ein. Bevor Sie trinken, können Sie sagen:

D Sie treffen eine Person, die Sie kennen. Sie wissen, dass sie vor wenigen Tagen eine wichtige Prüfung bestanden hat. Um zu gratulieren, können Sie zu ihr sagen:

E Sie sind auf einer Feier eingeladen und sehen dort zufällig eine Person, die Sie kennen und schon länger nicht mehr getroffen haben. Wenn Sie zu ihr gehen, können Sie sagen:

F Sie sind auf einem Fest eingeladen und jemand stellt Ihnen eine Person vor, die Sie noch nicht kannten. Zu dieser Person können Sie sagen:

G Sie fahren mit einem Bus, der sehr voll ist. In einer Kurve treten Sie aus Versehen einer anderen Person auf den Fuß. Da können Sie sagen:

H Sie gehen in ein Restaurant, um etwas zu essen. Die meisten Stühle sind besetzt, aber Sie entdecken noch einen leeren. Bevor Sie sich dort hinsetzen, sollten Sie die Personen an diesem Tisch ansprechen und fragen:

I Ein Bekannter erzählt Ihnen, was ihm gerade passiert ist: Er wollte einen Brief per Einschreiben abschicken, aber als er vor der Post ankam, war es gerade sechs Uhr und vor seiner Nase wurde die Tür abgeschlossen. Natürlich hat er sich sehr geärgert. Dazu können Sie sagen:

J Sie sind im Zug und eine alte Dame kommt zu Ihnen ins Abteil. Sie hat Mühe, ihren Koffer in das Gepäckfach über den Sitzen zu heben. So können Sie die alte Dame ansprechen:

1. „Aber das macht doch nichts!“
2. „Das ist ja eine Überraschung!“
3. „Da haben Sie aber wirklich Pech gehabt!“
4. „Auf Ihr Wohl!“
5. „Ich wünsche Ihnen gute Besserung!“
6. „Herzlichen Glückwunsch!“
7. „Tut mir leid, entschuldigen Sie bitte vielmals!“
8. „Es freut mich sehr, Sie kennenzulernen.“
9. „Darf ich Ihnen helfen?“
10. „Ist der Platz noch frei?“

b. Wählen Sie zu zweit eine der Situationen aus. Bereiten Sie dazu ein Gespräch vor und spielen Sie es im Kurs.

32 Fokus Lesen

1 Freundinnen 3 | 11

a. Lesen Sie zuerst die Sätze. Hören Sie dann Nicoles Aussagen und notieren Sie die Reihenfolge.

A „Wir telefonieren manchmal stundenlang miteinander."
B 1 „Clara schickt mir oft lustige E-Mails."
C „Manchmal verspäte ich mich trotzdem, aber Clara wartet auf mich."
D „Ich finde es gut, dass sie mich regelmäßig zum Joggen abholt."
E „Clara ist ein sportlicher Typ, ich brauche nicht so viel Bewegung."
F „Ich tanze gern und hör gerne Salsa-Musik."
G „Clara und ich sind in manchen Dingen ziemlich verschieden."
H „Sie weiß, wie man vieles schnell im Internet finden kann."
I „Sie hilft mir oft beim Lernen für die Klausuren."
J „Mindestens einmal pro Woche gehen wir Billard spielen."
K „Wir haben uns auf einem Seminar an der Uni kennengelernt."

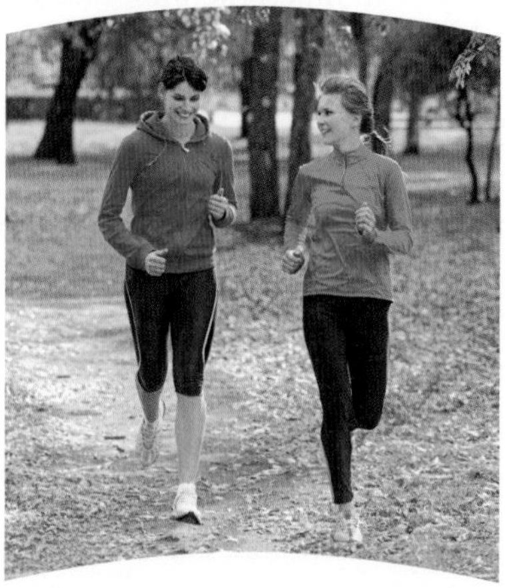

b. Clara erzählt von Nicole. 3 | 12

Lesen Sie zuerst die beiden Texte. Hören Sie anschließend das Gespräch. Welcher Text passt? X Welche Textstellen geben Hinweise auf die richtige Lösung? Vergleichen Sie im Kurs.

A
Clara sagt, ihre Freundin Nicole schicke ihr immer lustige Karten aus dem Urlaub. Sie telefoniere oft mit ihr, besonders vor Prüfungen. Nicole könne ihr bei der Vorbereitung von Referaten sehr gut helfen. Sie wisse sehr viel und könne sich immer gut konzentrieren. Am schönsten sei, dass ihre Freundin fast immer gute Laune habe. Nicole sei etwas unordentlich, aber das sei nicht schlimm. Ihre Freundin und sie seien einander in manchen Dingen ähnlich, doch sie hätten unterschiedliche Hobbys. Oft träfen sie sich am Wochenende und würden gemeinsam etwas unternehmen.

B
Clara erzählt, aus dem Urlaub schicke ihr Nicole Ansichtskarten, die wirklich schön seien. Sie würden oft miteinander telefonieren, doch in Prüfungszeiten würden sie einander selten anrufen. Nicole gebe ihr oft gute Tipps für Referate. Sie wisse, wie man schnell die passende Literatur findet. Nicole sei sehr herzlich und nett. Sie sei zwar manchmal etwas bequem, doch Clara könne sie immer zum Sport motivieren. Nicole räume nie systematisch auf, aber wenn sie etwas suche, finde sie es blitzschnell. Sie und ihre Freundin würden einander ausgezeichnet verstehen und sähen sich regelmäßig.

c. Hören Sie Claras Aussagen noch einmal. Fassen Sie sie anschließend zu zweit zusammen.

- ⊙ *Nicole schickt Clara ...*
- ◆ *Nicole und Clara telefonieren oft ...*

Sie sagt: „Nicole **schickt** lustige Karten."	Sie sagt, Nicole **schicke** lustige Karten.
Sie sagt: „Nicole **ist** sehr herzlich."	Sie sagt, Nicole **sei** sehr herzlich."
Sie behauptet: „Nicole **hat** immer gute Laune."	Sie behauptet, Nicole **habe** immer gute Laune.
Sie meint: „Wir **verstehen** uns ausgezeichnet."	Sie meint, sie **würden** sich ausgezeichnet **verstehen**.

2 Freunde

a. Lesen Sie, was Tim über seinen Freund Nick schreibt.

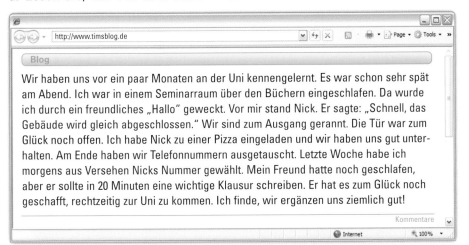

http://www.timsblog.de

Blog

Wir haben uns vor ein paar Monaten an der Uni kennengelernt. Es war schon sehr spät am Abend. Ich war in einem Seminarraum über den Büchern eingeschlafen. Da wurde ich durch ein freundliches „Hallo" geweckt. Vor mir stand Nick. Er sagte: „Schnell, das Gebäude wird gleich abgeschlossen." Wir sind zum Ausgang gerannt. Die Tür war zum Glück noch offen. Ich habe Nick zu einer Pizza eingeladen und wir haben uns gut unterhalten. Am Ende haben wir Telefonnummern ausgetauscht. Letzte Woche habe ich morgens aus Versehen Nicks Nummer gewählt. Mein Freund hatte noch geschlafen, aber er sollte in 20 Minuten eine wichtige Klausur schreiben. Er hat es zum Glück noch geschafft, rechtzeitig zur Uni zu kommen. Ich finde, wir ergänzen uns ziemlich gut!

Kommentare

b. Lesen Sie nun die folgende Aufgabe. Was ist richtig? ✗

1. Tim schreibt, sie hätten sich vor einigen Monaten an der Universität kennengelernt.
2. Er sei in der Bibliothek eingeschlafen.
3. Nick habe ihm auf die Schulter geklopft. Da sei er aufgewacht.
4. Nick und er seien zum Ausgang gerannt.
5. Er habe Nick zum Kaffee eingeladen.
6. Sie hätten lange miteinander geredet.
7. Einmal habe Nick fast ein Seminar verschlafen.
8. Tim findet, sie würden einander gut ergänzen.

Er sagt:	Er schreibt,
„Ich habe geschlafen."	er **habe** geschlafen.
„Ich bin aufgewacht."	er **sei** aufgewacht.

Er sagt:	Er schreibt,
„Wir haben geredet."	sie **hätten** geredet.
„Wir sind gerannt."	sie **seien** gerannt.

3 Freundschaften

a. Berichten Sie im Kurs über einen Freund oder eine Freundin.

Wann und wo haben Sie sich kennengelernt? Wie würden Sie den Freund / die Freundin beschreiben?

○ *Wir haben uns vor ein paar Jahren im Bus kennengelernt. Sie heißt ... und hat viel Humor. Sie ist immer ...*

b. Was ist Ihrer Meinung nach in einer Freundschaft wichtig? Berichten Sie im Kurs.

gemeinsam / zusammen ...	etwas unternehmen ◎ Fußball spielen ◎ Sport treiben ◎ ins Kino gehen ◎ ...
sich / einander ...	anrufen ◎ helfen ◎ ... leihen ◎ ... schicken ◎ ... schreiben ◎ nach einem Streit wieder verstehen ◎ ...
	miteinander telefonieren ◎ füreinander da sein ◎ miteinander diskutieren ◎ miteinander lachen ◎ aufeinander warten ◎ sich umeinander kümmern ◎ ...

○ *Wichtig finde ich, dass man viel zusammen unternimmt. Man kann natürlich öfter miteinander telefonieren. Besser ist es aber, wenn man sich trifft und z. B. ...*

4 Falsche Freunde

Lesen Sie die Einleitung des Textes auf der rechten Seite. Was ist richtig? X

Falsche Freunde sind …

a. Vorurteile über das Verhalten von Bewohnern anderer Länder.
b. Freunde, die man leicht missversteht.
c. Wörter, die in verschiedenen Sprachen gleich oder ähnlich klingen, aber verschiedene Bedeutungen haben.
d. Menschen, die man nicht als Freunde haben möchte.

5 Die Geschichte eines Missverständnisses

a. Lesen Sie den restlichen Text. Welche Zusammenfassung ist richtig? X

1. Felix K. hatte die Wegbeschreibung des jungen Mannes missverstanden. Deshalb wanderte er lange durch die Stadt, ohne sein Ziel zu finden. Am Tag danach schlossen beide dann Freundschaft.
2. Am Bahnhof erklärte ein junger Mann Felix K. den Weg zum Gymnasium. Aber Felix verstand ihn falsch und brauchte sehr lange, bis er an sein Ziel kam. Später wurden die beiden Freunde.
3. Als Felix K. sich bei dem jungen Mann nach dem Weg zum Gymnasium erkundigte, machte er einen Fehler und wurde deshalb in die falsche Richtung geschickt. Trotz des Missverständnisses wurden die beiden Freunde.

b. Erklären Sie die Irrtümer im drittletzten Abschnitt mit Hilfe dieser Übersetzungen:

Französisch:	sale	salé	Hôtel de ville	batterie
Deutsch:	schmutzig	salzig	Rathaus	Schlagzeug

6 Sprachliche Irrtümer

Haben Sie selbst schon solche Situationen wie Felix K. erlebt? Berichten Sie im Kurs.

- *Ich war in … und wollte … Aber ich habe …*
- *Etwas Ähnliches ist mir auch schon passiert. Ich habe einmal … Da …*

7 „Gefährliche" deutsche Wörter

a. Sammeln Sie in einer kleinen Gruppe deutsche Wörter mit mehreren Bedeutungen oder solche, die in Ihrer Sprache ähnlich klingen. Hier sind einige Beispiele:

Decke · Karte · Note · Rezept · Stück · …

ausziehen · halten · schlagen · sparen · tragen · verbinden · …

alt · dick · fertig · gleich · kalt · leicht · sicher · …

b. Erfinden Sie in der Gruppe ein Gespräch zu einem dieser Wörter und spielen Sie es dann im Kurs vor.

Von falschen und richtigen Freunden

Niederländer bellen, bevor sie ein Haus betreten. Dänen trinken gern Öl. In Großbritannien gibt es spezielle Läden, in denen man Gift frei kaufen kann. – Deutsche Vorurteile? Nein, hier handelt es sich um „falsche Freunde", also Missverständnisse, die dadurch entstehen, dass ein Wort in zwei Sprachen existiert, aber ganz unterschiedliche Bedeutungen haben kann. „Klingeln" heißt auf Niederländisch „bellen", „øl" ist das dänische Wort für „Bier" und „gift" ist im Englischen nichts anderes als ein „Geschenk". Felix Kämper, 35, heute Deutschlehrer, berichtet über ein Missverständnis, aus dem eine wunderbare Freundschaft wurde.

Schon auf mehreren Urlaubsreisen hatte ich komische Situationen erlebt, weil ich in der fremden Sprache nicht ganz sicher war. Eine spanische Fischverkäuferin platzte vor Lachen, als ich einen Fisch zum „Bügeln" verlangte. Dabei hatte ich logisch geschlossen: Wenn eine „plancha" eine Grillplatte ist, muss „grillen" doch „planchar" bedeuten.

So richtig Gelegenheit für Missverständnisse, Verwechslungen und Bekanntschaft mit „falschen Freunden" bekam ich dann, als ich mein Studium unterbrach und für ein ganzes Jahr nach Frankreich ging, um an dem einzigen Gymnasium einer französischen Kleinstadt Deutsch zu unterrichten.

Felix Kämper (r) mit seinem Freund Marc

Es begann gleich bei meiner Ankunft am Bahnhof. Da ich keinen Stadtplan hatte, fragte ich einen sympathisch wirkenden jungen Mann, wo das Gymnasium sei. Jedenfalls meinte ich, dass ich ihn das gefragt hätte. Er erklärte mir den Weg und ich ging los, mit meinem schweren Koffer und dem dicken Rucksack. Nach einer halben Stunde kam ich zu der Stelle, die er mir beschrieben hatte. Ich schaute mich um: ein riesiger Sportplatz mit einer großen Sporthalle daneben, von einer Schule war nichts zu sehen. Langsam wurde ich ärgerlich. Ich zog den Zettel mit der Adresse der Schule aus dem Rucksack. Die Straße hieß ganz anders als diese hier! Der junge Mann hatte sich mit mir offenbar einen Scherz erlaubt.

Kurz entschlossen und obwohl ich nicht viel Geld dabeihatte, hielt ich ein Taxi an. Ich zeigte dem Fahrer die Adresse und stand zehn Minuten später im Sekretariat der Schule. Sie lag übrigens höchstens fünf Gehminuten vom Bahnhof entfernt. Man stellte mich dem Direktor vor und zeigte mir mein Zimmer.

Meine Überraschung am nächsten Morgen kann man sich vorstellen, als ich sah, wer da neben mir am Frühstückstisch Platz nahm: Jener Mensch, der mich umsonst quer durch die Stadt geschickt hatte! Und er lächelte mich auch noch an! Ich fragte ihn, ob er Spaß daran hätte, sich über Fremde lustig zu machen. Er wurde bleich und wollte wissen, wie ich das gemeint hätte. Ich erklärte es ihm. „Aber du hast mich doch nach der Sporthalle gefragt! Ich dachte, du wärst Sportler und wolltest zum Training!", antwortete er ernst – selbstverständlich auf Französisch. Jetzt begriff ich, dass ich selbst der Schuldige war und nach dem „gymnase" statt, wie es richtig gewesen wäre, nach dem „lycée" gefragt hatte.

Wir mussten beide lachen und reichten uns die Hände. Marc – so hieß mein neuer Freund – umarmte mich sogar, was in Deutschland zwischen Männern nicht üblich ist. Es kam dann heraus, dass Marc Italienisch studierte und nebenbei in der Schule arbeitete.

Bei unseren gemeinsamen Unternehmungen lernte ich in den folgenden Monaten viel über sprachliche und kulturelle Unterschiede – und unterlag immer wieder mal kleinen Irrtümern. So wollte ich einmal meine „salzige" Wäsche zur Reinigung bringen, glaubte eine Zeit lang, dass das Rathaus ein „Hotel" sei, und konnte nicht begreifen, dass ein musikalischer Schüler in seiner Band auf einer „Batterie" spielte.

Wegen meiner eigenen Erfahrungen verstehe ich heute ganz gut die Probleme, die meine Kursteilnehmer und Kursteilnehmerinnen mit der deutschen Sprache haben – glaube ich jedenfalls. Sprachliche Missverständnisse lassen sich meistens leicht aufklären. Schwieriger sind fremde Traditionen und Verhaltensweisen, besonders wenn man nicht weiß, ob man darüber reden soll. So ist es mir heute noch ein Rätsel, warum mir ein Teilnehmer des letzten Zertifikatskurses eine Packung Küchenrollen zu Weihnachten geschenkt hat.

Marc und ich sind übrigens immer noch dicke Freunde (obwohl wir beide eigentlich eher schlank sind), und wir besuchen uns, sooft es nur geht.

Fokus Hören

1 „Welche Fremdsprachen sprechen Sie?“

a. Lesen Sie die Aufgabe und hören Sie das Interview. Was passt zu welcher Person? 3 | 13

1 erste Person 2 zweite Person 3 dritte Person 4 vierte Person

A Wer kann sich ganz gut auf Griechisch unterhalten?

B Wer kann schon fünf Fremdsprachen und will demnächst noch Italienisch lernen?

C Wer kann nur ein bisschen Englisch?

D Wer hatte in der Schule schlechte Noten in Englisch und Französisch?

b. Hören Sie jedes Interview einzeln und lösen Sie die Aufgaben pro Interview. Was ist richtig? X 3 | 14-17

A Erstes Interview:

Der junge Mann

1. könnte keine vernünftige Unterhaltung auf Englisch führen.
2. könnte auf Englisch sagen, wie er heißt.
3. hatte im Englischunterricht nur Spaß an den Grammatikübungen.

B Zweites Interview:

Die junge Frau

1. bekam erst nach der Schule Spaß an Fremdsprachen.
2. kann noch kein Spanisch, aber sie will es nächstes Jahr lernen.
3. lernt eine Fremdsprache am besten, wenn sie im Land ist und mit den Leuten redet.

C Drittes Interview:

Der junge Mann

1. kann ein bisschen Griechisch, weil er oft Urlaub in Griechenland macht.
2. hat sehr gut Französisch gelernt, weil er einen netten Lehrer hatte.
3. lernt alle Fremdsprachen schnell und ohne Mühe.

D Viertes Interview:

Die junge Frau

1. hat von ihrer Großmutter Englisch gelernt.
2. hat einen Brieffreund in Madrid, der die Fehler in ihren Briefen korrigiert.
3. will nächstes Jahr einen Sprachkurs in Italien machen.

c. Diskutieren Sie im Kurs: Glauben Sie, dass manche Menschen ein besonderes Talent zum Sprachenlernen haben?

⊙ *Ja, da bin ich mir sicher. Es gibt Menschen, die besonders gut und schnell Sprachen lernen; so, wie jemand musikalisch ist oder sehr gut rechnen kann.*

◆ *Das glaube ich nicht. Jeder Mensch hat ein Talent zum Sprachenlernen; schließlich lernt jedes Kind auf der Welt sprechen.*

□ *Das stimmt. Kinder können auch sehr leicht Fremdsprachen lernen. Aber wenn man älter wird …*

2 „So habe ich Deutsch gelernt." 3 | 18

a. Hören Sie den Bericht von Alireza und lösen Sie dann die Aufgabe. Was passt zusammen?

A Als Alireza vor 12 Jahren nach Deutschland kam,
B Durch seine Verwandten hat er viele Leute kennengelernt, 1
C Weil er anfangs nichts verstanden hat,
D Später haben ihm Freunde ein Buch geschenkt,
E Es hat ihm sehr geholfen,
F Anfangs dachte er,
G Manchmal verwechselt er die Artikel,
H Wenn er schläft,

1. weil sie schon deutsche Freunde hatten.
2. deutsche Sätze mit einer Sprachkassette zu üben.
3. aber er macht heute nur noch ganz wenige Fehler.
4. mit dem er lernen konnte.
5. konnte er noch kein Wort Deutsch.
6. träumt er meistens auf Deutsch.
7. dass die deutsche Grammatik schrecklich schwierig sei.
8. mussten seine Verwandten für ihn übersetzen.

b. Haben Sie schon einmal auf Deutsch oder in einer anderen Fremdsprache geträumt?

3 Tipps, die beim Sprachenlernen helfen.

a. Lesen Sie die Beiträge aus einem Fremdsprachenforum im Internet.

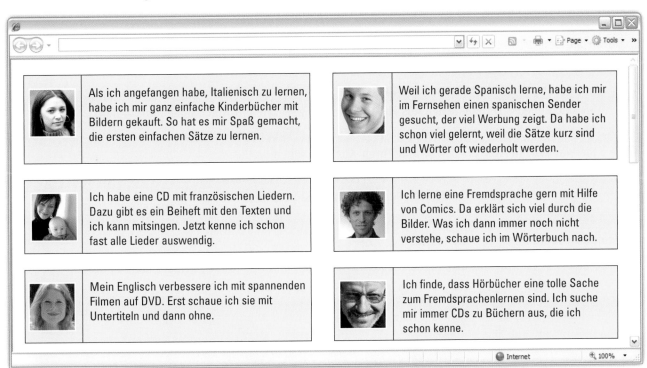

Als ich angefangen habe, Italienisch zu lernen, habe ich mir ganz einfache Kinderbücher mit Bildern gekauft. So hat es mir Spaß gemacht, die ersten einfachen Sätze zu lernen.

Weil ich gerade Spanisch lerne, habe ich mir im Fernsehen einen spanischen Sender gesucht, der viel Werbung zeigt. Da habe ich schon viel gelernt, weil die Sätze kurz sind und Wörter oft wiederholt werden.

Ich habe eine CD mit französischen Liedern. Dazu gibt es ein Beiheft mit den Texten und ich kann mitsingen. Jetzt kenne ich schon fast alle Lieder auswendig.

Ich lerne eine Fremdsprache gern mit Hilfe von Comics. Da erklärt sich viel durch die Bilder. Was ich dann immer noch nicht verstehe, schaue ich im Wörterbuch nach.

Mein Englisch verbessere ich mit spannenden Filmen auf DVD. Erst schaue ich sie mit Untertiteln und dann ohne.

Ich finde, dass Hörbücher eine tolle Sache zum Fremdsprachenlernen sind. Ich suche mir immer CDs zu Büchern aus, die ich schon kenne.

b. Welche Tipps finden Sie gut? Was machen Sie, um mit Spaß zu lernen? Erzählen Sie im Kurs.

4 Erlebnisse mit der deutschen Sprache

**a. Hören Sie den ersten Teil der Aufnahme.
Bringen Sie dann die Sätze in die Reihenfolge, in der Giorgio erzählt.** 3 | 19

1. Giorgio wollte etwas Neues ausprobieren.
2. Als sie Hunger bekamen, sind sie in ein Restaurant gegangen.
3. Er hat geglaubt, dass ,Palatschinken' mit Schinken gemacht sei.
4. 1 Giorgio war in den Ferien mit seiner Freundin in Österreich.
5. Giorgio fand es lustig, dass er einen süßen Pfannkuchen mit Marmelade bekam.
6. Am ersten Tag waren sie in Innsbruck und haben sich die Stadt angeschaut.
7. Auf der Speisekarte stand ein Gericht, das ,Palatschinken' hieß.
8. Giorgios Freundin hat Schweinebraten bestellt und er wollte auch etwas mit Fleisch essen.

b. Hören Sie den zweiten Teil der Aufnahme. Was ist richtig? X 3 | 20

1. Viviane erzählt, dass sie im Urlaub in der Türkei war.
2. An einem Abend hat sie den Weg zu ihrem Hotel nicht mehr gefunden.
3. Sie hat eine türkische Familie zuerst auf Türkisch und dann auf Englisch angesprochen.
4. Auf einmal fragte der Vater, ob sie Deutsch spreche.
5. Die türkische Familie wohnt in Köln und war in der Türkei nur zu Besuch.
6. Viviane konnte sich leider nicht lange mit der Familie unterhalten.

c. Hören Sie den dritten Teil der Aufnahme. Welcher Satz gehört zur Geschichte von Jelena Je und welcher zur Geschichte von Jana Ja ? 3 | 21

1. Sie wurde auf der Fahrt nach Frankfurt von der Polizei angehalten.
2. Sie dachte, dass Hundekuchen aus Hunden gemacht sei wie ein Apfelkuchen aus Äpfeln.
3. Sie hat sich darüber gewundert, was ihre Freundin einkaufen wollte.
4. Sie war sehr nervös, als der Beamte ihren Ausweis sehen wollte.
5. Weil sie den Ausweis nicht gleich fand, sagte sie, sie habe ihn gegessen.
6. Jetzt ist sie der Meinung, Deutsch sei eine komische Sprache.

d. Welche Geschichte finden Sie lustig?

⊙ *Ich finde die Geschichte mit dem Hundekuchen witzig, weil man ja wirklich denken könnte, dass …*

◆ *Bei Palatschinken hätte ich auch an ein Fleischgericht gedacht und …*

5 „Hier versteht bestimmt keiner Deutsch."

a. Beschreiben Sie das Foto. Was glauben Sie: Worüber sprechen die beiden Mädchen?

⊙ *Man sieht Leute, die in einem Café sitzen. Es könnte auch … sein.*
◆ *Ich glaube, dass die beiden Mädchen …*

b. Lesen Sie zuerst die Aufgabe. Überlegen Sie zu zweit, wie die Satzhälften zusammenpassen könnten, und erfinden Sie eine Geschichte dazu.

A Eva möchte, dass ___
B Conny ist der Meinung, dass ___
C Eva und Conny würden gern wissen, ob ___
D Conny ist enttäuscht, weil 1
E Die beiden Freundinnen wissen noch nicht, was ___
F Conny fragt Eva, ob ___
G Der Mann am Nebentisch fragt, ob ___
H Eva und Conny sind sehr überrascht, dass ___

1. sie noch keinen Spanier kennengelernt hat.
2. der Mann am Nebentisch verheiratet ist.
3. er Conny und Eva zu einem Glas Wein einladen darf.
4. sie noch genug Geld zum Bezahlen hat.
5. der Mann perfekt Deutsch spricht.
6. Conny leiser spricht.
7. sie am Abend machen wollen.
8. der Mann am Nebentisch kein Deutsch versteht.

⊙ *Die beiden Mädchen heißen Eva und Conny. Sie sind Freundinnen und …*

c. Hören Sie das Gespräch und vergleichen Sie es mit Ihrer Geschichte. Lösen Sie dann die Aufgabe. 3 | 22

d. Conny erzählt das Erlebnis einer Bekannten.

Stellen Sie sich vor, dass Conny am nächsten Tag eine Bekannte in Deutschland anruft. Erarbeiten Sie mit einer Partnerin / einem Partner ein Gespräch und spielen Sie es im Kurs vor.

⊙ *Gestern ist Eva und mir etwas furchtbar Peinliches passiert.*
◆ *Was denn? Erzähl doch.*
⊙ *Also, ich war mit Eva in einem Straßencafé und am Nebentisch saß ein junger Spanier. Wir fanden …*

e. Was glauben Sie: Wie könnte es mit Eva, Conny und Ricardo weitergehen?

Schreiben Sie in einer Kleingruppe eine Fortsetzung der Geschichte und lesen Sie sie im Kurs vor.

Freunde werden ◎ sich verlieben ◎ Eifersucht ◎ Streit ◎ zusammen essen gehen ◎ viel Spaß haben ◎ Ricardo bringt einen Freund / Freunde mit ◎ Eva / Conny fährt nach Hause ◎ Tränen ◎ heiraten wollen ◎ enttäuscht sein ◎ Spanisch lernen ◎ Ricardo nach Deutschland einladen ◎ …

Ricardo hat Conny und Eva zu einem Glas Wein eingeladen und sie haben viel geredet und gelacht. Am Abend sind sie dann alle zusammen …

34 Fokus Sprechen

1 Leicht zu verwechseln

Hören Sie die Wörter, sprechen Sie nach und bilden Sie damit Sätze. 3 | 23-24 34-35

a.
Kirsche – Kirche – Köche – Küchen – Kuchen – Kassen – Kissen – küssen

⊙ *Vier Köche kochen in einer Küche Kirschen.* ◆ *Auf einem Kissen ...*

b.

sie liebt	sie liegt	sie spielt	sie lobt	sie sitzt	sie liest	sie fällt
er lebt	er legt	er spült	er lügt	er setzt	er löst	er fehlt

⊙ *Sie liebt ihren Opa. Er lebt in Hamburg.* ◆ *Sie liegt am Strand. Er legt ...*

2 Setzen oder sitzen?

Hören Sie und sprechen Sie nach. Ergänzen Sie dann die Verben. 3 | 25 36

a. Er *sitzt* schon am Tisch. Sie .... sich daneben in den Sessel.
b. Er .... sich ins Bett. Sie .... lieber auf der Gartenliege.
c. Er .... in der Küche eine Schüssel. Sie .... im Kinderzimmer mit dem Spielzeug.
d. Er .... vor dem Bäckerladen hin. Sie merkt, dass ein Brötchen ....
e. Er .... in Bern. Sie .... seinen Freund Dieter.

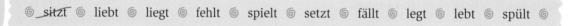

~~sitzt~~ ◎ liebt ◎ liegt ◎ fehlt ◎ spielt ◎ setzt ◎ fällt ◎ legt ◎ lebt ◎ spült

3 Buchstabenspiele

a. Hören Sie die Sätze und sprechen Sie sie frei nach. 3 | 26 37

L **L**ernfreudige **L**etten **l**esen **l**ieber **l**ebendige **L**esetexte.
A **A**ktive **A**ustralier **a**nalysieren **a**bends **a**rabische **A**djektive.
G **G**lückliche **G**riechen **g**ebrauchen **g**ern **g**ut **g**ewählte **G**enitive.
U **U**nzählige **U**ngarn **u**ntersuchen **u**ngern **u**ngewöhnliche **U**mlaute.
N **N**ette **N**orweger **n**ennen **n**atürlich **n**iemals **n**egative **n**orwegische **N**omen.
E **E**rwachsene **E**ngländer **e**rkennen **e**uropäische **E**igennamen **e**infach.

b. Erfinden Sie selbst lustige Sätze, in denen alle Wörter mit demselben Buchstaben beginnen.

⊙ *Manche Marokkaner machen morgens ...*

4 Wortschatzspiel: Alles zehnmal

a. Lesen Sie zuerst alle 20 Aufgaben. Üben Sie dann mit der Nummer 12 gemeinsam im Kurs. (Sie können natürlich auch mehr als 10 Nomen sammeln.)

⊙ *Marmelade, Mutter, Mann* ◆ *Mittwoch, Matratze* □ *Miete, Mantel …*

1 Nennen Sie 10 Nomen, die mit „B" beginnen. Benzin, …	**2** Nennen Sie 10 Nomen mit dem Artikel „die". die Tasse, …	**3** Nennen Sie 10 Namen für Tiere Maus, …	**4** Nennen Sie 10 Dinge, die man essen kann. Brot, …
5 Nennen Sie 10 Dinge, die man im Urlaub braucht. Koffer, …	**6** Nennen Sie 10 Hobbys. lesen, …	**7** Nennen Sie 10 Dinge in einer Wohnung. Sofa, …	**8** Nennen Sie 10 Adjektive, die zu Personen passen. sympathisch, …
9 Nennen Sie 10 trennbare Verben. einkaufen, …	**10** Nennen Sie 10 Wörter, die mit dem Wetter zu tun haben. Nebel, …	**11** Nennen Sie 10 Berufe. Lehrer, …	**12** Nennen Sie 10 Nomen, die mit „M" beginnen. Marmelade, …
13 Nennen Sie 10 Verben, die mit „b" beginnen. baden, …	**14** Nennen Sie 10 Nomen mit dem Artikel „der". der Baum, …	**15** Nennen Sie 10 Dinge, die man am Körper tragen kann. Hut, …	**16** Nennen Sie 10 Verben, die mit „s" beginnen. sprechen, …
17 Nennen Sie 10 Dinge, die man nicht haben möchte. Zahnschmerzen, …	**18** Nennen Sie 10 Dinge, die Spaß machen. Freunde treffen, …	**19** Nennen Sie 10 Nomen mit dem Artikel „das". das Haus, …	**20** Nennen Sie 10 Dinge, die man nicht anfassen kann. Glück, …

b. Entscheiden Sie sich für eine der folgenden Spielvarianten. Bei jeder Variante bestimmt Ihr Kursleiter/Ihre Kursleiterin ein neues Aufgabenfeld.

Variante 1
Sie sammeln die Wörter gemeinsam an der Tafel.

Variante 2
Sie arbeiten zu zweit mit einer Zeitvorgabe. Alle haben für die gleiche Aufgabe z. B. 3 Minuten Zeit. Vergleichen Sie anschließend im Kurs.

Variante 3
Sie bilden Kleingruppen (höchstens vier Personen). Die Gruppe, die zuerst fertig ist, meldet sich und trägt vor. Dann kommt die nächste Aufgabe usw.

5 „Sprechen Sie Deutsch?"

a. Hören Sie das Gespräch und lesen Sie dabei still mit. 3 | 27 38

⊙ Entschuldigung. Sprechen Sie vielleicht Deutsch?

◆ Ja, ich spreche Deutsch, aber leider noch nicht perfekt.

⊙ Das macht doch nichts; mir geht es genauso. Wo haben Sie denn Deutsch gelernt?

◆ Angefangen habe ich zu Hause mit einem Computerlernprogramm. Dann habe ich einen Sprachkurs besucht. Am Ende habe ich die Zertifikatsprüfung gemacht. Und wie haben Sie Deutsch gelernt?

⊙ Zuerst hatte ich Deutsch als zweite Fremdsprache in der Schule. Dann habe ich an Sprachkursen an der Universität teilgenommen. Und später habe ich ein Jahr in Deutschland studiert.

◆ Dann haben Sie wohl Deutsch gelernt, weil Sie es beruflich brauchen?

⊙ Ja, vor allem. Und Sie?

◆ Mich interessiert Deutsch eher privat. Ich habe Sprachen und Literatur schon immer interessant gefunden.

⊙ Sagen Sie, können Sie vielleicht auch etwas Chinesisch?

◆ Ja, schon. Ein bisschen.

⊙ Dann können Sie mir sicher erklären, was der Text auf dem Bild bedeutet.

◆ Mal sehen ...

b. Üben Sie das Gespräch mit einer Partnerin/einem Partner und tragen Sie es dann frei im Kurs vor.

c. Bereiten Sie zu zweit ein ähnliches Gespräch vor, in dem sich die Personen duzen. Spielen Sie es dann im Kurs.

Sprichst du Deutsch?
Warum hast du Deutsch gelernt?
Wofür brauchst du Deutsch?
Wo hast du denn Deutsch gelernt?
Wie hast du angefangen?
Sprichst du auch Russisch?
Kannst du auch Japanisch?
...

- als Austauschschülerin ein Jahr in Deutschland
- als Au-pair bei einer Familie in München
- eine deutsche Großmutter haben
- Intensivkurs an der Universität
- in Deutschland arbeiten wollen
- Freude am Sprachenlernen haben
- ...

6 Beispiel für eine mündliche Zertifikatsprüfung

a. Nehmen Sie an, diese Statistik wäre die Grundlage einer mündlichen Prüfung. Besprechen Sie gemeinsam im Kurs, was man dazu sagen könnte.

○ *Die Statistik bezieht sich auf Sprachen, die in der Europäischen Union gesprochen werden.*

◆ *Man sieht, dass 38 Prozent aller EU-Bürger Englisch als Fremdsprache gelernt haben. An zweiter und dritter Stelle kommen …*

□ *Ich finde es merkwürdig, dass so wenige Europäer …*

b. Hören Sie den Ausschnitt aus einer Einzelprüfung. Wie beurteilen Sie die Beiträge des Prüfungskandidaten? Diskutieren Sie im Kurs.

3 | 28 39

Ich glaube, dass er keine Fehler gemacht hat.
Man kann gut verstehen, was er sagt.
Man merkt, dass er die Grafik verstanden hat.
Die Zahlen nennt er alle richtig.
…

Ich finde, dass er insgesamt zu wenig sagt.
Er beschreibt das Thema nicht genau genug.
Meiner Meinung nach nennt er das Thema zu spät.
Er spricht manchmal nur halbe Sätze.
…

7 Eine zweite Grafik zum Üben

Wie würden Sie in einer Partnerprüfung diese zweite Statistik beschreiben? Bereiten Sie mit einer Partnerin/einem Partner ein Gespräch vor und spielen Sie es im Kurs.

Umfrage unter EU-Bürgern im Jahr 2005:
Was wären für Sie die Hauptgründe, eine neue Sprache zu lernen?

Um sie während des Urlaubs im Ausland zu nutzen.	35%
Um sie in meinem Beruf zu nutzen.	32%
Um im Ausland arbeiten zu können.	27%
Für meine eigene Zufriedenheit.	27%
Um im eigenen Land einen besseren Arbeitsplatz zu finden.	23%
Um Menschen aus anderen Ländern kennenzulernen.	17%

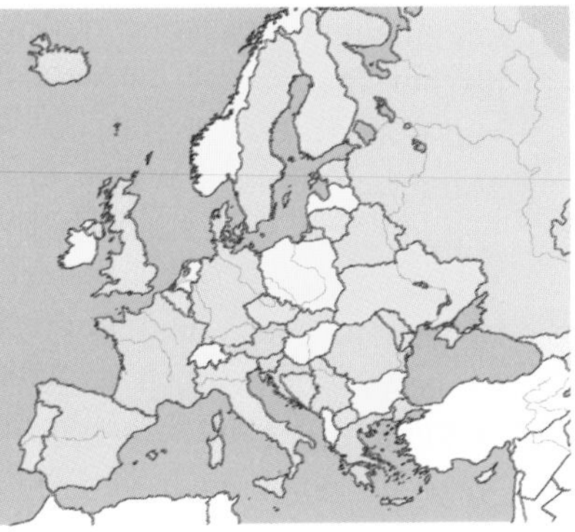

○ *In dieser Statistik geht es um …*

◆ *Die meisten EU-Bürger nennen …*

35 Fokus Schreiben

1 Hören Sie zu und schreiben Sie. 3 | 29

Eben ……… ……… ……… ……… ……… ……… ……… ……… . ……… ……… ,

……… ……… ……… in ……… ……… ……… ……… ……… ……… ……… ……… ………

……… ……… abgestellt. ……… ……… ……… ……… ……… ……… ,

……… ……… ……… ……… ……… ……… ……… . ……… ……… ……… ……… Polizei ……… ………

……… ……… ……… ……… ……… . ……… ……… ……… ……… falschen ……… ……… .

2 Ein Problem im Straßenverkehr

a. Betrachten Sie zuerst das Foto.
Was für Probleme könnten sich in dieser Straße ergeben?

- ⊙ *Vielleicht sucht jemand einen Parkplatz, doch …*
- ◆ *Jemand parkt falsch, deshalb …*
- □ *Ein Lastwagen kann nicht durchfahren, denn …*
- ▶ *Jemand fährt in falscher Richtung durch diese Straße. Aus diesem Grund …*
- ◇ *Ein Auto wurde gestohlen. …*

b. Lesen Sie zuerst die folgende Zeitungsmeldung.
Besprechen Sie dann im Kurs: Was hat der Tourist missverstanden?

Köln
Ein Abenteuer besonderer Art erlebte ein ausländischer Tourist, der mit dem Auto in der Altstadt von Köln unterwegs war. Die Polizei teilte mit, der Mann habe seinen Wagen in der Nähe des Doms geparkt und sich zur Sicherheit den Namen der Straße notiert. Danach sei er durch die Altstadt gegangen. Nach dem Rundgang habe er seinen Wagen gesucht, doch er habe ihn nicht wiedergefunden. Passanten hätten ihm zwar Ratschläge gegeben, aber auch die weitere Suche sei ohne Erfolg geblieben. Schließlich habe er einen Polizisten gesehen und ihn um Hilfe gebeten. Der Beamte gab an, der Tourist habe ihm einen Zettel mit dem Namen der Straße gezeigt. „Als ich die Notiz las, war ich etwas verwundert", berichtete der Beamte, denn da stand nur „Einbahnstraße". Natürlich sei die Lösung des Problems nicht so einfach gewesen, sagte er weiter. Es gebe nämlich in der Altstadt von Köln zahlreiche Straßen, die man nur in einer Richtung befahren dürfe. Aber er habe dem Touristen trotzdem helfen können. Gemeinsam hätten sie den abgestellten Wagen nach intensiver Suche gefunden.

c. Was hat der Tourist erlebt? Schreiben Sie zu zweit einen Text zum Inhalt der Zeitungsmeldung.

Sie können dafür die folgenden Angaben verwenden. Ergänzen Sie in den Sätzen jeweils auch die weiteren Informationen aus dem Artikel.

1. der Tourist ... parken und sich ... notieren
2. ... gehen
3. ... den Wagen suchen, ... nicht ... finden
4. Passanten ... geben, ... ohne Erfolg bleiben
5. ... Polizisten sehen und ... bitten
6. ... einen Zettel ... zeigen
7. Beamte ... lesen, ... verwundert, ... stehen
8. ... die Lösung ... nicht ... einfach
9. ... geben, die ... befahren dürfen
10. ... helfen können
11. ... Wagen ... finden

1. *Der Tourist hat seinen Wagen in der Nähe des Doms geparkt und sich zur Sicherheit den Namen der Straße notiert.*
2. *Dann ist er ...*
3. *Nach dem Rundgang hat ...*

d. Vergleichen Sie Ihre Ergebnisse im Kurs.

3 In einer fremden Stadt

Hatten Sie schon Probleme, als Sie in einer fremden Stadt unterwegs waren? Erzählen Sie im Kurs.

⊙ *Ich habe mal eine ältere Dame nach ... gefragt.*
Leider hat sie sehr schnell gesprochen und ...

◆ *Ein Fußgänger hat mir sehr freundlich erklärt, wie ...*
Aber er hat es mir so kompliziert beschrieben, dass ...

□ *Ich war mit dem Auto unterwegs und ...*

4 Begegnungen

a. Wählen Sie in kleinen Gruppen drei Fotos aus. Notieren Sie kurz, was Ihnen spontan dazu einfällt.

1

2

3

4

5

6

7

8

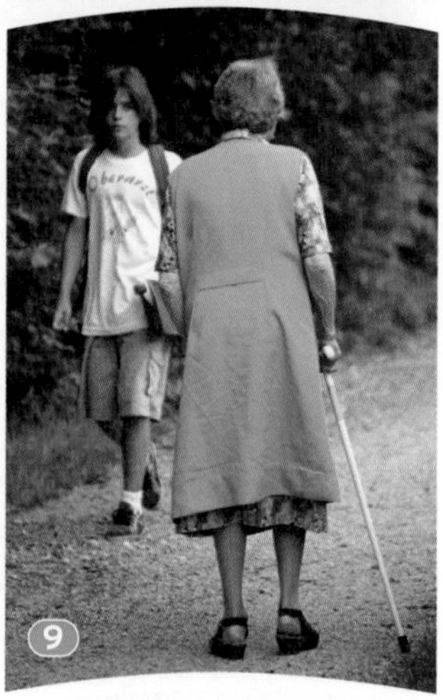

9

b. Lesen Sie Ihre Notizen im Kurs vor und vergleichen Sie, was die anderen notiert haben.

c. Wählen Sie nun zu zweit ein Foto aus. Erfinden Sie ein Gespräch dazu und schreiben Sie es auf.

Sie können sich an den folgenden Fragen orientieren:

- Wer sind die Personen?
- Wo sind sie? / In welcher Situation begegnen sie sich?
- Kennen sie sich oder sind sie einander fremd?
- Was tun sie gerade?
- Kommen sie überhaupt miteinander in Kontakt?
- Können sie sich sprachlich verständigen?
- Worüber reden sie? / Was sagen sie vielleicht?

d. Tragen Sie Ihren Text dann gemeinsam im Kurs vor.

5 Eine ungewöhnliche Begegnung

Schreiben Sie eine E-Mail. Berichten Sie einem Freund / einer Freundin darin von einer unerwarteten Begegnung. Schreiben Sie auch, wie es weiterging oder weitergehen könnte. Sie können ein wirkliches Erlebnis berichten oder eins erfinden.

Ich war / stand / ging gerade ...
Da kam ... auf mich zu / an mir vorbei ...
Plötzlich hielt er / sie an und ...
Natürlich habe ich (nicht) gleich ...
Dann sind / haben wir zusammen ...
Morgen / Am Wochenende wollen / werden wir ...

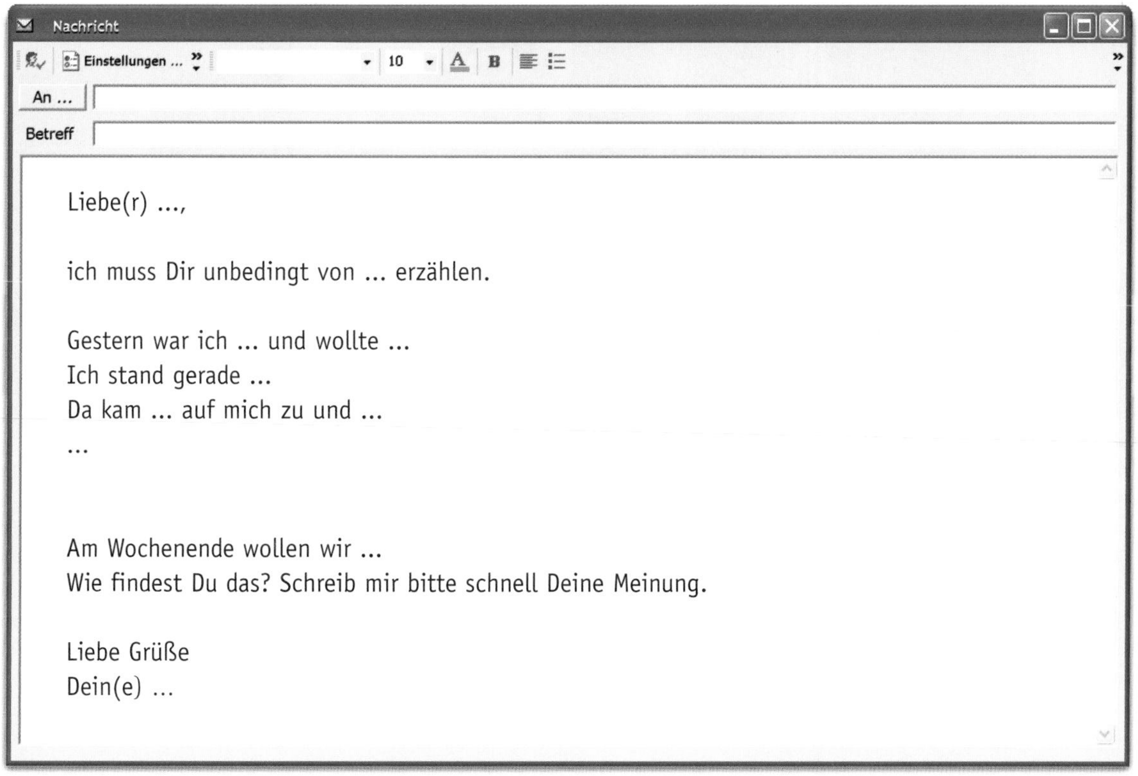

Nachricht

Einstellungen ... 10

An ...

Betreff

Liebe(r) ...,

ich muss Dir unbedingt von ... erzählen.

Gestern war ich ... und wollte ...
Ich stand gerade ...
Da kam ... auf mich zu und ...
...

Am Wochenende wollen wir ...
Wie findest Du das? Schreib mir bitte schnell Deine Meinung.

Liebe Grüße
Dein(e) ...

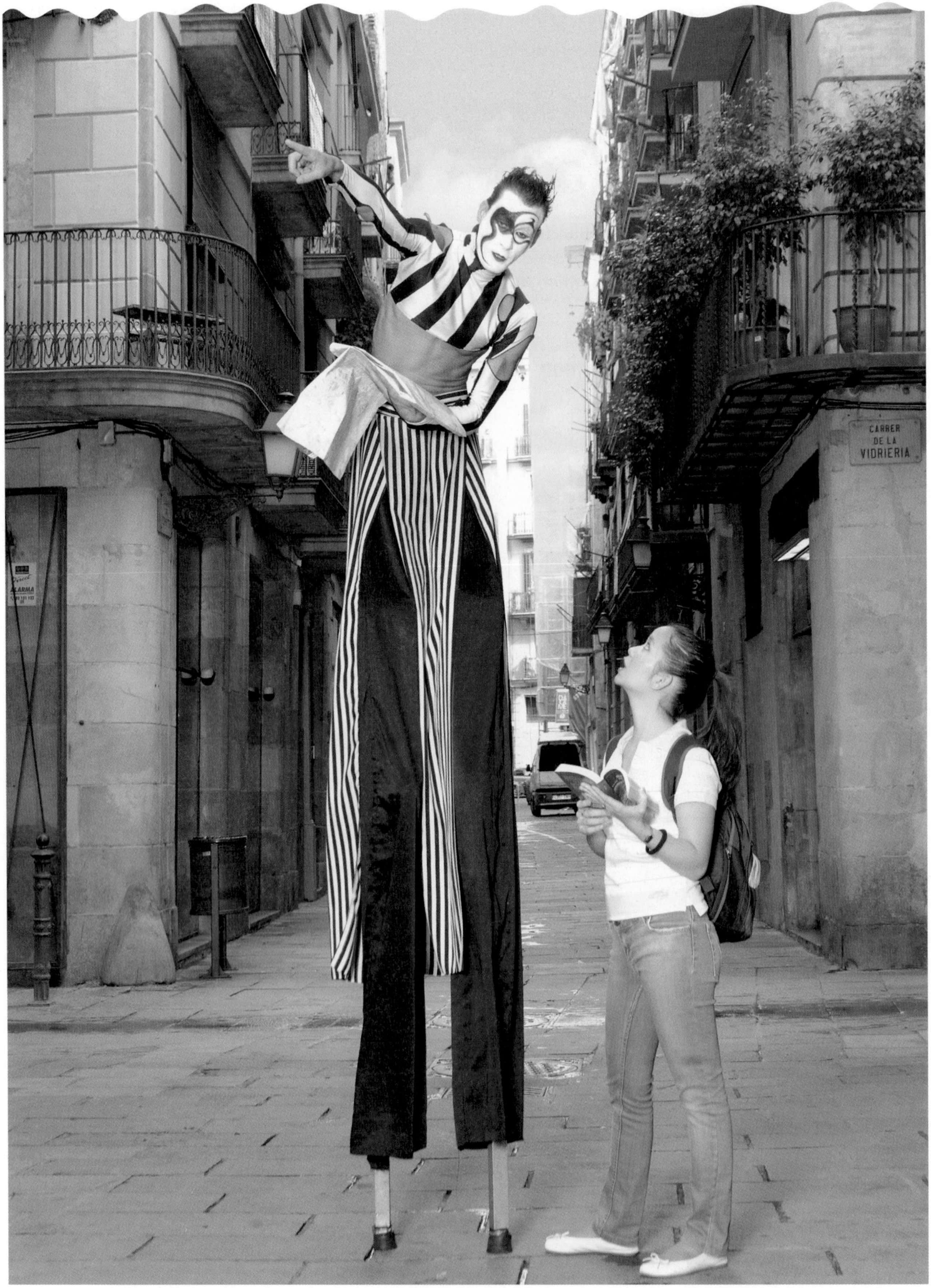
CARRER
DE LA
VIDRIERIA

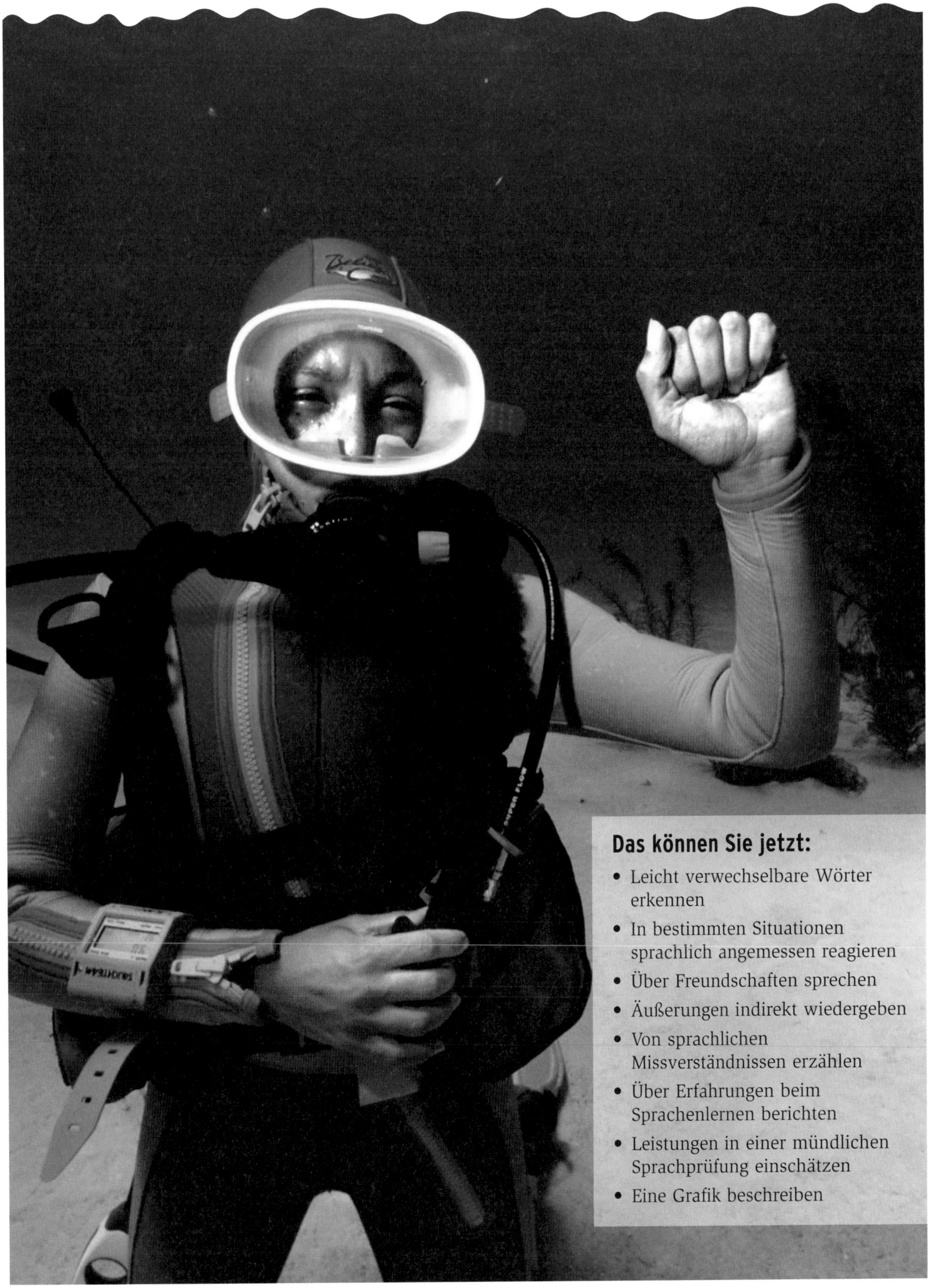

Das können Sie jetzt:

- Leicht verwechselbare Wörter erkennen
- In bestimmten Situationen sprachlich angemessen reagieren
- Über Freundschaften sprechen
- Äußerungen indirekt wiedergeben
- Von sprachlichen Missverständnissen erzählen
- Über Erfahrungen beim Sprachenlernen berichten
- Leistungen in einer mündlichen Sprachprüfung einschätzen
- Eine Grafik beschreiben

Wo ist die Bank? 3 | 30

⊙ Entschuldigen Sie bitte. Gibt es hier in der Nähe eine Bank?

◆ Eine Bank? Lassen Sie mich nachdenken. Also ganz in der Nähe gibt es keine Bank.

⊙ Man hat mir aber gesagt, sie sei ganz einfach zu finden.

◆ So? Zu welcher Bank wollen Sie denn?

⊙ Sie muss hier in der Nähe sein. Man hat mir gesagt, es gebe nur eine Bank.

◆ Aber nein, es gibt viele. Ich kenne mindestens sechs oder sieben.

⊙ Oh je, dann finde ich sie ja nie. Und ich bin gleich da verabredet.

◆ Sie haben einen Termin? Wissen Sie denn nicht, bei welcher Bank?

⊙ Nein, leider nicht. Ich war noch nie hier im Park.

◆ Hier im Park? Eine Bank hier im Park? Hier im Park gibt es keine Bank.

⊙ Sind Sie sicher?

◆ Ganz sicher.

***

◆ So was Verrücktes! Eine Bank im Park! Alle Banken sind doch in der Stadt.

***

⊙ Der hat doch keine Ahnung. Keine Bank im Park! In jedem Park gibt es Bänke!

Übungstest (B1)

Liebe Kursteilnehmerin, lieber Kursteilnehmer,

nun sind Sie am Ende von *Lagune 3* angekommen. Möchten Sie an dieser Stelle Ihre Deutschkenntnisse überprüfen? Hier finden Sie einen Übungstest mit vielen Prüfungsteilen sowie Tipps dazu.

Die Tipps finden Sie jeweils nach einem Prüfungsabschnitt unten auf der Seite. Sie können zuerst die Tipps lesen und im Anschluss die Aufgaben lösen.

In diesem Übungstest sind jeweils Zeitempfehlungen für die einzelnen Teile angegeben.

Die Hörtexte finden Sie auf der CD, die hinten im Buch eingelegt ist.

In einer Prüfung übertragen Sie alle Ihre Lösungen auf einen Antwortbogen, dafür haben Sie jeweils etwas Zeit. Bei diesem Übungstest tragen Sie Ihre Lösungen direkt ein.

	Teil		Zeit ca.
Lesen	**1**	Kurze Texte	**90 Min.**
	2	Längerer Text	
	3	Anzeigen	
Sprachbausteine	**1**	Kurzer Text (Brief oder Ähnliches)	
	2	Kurzer Text (Brief oder Ähnliches)	
Hören	**1**	Kurze Gespräche	**30 Min.**
	2	Längeres Gespräch	
	3	Kurze Texte	
Schreiben		Persönlicher oder halbformeller Brief	**30 Min.**
Sprechen	**1**	Kontaktaufnahme	**15 Min.**
	2	Gespräch über ein Thema	
	3	Gemeinsam eine Aufgabe lösen	

Lesen Sie zuerst die 10 Überschriften. Lesen Sie dann die 5 Texte und entscheiden Sie, welcher Text (1-5) am besten zu welcher Überschrift (a-j) passt. Sie dürfen jeden Text und jede Überschrift nur einmal verwenden. (Nur den Text aus dem Beispiel dürfen Sie noch einmal verwenden.)

Beispiel: Lottogewinner ließ sich Zeit
Lösung: Die Überschrift passt zu Text 1

1 **Münster** Der Gewinner des höchsten Jackpots und auch höchsten Einzelgewinns in der deutschen Lottogeschichte hat sich gemeldet. Es handelt sich um einen 41-jährigen Krankenpfleger. Erst zwei Tage nach der Ziehung rief er den Berater von WestLotto an. Der 37,6 Millionen Euro schwere Glückspilz meldete sich von seinem Arbeitsplatz aus. Er könne sich zum Gespräch mit dem Gewinnerbetreuer erst am späten Abend treffen, weil sein Dienst nun mal vorgehe. Auch als Multi-Millionär will er nämlich weiter arbeiten gehen.

2 **Oensingen** Der Polizei im Schweizer Kanton Solothurn ist bei einer Radarkontrolle auf der Autobahn A1 bei Oensingen ein ungewöhnlicher Schnappschuss gelungen. Ein Autofahrer fuhr mit 140 Kilometern pro Stunde nicht nur viel zu schnell, sondern war auch hinter den Akten, die er am Steuer studierte, gar nicht sichtbar. Der Mann musste eine Geldstrafe bezahlen und wurde außerdem beim zuständigen Untersuchungsrichteramt angezeigt.

3 **Cardiff** Auf eine besonders dreiste Weise hat ein Einbrecher in Großbritannien seine Tat begangen. Wie die Polizei mitteilte, reiste der etwa 20-jährige Mann mit dem Taxi in einem Vorort von Cardiff an. Er ließ den Fahrer während der Tat draußen warten. Als der Mann mit der Beute – einer Hifi-Anlage – weiterfahren wollte, weigerte sich der Taxifahrer jedoch und rief die Polizei. Die Suche nach dem Einbrecher hatte zunächst keinen Erfolg.

4 **London** Ein voll besetzter britischer Urlauberjet ist 800 Kilometer weit umgeleitet worden, damit Golfschläger für ein Prominententurnier eingeladen werden konnten. Die Maschine sollte eigentlich direkt von London nach Faro in Portugal fliegen, bog aber nach Manchester ab. Dort wurden nur 63 Taschen mit Golfschlägern an Bord genommen, die tags zuvor dort zurückgelassen worden waren. Mit fünfstündiger Verspätung landete die Maschine schließlich in Faro.

5 **Wien** Mit einem für die Bundeshauptstadt ungewöhnlichen Fall befasst sich die Wiener Kriminalpolizei: Gesucht wird ein Geldtransporter, der gestohlen worden ist. Der 31-jährige Fahrer hatte den Transporter vor einem Baumarkt abgestellt, um dort Geld abzuholen. Als er wieder zum Parkplatz zurückkehrte, war der Wagen spurlos verschwunden. Wie die Täter den verschlossenen Transporter stehlen konnten, ist rätselhaft. Wie viel Geld ihnen in die Hände gefallen ist, wurde nicht bekannt gegeben.

Welche Überschrift passt zu welchem Text? Ergänzen Sie jeweils die Nummer des Textes.

a. Ein Einbrecher wurde auf frischer Tat von der britischen Polizei gefasst.

b. In Wien wird ein vor einem Baumarkt gestohlener Geldtransporter gesucht.

c. Ein britischer Jet durfte nicht starten, weil man Golfbälle vergessen hatte.

d. Ein Mann war viel zu schnell mit dem Auto unterwegs und las dabei am Steuer.

e. Lottospieler will einen Großteil seines Gewinns an Krankenhäuser spenden.

f. Erst einige Tage nach seinem Gewinn meldete sich ein Spieler bei der Lotterie.

g. Nach einer Radarkontrolle wurde ein Autofahrer ins Gefängnis gebracht.

h. Geldtransporter-Fahrer holte Geld bei einem Baumarkt ab und verschwand spurlos.

i. Ein Flugzeug mit Urlaubern kam viel zu spät am Zielort an.

j. Ein etwa 20-jähriger Mann benutzte ein Taxi, um zum Einbruchsort zu kommen.

TIPPS

Es ist hilfreich, wenn Sie den ersten Teil des Prüfungsabschnitts *Lesen* zügig bearbeiten. Dann bleibt Ihnen mehr Zeit für die weiteren Aufgaben. Unterstreichen Sie in den Aufgaben a–j wichtige Wörter. Überfliegen Sie danach alle 5 Kurztexte. Wählen Sie dabei schon die beiden Überschriften aus, die sich auf einen bestimmten Text beziehen. Lesen Sie den jeweiligen Text dann noch einmal genauer und konzentrieren Sie sich dabei auf die inhaltlich wichtigen Punkte in den in Frage kommenden Überschriften. Prüfen Sie, welche Überschrift zum Inhalt passt. Beachten Sie, dass die Überschrift anders formuliert sein kann als der Wortlaut im Text.
Manchmal bietet sich auch ein alternativer Lösungsweg an: Wenn Sie sicher sind, dass eine bestimmte Überschrift nicht passt, muss die jeweils andere richtig sein. Markieren Sie auf jeden Fall eine Lösung.

Lesen Sie zuerst den folgenden Buchtipp.

Elke Heidenreich: Am Südpol, denkt man, ist es heiß.

Das stimmt natürlich nicht, denn, wie man weiß, gibt es dort nur Schnee und Eis. Dass es einem am Südpol aber trotzdem warm ums Herz werden kann, beschreibt Elke Heidenreich in einer musikalischen Reisegeschichte, die von Quint Buchholz mit fantasievollen Bildern illustriert wurde.

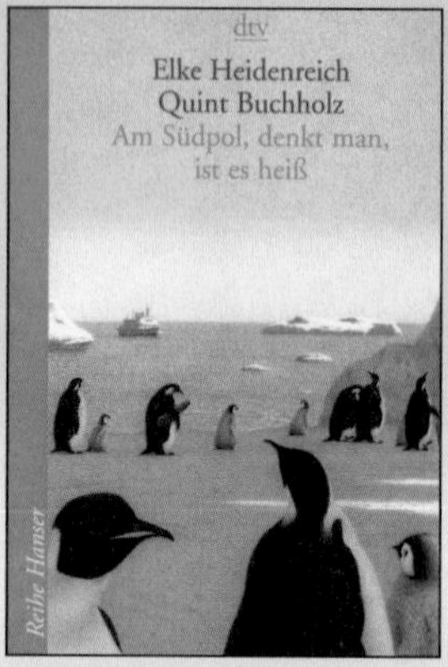

Am Anfang steht ein elegant gekleidetes Publikum im Eis und schaut geduldig zum Meer hinunter. Einer der Wartenden trägt einen Malerkoffer, ein anderer ist mit seinem bunten Regenschirm gekommen und einer hat seinen schwarzen Violinenkasten mitgebracht. Alle warten sie gespannt, denn bald soll ein Schiff ankommen, das eine seltene und kostbare Ladung an Bord hat. Schließlich werden sie für ihre Geduld belohnt: Das Opernschiff aus Wien ist da und hat diesmal drei weltberühmte Tenöre mitgebracht. Und die Pinguine dürfen als Gäste an Bord kommen. Gespielt wird Verdis Oper „La Traviata".

In einer witzigen Erzählung lässt uns die Autorin an einer ungewöhnlichen Begegnung in der Musikwelt teilnehmen: Die Welt der Oper begibt sich unter die kunstverständigen Pinguine, die bei der Aufführung genauso fasziniert sind wie die Sänger selbst. Schließlich aber ist der letzte Ton verklungen und alle Gäste gehen mit einem tiefen Sprung von Bord. Und schon jetzt warten sie darauf, dass das Schiff bald zurückkehrt, mit „Aida" beim nächsten Mal.

Ein Buch nur für Kinder? Natürlich können Eltern ihren Kindern daraus vorlesen. Dass Eltern ihren Kindern Bücher vorlesen, ist bestimmt auch im Sinn von Elke Heidenreich. Sie ist als Radio- und Fernsehjournalistin bekannt geworden und setzt sich als Vorlese-Botschafterin der Stiftung Lesen dafür ein, dass vor allem junge Menschen sich wieder mehr mit Büchern beschäftigen.

Aber sicherlich ist es allen erwachsenen Lesern zu empfehlen. Nicht nur die witzigen Verse, sondern auch die humorvollen Illustrationen sind ein Genuss für kleine und große Leseratten. Und bei der Lektüre wird mancher ins Träumen kommen und sich wünschen, die Menschen wären so freundlich zueinander wie diese Pinguine.

Lösen Sie die fünf Aufgaben (6–10) zum Text. Entscheiden Sie, welche Lösung (a, b oder c) richtig ist. Die Reihenfolge der einzelnen Aufgaben folgt nicht immer der Reihenfolge des Textes.

6

a Für die Pinguine hat es sich gelohnt, so lange auf die drei Tenöre zu warten.

b Obwohl die Sänger es nicht erwartet haben, belohnt sie das Publikum.

c Die Pinguine führen mit den Sängern eine Oper auf und werden dafür belohnt.

7

a Aus Versehen ist ein falscher Titel auf das Buch gedruckt worden.

b Die Geschichte zeigt, dass es Herzlichkeit auch am Südpol gibt.

c Die Geschichte beschreibt, dass am Südpol die Temperaturen gestiegen sind.

8

a Es handelt sich um ein Buch, das allein Kinder anspricht.

b Das Buch ist in erster Linie erwachsenen Lesern zu empfehlen.

c Sowohl für Erwachsene als auch für jugendliche Leser und Kinder ist das Buch geeignet.

9

a Obwohl das Publikum fasziniert ist, besitzt es kein Verständnis für Kunst.

b Die Opernaufführung spricht die Gefühle des Publikums an.

c Bevor die Aufführung beendet ist, muss das Publikum leider Abschied nehmen.

10

a Die Autorin findet es gut, wenn Eltern und Kinder sich gemeinsam mit Büchern beschäftigen.

b Die Autorin liest nur Erwachsenen mit Kindern aus ihren Büchern vor.

c Die Autorin setzt sich vor allem dafür ein, dass Väter mehr Zeit mit den Kindern verbringen.

TIPPS

Sie sollen bei diesem Prüfungsabschnitt einen Text detailliert lesen, d.h. bei der Bearbeitung der Aufgaben zeigen, dass Sie Einzelheiten verstanden haben. Markieren Sie bei der Lektüre wichtige Wörter. Lesen Sie dann die Aufgaben. Es kann sein, dass diese nicht genau der Abfolge im Text entsprechen. Ordnen Sie in diesem Fall die Aufgabenblöcke zuerst den einzelnen Textabschnitten zu. Achten Sie besonders auf die Unterschiede bei jeweils drei zusammengehörenden Aussagen. Stellen Sie anschließend fest, welche Aussage am besten zum Inhalt eines Textabschnittes passt. Die Aussage kann mit anderen Worten formuliert sein, als es im Text ausgedrückt ist. Vergessen Sie nicht, auf jeden Fall eine Lösung zu jeder Aufgabe einzutragen.

Lesen Sie zuerst die folgenden 10 Aufgaben (11–20) und dann die 12 Anzeigen (a–l). Welche Anzeige passt zu welcher Situation? Sie können jede Anzeige nur einmal verwenden. (Die Anzeige aus dem Beispiel können Sie noch einmal verwenden.) Es ist auch möglich, dass es keine passende Anzeige gibt. Markieren Sie in diesem Fall mit 0.

Beispiel:

0.1 Sie suchen Hilfe bei der Korrektur schriftlicher Arbeiten. Anzeige [a]

0.2 Sie möchten in Berlin studieren und suchen eine Studienberatung. Anzeige [0]

11 Sie suchen eine günstige Fahrtmöglichkeit nach Berlin. [ ]

12 Sie möchten Samstagabend ausgehen und suchen ein Lokal mit Live-Musik. [ ]

13 Sie sind auf der Suche nach einem Fallschirmspringkurs. [ ]

14 Sie haben im Studienfach Biologie eine schriftliche Arbeit getippt und möchten sie übersetzen lassen. [ ]

15 Sie möchten Möbel transportieren und dazu einen Lastwagen leihen. [ ]

16 Sie brauchen Hilfe bei einer Examensarbeit und suchen jemanden für die Korrektur. [ ]

17 Sie haben ein Visum beantragt und möchten für Ihren Aufenthalt im Ausland eine Krankenversicherung abschließen. [ ]

18 Sie möchten ein erholsames und gesundes Wochenende in einem Hotel verbringen. [ ]

19 Sie möchten ein Menü inklusive Nachtisch nach Hause liefern lassen. [ ]

20 Ihr Motorrad ist kaputt. Sie suchen eine gute Reparaturwerkstatt. [ ]

TIPPS

Lesen Sie zuerst die Aufgaben und unterstreichen Sie wichtige Wörter. Sie können sich dabei an folgenden Leitfragen orientieren: Was wird gesucht? Was genau sind die Interessen bzw. Wünsche? Lesen Sie dann die Anzeigen. Falls zwei Möglichkeiten als Lösung für eine Aufgabe in Frage kommen, vergleichen Sie die Angebote in den Anzeigen genau mit den Interessen bzw. Wünschen. Zu jeder Aufgabe gibt es nur eine richtige Lösung. Es kann auch sein, dass es zu einer bestimmten Aufgabe keine passende Anzeige gibt. Markieren Sie in diesem Fall mit **0**.

a

Sprachwissenschaftler korrigiert Ihre Promotions- oder Examensarbeiten und andere wissenschaftliche Texte.
Schnell, exakt, preiswert
Kontakt: promkorrekt@hotmail.com

b

Profi in 6 Sprachen übersetzt zuverlässig und kompetent wissenschaftliche Fachtexte (keine naturwissenschaftlichen Arbeiten).
Tel. 0166/123456

c

Piano-Bar Atlantis
wieder geöffnet
Sandwiches, Salate
gepflegte Weine
Am Wochenende
spielt für Sie: Antonio
Tischreservierungen
unter 332972

d

Spedition Wacker
Umzüge und Transporte aller Art
Ab sofort auch Verleih von Transportern an privat
Tel: 55 77 55

e

Restaurant – Pizzeria Calabria
Tagesmenü von Mo–Fr
Alle Gerichte auch zum Mitnehmen.
Wir bringen Ihre Bestellungen auch gern zu Ihnen. Tel. 38 75 24

f

Luftreisen GmbH
Sie werden aus allen Wolken fallen! Neue Kurse für Anfänger und Fortgeschrittene.
professionelle Betreuung
Fallschirm u. Ausrüstung werden gestellt *indieluft@gmx.net*

g

Rund ums Rad
Ihr Fahrrad-Fachgeschäft
mit der freundlichen Beratung und dem günstigen Reparaturservice Tel: 7 00 03

h

Nichts wie weg?
Mit uns immer günstig unterwegs:
Mitfahrzentrale
(Frankfurt – Berlin nur 30 Euro)
Infos unter www.mfz.eu

i

Yoga-Zentrum
Entdecken Sie eine Oase der Ruhe mitten im Stadtzentrum.
Jetzt auch Yogakurse am Wochenende.
www.oasenstille.de

j

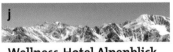

Wellness-Hotel Alpenblick
Aktiv-Erholungswochenende
(250 Euro pro Person)
www.erholungaktiv.eu

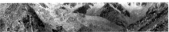

k

Fair versichert!
Maklerbüro vermittelt Versicherungen aller Art.
Kostenloses Angebot und Preisvergleich.
Tel. 0180-88 44 22

l

ZWEIRAD-MAYER
Ihr Spezialist für Mofas, Motorroller, Motorräder
Sonderangebote für die neue Saison
kompetenter Werkstattservice
Ersatzteil-Express-Service
Industriegebiet
Kruppstr. 22

Lesen Sie den folgenden Text und entscheiden Sie, welches Wort (a, b oder c) in die Lücken 21-30 passt. Schreiben Sie die Lösung direkt in die jeweilige Lücke.

Neue E-Mail

Senden Anhang Adressen Schriften Als Entwurf sichern

An:

Betreff:

Hallo Michael,

entschuldige bitte, (**21**) .... ich mich erst jetzt wieder (**22**) .... Dir melde. Wie geht es Dir? Studierst Du immer noch fleißig (**23**) .... hast Du jetzt wirklich Semesterferien? Ich bin noch in Madrid. In den letzten Monaten habe ich mich intensiv auf meine Prüfungen an der Uni (**24**) .... und mit einem (**25**) .... Ergebnis bestanden. Jetzt habe ich endlich wieder Zeit. Ich will bald nach Deutschland (**26**) .... und würde Dich natürlich gern besuchen, (**27**) .... es geht. Wirst du im August zu Hause sein? Es (**28**) .... schön, Dich wieder zu sehen. Ruf mich doch (**29**) .... mal an. Ich (**30**) .... die schöne Zeit an der Uni in Gießen.

Dein(e) ...

21	a obwohl	b dass	c ob
22	a zu	b nach	c bei
23	a entweder	b oder	c zwar
24	a vorbereitet	b zubereitet	c angefangen
25	a überraschten	b erstaunten	c überraschenden
26	a kommen	b bleiben	c wohnen
27	a als	b wann	c wenn
28	a war	b wäre	c werden
29	a einfach	b bloß	c fast
30	a verpasse	b vermisse	c wünsche

TIPPS

Überfliegen Sie zuerst den Text und überlegen Sie, welche Wörter Sie in die Lücken ergänzen würden. Lesen Sie dann jeden Satz noch einmal genau und wählen Sie das passende Wort aus dem Lösungskasten aus.
Es ist hilfreich, nicht nur den Lösungsbuchstaben, sondern das ganze Lösungswort in die Lücken zu schreiben. So können Sie am Schluss noch einmal den kompletten Text durchlesen. Prüfen Sie dabei nicht nur, ob die Sätze grammatisch korrekt sind, sondern auch, ob sie inhaltlich sinnvoll sind.

Lesen Sie den folgenden Text und entscheiden Sie, welches Wort aus dem Kasten (a-j) in die Lücken 31-40 passt. Sie können jedes Wort im Kasten nur einmal verwenden.

Reklamation

All-Touristik, Pauschalreise Nr. 187-206 vom 25. August - 1. September

Sehr geehrte Damen und Herren,

von der bei Ihnen (**31**) .... Reise bin ich wieder zurück. Ich möchte mich jedoch über einige wirklich unangenehme Punkte beschweren.
Das Hotel sollte angeblich (**32**) .... einem ruhigen Platz liegen.
Von Ruhe allerdings war dort keine Spur, (**33**) .... es gab eine sehr laute Baustelle, (**34**) .... den ganzen Tag gearbeitet wurde, sogar am Samstag. Außerdem war eine Diskothek in der Nähe, (**35**) .... der nachts laute Musik (**36**) .... hören war.
Der Transfer zum Hotel war auch nicht gut (**37**) .... Am Flughafen mussten wir lange auf den Bus (**38**) .... und waren erst nach vier Stunden in unserem Zimmer.
Ebenfalls schlecht geplant waren die (**39**) ...., die von Ihrem (**40**) .... angeboten wurden.
Aus den genannten Gründen bitte ich um eine Erstattung von 20 % der Reisekosten.

Mit freundlichen Grüßen

a. wo	**e.** gebuchten	**h.** Ausflüge
b. zu	**f.** Unternehmen	**i.** denn
c. warten	**g.** von	**j.** organisiert
d. an		

TIPPS

Lesen Sie zuerst den Text schnell durch und überlegen Sie dabei, welche Wörter passen könnten. Schauen Sie dann die Wörter im Kasten an und entscheiden Sie, welches Wort jeweils am besten in einen bestimmten Satz passt. Tragen Sie zuerst die Lösungen ein, die Sie ganz sicher wissen, denn eine falsche Lösung zieht bei dieser Aufgabe weitere Fehler nach sich. Ordnen Sie dann die restlichen Wörter zu. Probieren Sie jeweils beim Ergänzen, ob der Satz mit Ihrer Lösung einen Sinn ergibt und auch grammatisch korrekt ist. Wenn Sie außer dem Lösungsbuchstaben auch die Wörter in die Lücken schreiben, können Sie am Ende Ihren Text noch einmal als Ganzes durchlesen und dabei vielleicht noch Fehler entdecken.

Sie hören nun fünf kurze Texte. Dazu sollen Sie fünf Aufgaben lösen.
Sie hören diese Texte nur **ein**mal. Bei jeder Aufgabe sollen Sie feststellen:
Habe ich das im Text gehört oder nicht? Wenn ja, markieren Sie beim
Hören **R** = richtig, wenn nein, markieren Sie **F** = falsch. Lesen Sie zuerst
die Aufgaben 41–45. Sie haben dazu 30 Sekunden Zeit.

3 | 31 — 40

Aufgaben

41 Die Person schaut sich regelmäßig Sportsendungen im Fernsehen an. [R] [F]

42 Die Person sieht am liebsten Musiksendungen im Fernsehen. [R] [F]

43 Die Person interessiert sich sehr für die Fernsehnachrichten. [R] [F]

44 Die Person mag Heimatfilme am liebsten. [R] [F]

45 Die Person hat ihr Fernsehgerät abgemeldet. [R] [F]

TIPPS

Sie haben 30 Sekunden Zeit, zuerst die Aufgaben zu lesen. Markieren Sie dabei die inhaltlich wichtigen Wörter. Danach hören Sie 5 kurze Gespräche, z. B. Antworten auf Interviewfragen. Diese hören Sie nur **ein**mal. Deshalb ist es wichtig, dass Sie sich beim Hören darauf konzentrieren, ob die Aussagen inhaltlich zu den kurzen Gesprächen passen oder nicht. Kreuzen Sie in den Kästchen die jeweiligen Lösungen an (R oder F). Tragen Sie, auch wenn Sie sich nicht ganz sicher sind, auf jeden Fall eine Lösung ein. Konzentrieren Sie sich dann auf die nächste Meldung.

Sie hören nun ein Gespräch. Dazu sollen Sie zehn Aufgaben lösen. Sie hören das Gespräch **zwei**mal. Bei jeder Aufgabe sollen Sie feststellen: Habe ich das im Text gehört oder nicht? Wenn ja, markieren Sie beim ersten Hören oder danach **R** = richtig, wenn nein, markieren Sie **F** = falsch. Lesen Sie zuerst die Aufgaben 46 – 55. Sie haben dazu 60 Sekunden Zeit.

3 | 32   41

46	Herr Hauser spielt manchmal auf der Bühne mit.	R	F
47	Er ist am Theater verantwortlich für die Sicherheit und den Schutz vor Bränden.	R	F
48	Es gab einmal einen Zwischenfall, weil eine Decke gebrannt hat.	R	F
49	Herr Hauser verbringt seine Dienstzeit zum größeren Teil im Zuschauerraum.	R	F
50	Er sagt, man könne hinter dem Vorhang das Theater auf sehr direkte Weise erleben.	R	F
51	Herr Hauser mag seine Arbeit sehr und ist auch mit Schauspielern befreundet.	R	F
52	Das Theaterpraktikum hat der Tochter von Herrn Hauser nicht immer Spaß gemacht.	R	F
53	Herr Hauser arbeitet in der Regel am städtischen Theater.	R	F
54	Er kann bald sein 20-jähriges Arbeitsjubiläum feiern.	R	F
55	Herr Hauser wird sich im Ruhestand lieber mit anderen Dingen als dem Theater beschäftigen.	R	F

TIPPS

Lesen Sie in der Vorbereitungszeit (60 Sekunden) die Aufgaben und unterstreichen Sie dabei wichtige Wörter. Um welches Thema geht es wohl im Hörtext? Was wissen Sie über dieses Thema?
Versuchen Sie, schon beim ersten Hören die zutreffende Lösung zu finden. Markieren Sie die Aufgaben, bei denen Sie unsicher sind, z. B. durch einen kleinen Punkt. Beim zweiten Hören können Sie Ihre Lösungen überprüfen und sich besonders auf die Aufgaben konzentrieren, die Sie noch nicht klar lösen konnten.

Sie hören jetzt fünf kurze Texte. Sie hören diese Texte **zwei**mal. Dazu sollen Sie fünf Aufgaben lösen. Bei jeder Aufgabe sollen Sie feststellen: Habe ich das im Text gehört oder nicht? Wenn ja, markieren Sie beim ersten Hören oder danach **R** = richtig, wenn nein, markieren Sie **F** = falsch.

3 | 33   42

56	Es gibt eine größere Baustelle. Deshalb ist die Straße vollständig gesperrt.	R	F
57	Alle Ämter im Rathaus bleiben am Freitag wegen einer Betriebsversammlung geschlossen.	R	F
58	Der Termin ist auf 15.30 Uhr verschoben worden.	R	F
59	Dem Kunden wird ein neues Handy mit Vertrag angeboten.	R	F
60	Durch Fensterputzen verbraucht man mehr als 200 Kalorien pro Stunde.	R	F

TIPPS

Sie hören fünf kurze Texte (z. B. Nachrichten, Durchsagen usw.). Unterstreichen Sie wichtige Wörter in den Aufgaben. Achten Sie dann beim Hören darauf, ob die Informationen eines bestimmten Hörtextes inhaltlich einer bestimmten Aussage entsprechen. Sie hören den Text, nachdem er ein erstes Mal vorgespielt wurde, direkt im Anschluss noch einmal. Überprüfen Sie dabei Ihre Lösung. Achten Sie dabei besonders auf bestimmte Angaben, beispielsweise zu Zeit, Ort, Richtung, Menge usw.

Nehmen Sie an, Sie bekommen folgende E-Mail von einem Freund/einer Freundin.

Neue E-Mail

Senden | Anhang | Adressen | Schriften | Als Entwurf sichern

An:

Betreff:

Liebe(r) ...,

wie geht es Dir? Entschuldige bitte, dass ich mich erst jetzt wieder bei Dir melde. Ich hatte einfach ziemlich viel zu tun. Letzte Woche habe ich die ganze Wohnung neu gestrichen. Ich hätte nicht gedacht, dass das so viel Arbeit ist. Mein Schreibtisch steht zwar wieder am Platz, aber obendrauf gibt es noch ein großes Durcheinander.
Ich bin total im Stress, weil ich Ende nächster Woche eine Klausur an der Fachhochschule schreiben muss.
Ich weiß ehrlich nicht, wie ich die Vorbereitung schaffen soll.
Ich versuche, täglich fünf Stunden lang zu lernen, aber ich komme nicht richtig voran. Oft kann ich mich nicht gut konzentrieren. Dann mache ich eine Pause. Dabei fällt mir meistens auf, was noch alles in der Wohnung zu machen ist, und ich beginne Bilder aufzuhängen oder räume irgendwas auf. Manchmal kommen auch andere Dinge dazwischen: Freunde rufen an oder kommen spontan vorbei. Am Wochenende wollen auch noch meine Eltern zu Besuch kommen!
Kannst Du mir nicht ein paar Tipps geben, wie ich es schaffen kann, mich trotz allem schnell und gut auf die Klausur vorzubereiten? Du lernst doch auch ständig, hast aber neben der Uni immer noch viel Freizeit.
Wie machst du das?

Ich wäre Dir wirklich dankbar, wenn Du mir bald antworten könntest.

Es grüßt Dich herzlich
Dein(e) ...

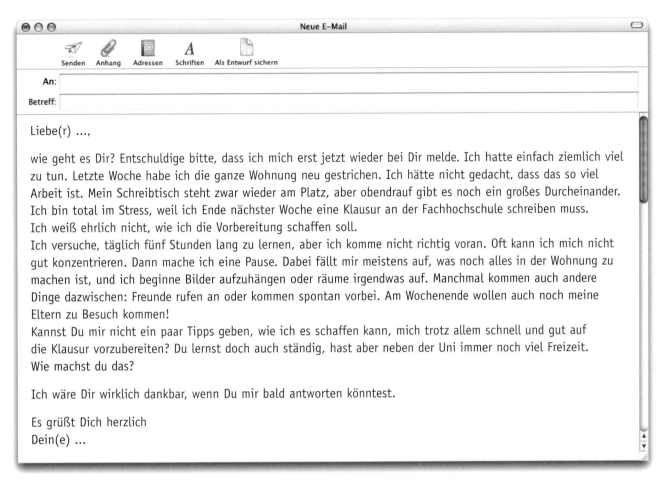

Antworten Sie Ihrem Freund/Ihrer Freundin. Sie haben für das Schreiben 30 Minuten Zeit. Gehen Sie in Ihrer E-Mail auf die vier folgenden Punkte ein. Überlegen Sie sich dabei eine passende Reihenfolge der Punkte. Vergessen Sie nicht Datum und Anrede und schreiben Sie auch eine passende Einleitung und einen passenden Schluss.

- Vorschläge für die Zeitplanung machen
- darüber berichten, womit Sie gerade beschäftigt sind
- Ratschläge für konzentriertes Lernen geben
- Tipps für den Umgang mit Stresssituationen geben

TIPPS

Lesen Sie zuerst den Text, auf den Sie antworten sollen. Markieren Sie dabei inhaltlich zentrale Wörter und Ausdrücke. Finden Sie dann eine passende Reihenfolge der Leitpunkte. Sie können sich dabei am vorgegebenen Text orientieren. Machen Sie sich vor dem Schreiben zu jedem Punkt kurze Notizen. Beginnen Sie dann mit Anrede und Datum und schließen Sie eine passende Einleitung an. Schreiben Sie zu allen Leitpunkten mindestens 3–4 Sätze. Möchten Sie Ihren Text am Ende noch einmal überprüfen bzw. abschreiben? Planen Sie in diesem Fall genügend Zeit dafür ein.

Eine mündliche Prüfung kann als **Einzel**- oder als **Paarprüfung** durchgeführt werden. Bei einer Einzelprüfung übernimmt eine/r der Prüfenden die Rolle des Gesprächspartners, bei einer **Paarprüfung** ist ein anderer Prüfungskandidat Ihr Gesprächspartner.

Teil 1: Kontaktaufnahme

In diesem Prüfungsteil sprechen Sie kurz über sich selbst, z. B. über Ihre Ausbildung, Ihre Familie usw. In der **Einzelprüfung** ist ein Prüfender Ihr Gesprächspartner, bei der **Paarprüfung** ist es ein anderer Prüfungskandidat / eine andere Prüfungskandidatin.
Am Ende wird Ihnen noch eine weitere Frage gestellt, die nicht auf der Vorlage steht. Bei der Einzelprüfung kommt diese Frage von einem/r Prüfenden, bei der Paarprüfung von Ihrem Prüfungspartner / Ihrer Prüfungspartnerin.

In der Einzelprüfung wird ein Prüfender Fragen zu den unten stehenden Punkten an Sie richten. Bei einer Paarprüfung führen Sie mit Ihrem Partner / Ihrer Partnerin ein kurzes Gespräch darüber,

- wie er / sie heißt,
- woher er / sie kommt,
- wo er / sie wohnt,
- wie lange er / sie schon da wohnt,
- wie er / sie wohnt (Wohnung, Haus ...),
- was er / sie in der Freizeit macht,
- ob er / sie schon im Ausland war.

TIPPS

Die „Kontaktaufnahme" können Sie mit einem Partner / einer Partnerin im Kurs üben. Überlegen Sie sich, was Sie zu den einzelnen Punkten sagen können, und machen Sie sich Notizen.
Um sich auch auf die zusätzliche Frage vorzubereiten, können Sie zum Beispiel darüber sprechen, welche Schulen / Hochschulen Ihr Partner / Ihre Partnerin besucht hat, welche Pläne er / sie für die Zukunft hat, welche Sprachen er / sie spricht oder welche Sprachen er / sie vielleicht noch lernen möchte. Sammeln Sie zur Vorbereitung auch weitere Fragen und stellen Sie diese Ihrem Partner / Ihrer Partnerin.

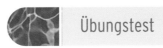

Teil 2: Gespräch über ein Thema

Berichten Sie einem/r Prüfenden bzw. Ihrem Prüfungspartner/Ihrer Prüfungspartnerin kurz über die wichtigen Informationen des ersten Schaubilds und des dazugehörenden Textes. Danach berichtet Ihnen ein Prüfender/eine Prüfende bzw. Ihr Prüfungspartner/Ihre Prüfungspartnerin über die Informationen des zweiten Schaubilds.

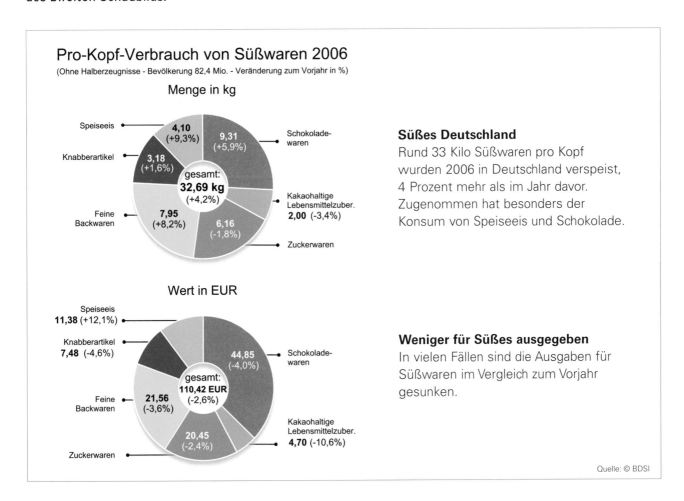

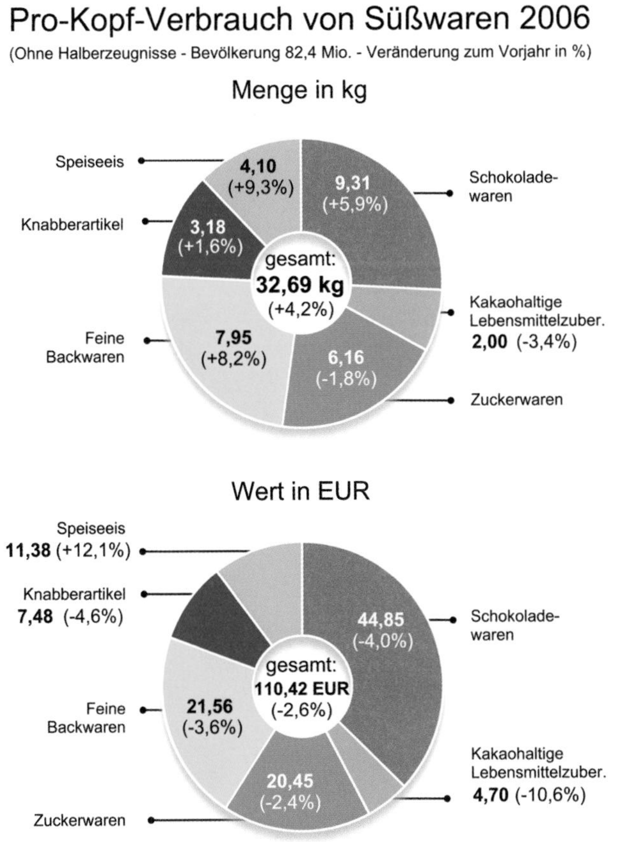

Süßes Deutschland
Rund 33 Kilo Süßwaren pro Kopf wurden 2006 in Deutschland verspeist, 4 Prozent mehr als im Jahr davor. Zugenommen hat besonders der Konsum von Speiseeis und Schokolade.

Weniger für Süßes ausgegeben
In vielen Fällen sind die Ausgaben für Süßwaren im Vergleich zum Vorjahr gesunken.

Quelle: © BDSI

TIPPS

Sehen Sie sich das Schaubild gut an. Überlegen Sie, was Sie dem Prüfenden bzw. Ihrem Partner/Ihrer Partnerin darüber berichten können. Als Hilfe bei der Vorbereitung können Sie mit den verschiedenen Grafiken im Kursbuch *Lagune 3* (z. B. Seite 66 oder 167) üben. Sie können auch Grafiken, z. B. aus der Zeitung oder aus dem Internet, verwenden. Nennen Sie am Anfang das Thema der Grafik. Gehen Sie dann auf die wichtigen Informationen ein. Sie können Zahlenangaben auch ungefähr angeben *(etwa, cirka, etwas über/unter)*.
Als weitere Anregung zum Üben können Sie sich an folgenden Fragen orientieren: Zeigt die Grafik bestimmte Entwicklungen? Gibt es Höchst- bzw. Tiefstwerte? Welchen Zeitraum umfasst die Grafik bzw. von wann stammt die Grafik? Was ist Ihre Meinung zum Thema? Wie würde eine vergleichbare Grafik für Ihr Heimatland aussehen? Fragen Sie auch Ihre Partnerin/Ihren Partner nach ihrer/seiner Meinung zu Ihrer Vorlage.

Teil 3: Gemeinsam eine Aufgabe lösen

Sie möchten mit Freunden einen Tagesausflug zu einer touristisch attraktiven Stadt machen. Überlegen Sie, was für die Organisation wichtig ist und wer welche Aufgaben übernimmt. Planen Sie dann in einem Gespräch Ihre Reise gemeinsam. Bei der **Einzelprüfung** ist eine Prüfende / ein Prüfender Ihre Gesprächspartnerin / Ihr Gesprächspartner, bei der **Paarprüfung** sprechen Sie mit einem anderen Prüfungskandidaten. Gehen Sie im Gespräch auf die folgenden Punkte ein:

- Reisetermin
- Reiseverbindungen und Fahrkarten
- Treffpunkt
- Gebäude / Orte / Plätze, die besichtigt werden sollen
- Essen und Getränke
- Übernachtung

TIPPS

Lesen Sie die Aufgabe und machen Sie sich Notizen zu den einzelnen Punkten, zu denen Sie im anschließenden Gespräch Vorschläge äußern sollen. Gehen Sie auch auf Vorschläge Ihrer / Ihres Prüfenden bzw. Ihrer Prüfungspartnerin / Ihres Prüfungspartners ein und sagen Sie Ihre Meinung dazu. Sie sollten immer versuchen, im Gespräch eine gemeinsame Lösung für alle Punkte zu finden.

Lösungen zum Übungstest Zertifikat (B1)

Lesen	Teil 1	**b:** 5, **d:** 2, **f:** 1, **i:** 4, **j:** 3
	Teil 2	**6:** a, **7:** b, **8:** c, **9:** b, **10:** a
	Teil 3	**11:** h, **12:** c, **13:** f, **14:** 0, **15:** d, **16:** a, **17:** k, **18:** j, **19:** e, **20:** l
Sprachbausteine	Teil 1	**21:** b, **22:** c, **23:** b, **24:** a, **25:** c, **26:** a, **27:** c, **28:** b, **29:** a, **30:** b
	Teil 2	**31:** e, **32:** d, **33:** i, **34:** a, **35:** g, **36:** b, **37:** j, **38:** c, **39:** h, **40:** f
Hören	Teil 1	**41:** r, **42:** f, **43:** f, **44:** r, **45:** r
	Teil 2	**46:** f, **47:** r, **48:** f, **49:** f, **50:** r, **51:** r, **52:** f, **53:** r, **54:** r, **55:** f
	Teil 3	**56:** f, **57:** r, **58:** f, **59:** f, **60:** r
Schreiben		**Lösungsbeispiel**

Lieber Leon,

danke für Deine E-Mail, die ich gestern Abend bekommen habe. Ich wollte Dir eigentlich gleich antworten, aber ich war zu müde. Ich lerne gerade selbst für eine mündliche Prüfung. Sie ist schon in zwei Wochen, und ich habe noch unglaublich viel zu lesen.

Wenn die Zeit für das Lernen knapp ist, muss man den Tag genau planen. Ich stehe zum Beispiel früh auf und sitze jeden Tag schon um acht Uhr morgens am Schreibtisch. Bestimmt weißt Du schon, zu welchen Zeiten Du am besten lernen kannst. Nutze diese Zeiten so gut wie möglich.

Natürlich sind feste und regelmäßige Arbeitszeiten sehr wichtig. Aber Du brauchst auch unbedingt kleine Pausen, nachdem Du ein paar Stunden intensiv gelernt hast. Danach kannst Du Dich wieder besser konzentrieren.

Du schreibst, in Deiner Wohnung gibt es noch viel zu tun. Das kann ich gut verstehen. Trotzdem würde ich Dir raten: Lass diese Dinge einfach liegen. Die kannst Du auch nach der Prüfung erledigen. Die Hauptsache ist, dass Du erst einmal Deinen Schreibtisch aufräumst. Dann ist wenigstens an Deinem Arbeitsplatz alles ordentlich.

Zu Deinem letzten Punkt: Du schreibst, Du wirst beim Lernen durch Anrufe oder Besuche gestört. Dieses Problem kannst Du lösen: Du solltest einfach nicht ans Telefon gehen, wenn es klingelt. Ruf doch in Deiner Freizeit zurück. Und wenn Freunde spontan vorbeikommen, kannst Du ihnen sagen, dass Du dringend lernen musst. Du kannst Dich ja nach der Prüfung mit ihnen treffen. Sicher findest Du auch mit Deinen Eltern einen anderen Termin für einen Besuch.

Ich hoffe, meine Tipps können Dir helfen. Lass mich wissen, wie Du vorankommst.

Ich grüße Dich herzlich

Dein Martin

Sprechen	Teil 1	siehe Tipps
	Teil 2	siehe Tipps
	Teil 3	siehe Tipps

Grammatik-Übersicht

In dieser Übersicht finden Sie die in *Lagune* Band 3 gelernte Grammatik in systematischer Zusammenstellung. Wenn Sie die Grammatik von *Lagune* 3 gerne pro Lerneinheit lernen wollen, finden Sie im Arbeitsbuch nach jeder Lerneinheit die neuen Grammatikthemen sowie weitere Einzelheiten und Sonderfälle.

Nomen

§ 1 Nomen aus Adjektiven oder Partizipien

a. Nomen = Adjektiv / Partizip

Adjektiv	*Nomen*	*Adjektiv*	*Nomen*
der fremd**e** Mann	**der** Fremd**e**	**ein** fremd**er** Mann	**ein** Fremd**er**
die fremd**e** Frau	**die** Fremd**e**	**eine** fremd**e** Frau	**eine** Fremd**e**

So steht es in der Wortliste: **r / e Fremde, -n (ein Fremder)**

Deklination wie Adjektive:

	Nominativ	*Akkusativ*	*Dativ*	*Genitiv*	*Plural*
Masku-linum	der Angestellt**e** ein Angestellt**er**	den Angestellt**en** einen Angestellt**en**	dem Angestellt**en** einem Angestellt**en**	des Angestellt**en** eines Angestellt**en**	die Angestellt**en** Angestellt**e**
Femi-ninum	die Angestellt**e** eine Angestellt**e**	die Angestellt**e** eine Angestellt**e**	der Angestellt**en** einer Angestellt**en**	der Angestellt**en** einer Angestellt**en**	die Angestellt**en** Angestellt**e**

Ebenso: Bekannte, Jugendliche, Arbeitslose, Deutsche, Kranke, Versicherte *usw.*

b. Nomen aus Adjektiv abgeleitet

	-heit		**-keit**		**-e**
einzeln	e Einzelheit	möglich	e Möglichkeit	breit	e Breite
frei	e Freiheit	öffentlich	e Öffentlichkeit	groß	e Gr**ö**ße
gesund	e Gesundheit	schwierig	e Schwierigkeit	kalt	e K**ä**lte
krank	e Krankheit	selbstständig	e Selbstständigkeit	lang	e L**ä**nge
sicher	e Sicherheit	wirklich	e Wirklichkeit	schwach	e Schw**ä**che
...	...	...	...	...	...

c. Adjektiv als Nomen nach „etwas", „nichts", „viel", „wenig"

Heute gibt es	**etwas** Süß**es**.	(= süße Speisen)
	nichts Besonder**es**.	(= keine besonderen Nachrichten, Speisen, Filme usw.)
	viel Schön**es**.	(= viele schöne Dinge)
	wenig Neu**es**.	(= wenige neue Nachrichten, Informationen)

§ 2 Nomen aus Verben

a. Nomen = Infinitiv eines Verbs

Verb	*Nomen*	
abnehmen	**das** Abnehmen	Das Abnehmen geht mit Reis am schnellsten.
hungern	**das** Hungern	Durch Hungern kann man abnehmen.
turnen	**das** Turnen	Zum Turnen hat sie keine Lust.
laufen	**das** Laufen	Beim Laufen schwitzt sie.

Nomen = Infinitiv (groß geschrieben) mit oder ohne Artikel **das**, *mit oder ohne Präposition.*

b. Nomen mit bestimmten Endungen

Infinitiv	*Nomen auf* ***-ung***
anmelden	e Anmeldung
beraten	e Beratung
erhöhen	e Erhöhung
eröffnen	e Eröffnung
hoffen	e Hoffnung
meinen	e Meinung
überraschen	e Überraschung
vorbereiten	e Vorbereitung
...	...

Infinitiv	*Nomen auf* ***-e***
abreisen	e Abreise
bremsen	e Bremse
duschen	e Dusche
fragen	e Frage
kontrollieren	e Kontrolle
mieten	e Miete
suchen	e Suche
denken	**r** Gedanke
...	...

Infinitiv	*Nomen auf* ***-ion***
informieren	e Information
produzieren	e Produktion
reagieren	e Reaktion
...	...

c. Nomen mit eigener Form

Infinitiv	*Nomen*
beginnen	r Beginn
fliegen	r Flug
raten	r Rat
streiken	r Streik
träumen	r Traum
verlieren	r Verlust
wünschen	r Wunsch
...	...

Infinitiv	*Nomen*
abfahren	e Abfahrt
ankommen	e Ankunft
dauern	e Dauer
fahren	e Fahrt
fliehen	e Flucht
schreiben	e Schrift
wählen	e Wahl
...	...

Infinitiv	*Nomen*
anbieten	s Angebot
frühstücken	s Frühstück
fühlen	s Gefühl
schenken	s Geschenk
spielen	s Spiel
wiegen	s Gewicht
verstecken	s Versteck
...	...

Adjektiv

§ 3 Artikelwort + Adjektiv + Nomen

a. Definite Artikelwörter

	Nominativ			*Akkusativ*			*Dativ*			*Genitiv*		
M.	**dieser**		Mann	**diesen**	nett**en**	Mann	**diesem**		Mann	**dieses**		Mannes
F.	**diese**	nette	Frau	**diese**	nette	Frau	**dieser**	nett**en**	Frau	**dieser**	nett**en**	Frau
N.	**dieses**		Kind	**dieses**		Kind	**diesem**		Kind	**dieses**		Kindes
Pl.	**diese**	nett**en**	Kinder	**diese**	nett**en**	Kinder	**diesen**		Kindern	**dieser**		Kinder

Ebenso: jeder (alle), welcher, mancher

b. Indefinite Artikelwörter

	Nominativ			*Akkusativ*			*Dativ*			*Genitiv*		
M.	**kein**	nett**er**	Mann	**keinen**	nett**en**	Mann	**keinem**		Mann	**keines**		Mannes
F.	**keine**	nette	Frau	**keine**	nette	Frau	**keiner**	nett**en**	Frau	**keiner**	nett**en**	Frau
N.	**kein**	nett**es**	Kind	**kein**	nett**es**	Kind	**keinem**		Kind	**keines**		Kindes
Pl.	**keine**	nett**en**	Kinder	**keine**	nett**en**	Kinder	**keinen**		Kindern	**keiner**		Kinder

Ebenso: mein, dein, sein, ihr ...

§ 4 Adjektiv + Nomen ohne Artikel (Nullartikel)

	Nominativ		*Akkusativ*		*Dativ*			*Genitiv*		
M.	frisch**er**	Salat	frisch**en**	Salat		frisch**em**	Salat		frisch**en**	Salates
F.	frisch**e**	Milch	frisch**e**	Milch	mit	frisch**er**	Milch	statt	frisch**er**	Milch
N.	frisch**es**	Obst	frisch**es**	Obst		frisch**em**	Obst		frisch**en**	Obstes
Pl.	frisch**e**	Eier	frisch**e**	Eier		frisch**en**	Eiern		frisch**er**	Eier

§ 5 Artikel + gesteigertes Adjektiv + Nomen

	Indefiniter Artikel + Komparativ			*Definiter Artikel + Komparativ*			*Definiter Artikel + Superlativ*		
M.	ein	besser**er**	Computer	der	besser**e**	Computer	der	best**e**	Computer
F.	eine	einfacher**e**	Lösung	die	einfacher**e**	Lösung	die	einfachst**e**	Lösung
N.	ein	neuer**es**	Modell	das	neuer**e**	Modell	das	neuest**e**	Modell
Pl.		heller**e**	Tapeten	die	heller**en**	Tapeten	die	hellst**en**	Tapeten

Pronomen

§ 6 Reziprokpronomen

a. Ohne Präposition

		Personalpronomen	*Reziprokpronomen Umgangssprache*		*Reziprokpronomen Schriftsprache*	
		Nominativ	*Akkusativ*	*Dativ*	*Akkusativ*	*Dativ*
Plural	*1. Person*	wir	uns		**einander**	
	2. Person	ihr	euch		**einander**	
	3. Person	sie	**sich**		**einander**	
	Höflichkeitsform	Sie	**sich**		**einander**	

Er lernt **sie** kennen. Sie lernt **ihn** kennen. ➔ Sie lernen **sich** kennen. / Sie lernen **einander** kennen.

Zum Vergleich:

Personalpronomen:	Er fotografiert **ihn**.	**ihn** = *eine andere Person*
Reflexivpronomen:	Er fotografiert **sich**.	**sich** = *sich selbst*
Reziprokpronomen:	Sie fotografieren **sich** / **einander**.	**sich** / **einander** = *gegenseitig*

b. Mit Präposition

an ...		**aneinander**	Er denkt **an sie**. Sie denkt **an ihn**.	Sie denken **aneinander**.
auf ...		**aufeinander**	Er wartet **auf sie**. Sie wartet **auf ihn**.	Sie warten **aufeinander**.
mit ...	einander	**miteinander**	Er lernt **mit ihr**. Sie lernt **mit ihm**.	Sie lernen **miteinander**.
von ...		**voneinander**	Er lernt **von ihr**. Sie lernt **von ihm**.	Sie lernen **voneinander**.
...		...	...	...

Präposition

§ 7 Weitere Präpositionen mit Genitiv

außerhalb	+ *Genitiv*	Er wohnt außerhalb der Stadt.
innerhalb		Es ist innerhalb der letzten Minuten passiert.
statt		Sie nimmt das Fahrrad statt des Autos.

§ 8 Zweigliedrige Präpositionen

von + *Dat.* ... **aus**	Er ruft **von** seiner Firma **aus** an.
von + *Dat.* ... **an**	Sie hat schon **von** klein **an** viel Sport getrieben.
von + *Dat.* ... **bis zu**	Der Film war **vom** Anfang **bis zum** Ende spannend.
an + *Dat.* ... **vorbei**	Gehen Sie **am** Rathaus **vorbei**.
um + *Akk.* ... **herum**	Die Leute gehen **um** das Auto **herum**.

Verb

§ 9 Formenübersicht

		schwach	*stark*	*besondere Formen*		
Infinitiv		mach**en**	fahr**en**	hab**en**	**sein**	**wollen**
Präsens		mach**t**	fähr**t**	**hat**	**ist**	**will**
Präteritum		mach**te**	fuhr	**hatte**	**war**	woll**te**
Perfekt		**hat ge**mach**t**	**ist ge**fahr**en**	**hat ge**hab**t**	**ist gewesen**	**hat ge**wollt / **hat ... wollen**
Plusquamperfekt	er	**hatte ge**mach**t**	**war ge**fahr**en**	**hatte ge**hab**t**	**war gewesen**	**hatte ge**wollt / **hatte ... wollen**
Futur	/	**wird** machen	**wird** fahren	**wird** haben	**wird** sein	**wird** wollen
Konjunktiv I	sie	mach**e**	fahr**e**	hab**e**	**sei**	woll**e**
Konjunktiv II	/	**würde** machen	führ**e**	**hätte**	**wäre**	**würde** wollen
Konjunktiv II Vergangenheit	es	**hätte** gemacht	**wäre** gefahren	**hätte** gehabt	**wäre gewesen**	**hätte ge**wollt / **hätte ... wollen**
Passiv Präsens		**wird ge**mach**t**	**wird ge**fahr**en**			
Passiv Präteritum		**wurde ge**mach**t**	**wurde ge**fahr**en**			
Passiv Perfekt		**ist ge**mach**t worden**	**ist ge**fahr**en worden**			

§ 10 Plusquamperfekt

machen:	Er	**hatte**	eine Reise	**gemacht.**
fahren:	Er	**war**	nach Österreich	**gefahren.**
		Präteritum haben / sein		*Partizip II*

☺ *Wie Perfekt, nur mit Präteritum von* **haben** *oder* **sein**.

§ 11 Futur

machen:	Er	**wird**	eine Reise	**machen.**
fahren:	Er	**wird**	nach Österreich	**fahren.**
		Präsens werden		*Infinitiv*

Ich	**werde**	eine Reise	**machen.**
Du	**wirst**		
Er / Sie / Es	**wird**		
Wir	**werden**		
Ihr	**werdet**		
Sie / Sie	**werden**		

§ 12 Konjunktiv II

a. Mit „würde" + Infinitiv

machen:	Er	**würde**	eine Reise	**machen.**
fahren:	Er	**würde**	nach Österreich	**fahren.**
				…
		würde		*Infinitiv*

Ich	**würde**	eine Reise	**machen.**
Du	**würdest**		
Er / sie / es	**würde**		
Wir	**würden**		
Ihr	**würdet**		
Sie / Sie	**würden**		

Alle Verben, auch die unter b., können den Konjunktiv II mit **würde** *bilden.*

b. Häufig benutzte Verben mit eigenen Konjunktiv II - Formen

Hilfsverben, Modalverben und wissen:

	sein	haben	können	müssen	dürfen	wissen
ich	wäre	hätte	könnte	müsste	dürfte	wüsste
du	wärst	hättest	könntest	müsstest	dürftest	wüsstest
er / sie / es	wäre	hätte	könnte	müsste	dürfte	wüsste
wir	wären	hätten	könnten	müssten	dürften	wüssten
ihr	wärt	hättet	könntet	müsstet	dürftet	wüsstet
sie / Sie	wären	hätten	könnten	müssten	dürften	wüssten

Einige starke Verben:

	kommen	sehen	geben	finden	fahren	gehen
ich	käme	sähe	gäbe	fände	führe	ginge
du	kämst	sähst	gäbst	fändest	führst	gingst *
er / sie / es	käme	sähe	gäbe	fände	führe	ginge
wir	kämen	sähen	gäben	fänden	führen	gingen *
ihr	kämt	säht	gäbt	fändet	führt	gingt *
sie / Sie	kämen	sähen	gäben	fänden	führen	gingen *

* *Diese Formen werden in der Regel nicht verwendet, weil sie mit dem Präteritum identisch sind.*

§ 13 Konjunktiv II der Vergangenheit

machen:	Er	**hätte**	eine Reise	**gemacht.**
fahren:	Er	**wäre**	nach Österreich	**gefahren.**
				…
		Konjunktiv II haben / sein		*Partizip II*

Wie Perfekt, nur mit Konjunktiv II von **haben** *oder* **sein**.

§ 14 Konjunktiv I

Präsens	er / sie / es	ist	fährt	macht	hat	muss
Konjunktiv I	er / sie / es	**sei**	**fahre**	**mache**	**habe**	**müsse**
	sie / Sie	**seien**				
Konjunktiv I Perfekt	er / sie / es	**sei gewesen**	**sei gefahren**	**habe gemacht**	**habe gehabt**	**habe gemusst**
	sie / Sie	**seien gewesen**	**seien gefahren**			

☺ *Gebrauch:*
- *nur in schriftlichen Texten in indirekter Rede*
- *nur in der 3. Person Singular (bei* **sein** *auch: 3. Person Plural)*
- *in allen anderen Formen: Konjunktiv II*

	Direkte Rede		*Indirekte Rede*
Sie sagt:	„Nicole **ist** sehr herzlich."	Sie sagt,	Nicole **sei** sehr herzlich.
Sie meint:	„Nicole **hat** immer gute Laune."	Sie meint,	Nicole **habe** immer gute Laune.
Sie sagt:	„Ich **muss** nie auf sie warten."	Sie sagt,	sie **müsse** nie auf sie warten.
Sie behauptet:	„Wir **haben** viel Spaß."	Sie behauptet,	sie **hätten** viel Spaß. *
Sie sagt:	„Wir **telefonieren** oft."	Sie sagt,	sie **würden** oft **telefonieren**. *

* *Konjunktiv II statt Konjunktiv I*

§ 15 Passiv

a. Vorgangspassiv

Präsens	Die Tür	**wird**	vom Hausmeister	**repariert.**
Präteritum	Sie	**wurde**		**repariert.**
		werden		*Partizip II*
mit Modalverb	Sie	**muss**	vom Hausmeister	**repariert werden.**
Perfekt	Sie	**ist**		**repariert worden.**

Zum Vergleich:
Aktiv: **Der** Hausmeister **repariert** die Tür.
Passiv: Die Tür **wird vom** Hausmeister **repariert**.

b. Zustandspassiv

Ergebnis:	Die Tür	**ist**	jetzt	**repariert.**
		sein		*Partizip II*

Aktion: Die Tür **wird** repariert.
Ergebnis: Die Tür **ist** repariert.

§ 16 Verbzusätze

a. Verben mit untrennbarem Verbzusatz

	Infinitiv	*Präsens*	*Perfekt*
be-	beschäftigen	er beschäftigt	er hat beschäftigt
emp-	empfehlen	er empfiehlt	er hat empfohlen
ent-	entdecken	er entdeckt	er hat entdeckt
er-	erkennen	er erkennt	er hat erkannt
ge-	gelingen	es gelingt	es ist gelungen
ver-	verdienen	er verdient	er hat verdient
zer-	zerstören	er zerstört	er hat zerstört

↑ ↑ *Betonung auf Verbstamm* ↑ *Partizip II ohne* **ge-**

Ebenso:
bedeuten, beginnen, behalten ...
empfangen
entlassen, entscheiden, entwickeln ...
erfahren, erholen, erinnern ...
gebrauchen, gefallen, gehören ...
verbrauchen, vergessen ...
zerbrechen, zerreißen, zerschneiden ...

! *Nicht verwechseln:*

Infinitiv	*Perfekt*
gefallen	er hat **gefallen**
fallen	er ist **gefallen**

Infinitiv	*Perfekt*
gehören	er hat **gehört**
hören	er hat **gehört**

b. Verben mit trennbarem Verbzusatz

	Infinitiv	*Präsens*	*Perfekt*
ab-	abholen	er holt ab	er hat ab**ge**holt
an-	anfangen	er fängt an	er hat an**ge**fangen
auf-	aufhören	er hört auf	er hat auf**ge**hört
aus-	aussteigen	er steigt aus	er ist aus**ge**stiegen
ein-	einsteigen	er steigt ein	er ist ein**ge**stiegen
mit-	mitkommen	er kommt mit	er ist mit**ge**kommen
nach	nachdenken	er denkt nach	er hat nach**ge**dacht
um-	umsteigen	er steigt um	er ist um**ge**stiegen
vor-	vorschlagen	er schlägt vor	er hat vor**ge**schlagen
zu-	zuhören	er hört zu	er hat zu**ge**hört

↑ ↑ *Betonung auf Verbzusatz* ↑ *Partizip II mit* **ge-**

Ebenso:
abbiegen, abfahren, abnehmen ...
anbieten, ankommen, anmelden ...
auffordern, aufregen, aufwachen ...
ausmachen, auspacken ...
einkaufen, einladen, einpacken ...
mitarbeiten, mitbringen, mitfahren ...
nachschlagen, nachsprechen ...
umbauen, umdrehen, umfallen ...
vorhaben, vorkommen, vorstellen ...
zugehen, zumachen, zunehmen ...

Weitere typische trennbare Verbzusätze:

fest-	heraus-	statt-	weiter-
fort-	hin-	teil-	wieder-
frei-	hinaus-	vorbei-	zurück-
her-	los-	weg-	zusammen-

feststellen, fortsetzen, freikommen, herstellen, heraussuchen, hinstellen, hinauslaufen, losfahren, stattfinden, teilnehmen, vorbeifahren, wegfahren, weiterarbeiten, wiederkommen, zurückkommen, zusammenarbeiten

§ 17 Partizip I und II

Infinitiv	spielen	singen	stehen
Partizip I = Infinitiv + ***d***	spielen**d**	singen**d**	stehen**d**
Partizip II (wie Perfekt)	**ge**spielt	**ge**sungen	**ge**standen

Partizip = Adverb	*Partizip = Adjektiv*
Der Hund liegt **schlafend** unter dem Tisch.	Der **schlafende** Hund liegt unter dem Tisch.
Der Hund liegt **ruhig schlafend** unter dem Tisch.	Der **ruhig schlafende** Hund liegt unter dem Tisch.
Der Ritter kniet **verletzt** auf dem Boden.	Der **verletzte** Ritter kniet auf dem Boden.
Der Ritter kniet **am Arm verletzt** auf dem Boden.	Der **am Arm verletzte** Ritter kniet auf dem Boden.

§ 18 Verbativergänzung bei „sehen", „hören", „lassen"

Präsens	*Perfekt*
Er **sieht** den Ball **fliegen**.	Er hat den Ball **fliegen sehen**.
Sie **hört** das Kind nicht **rufen**.	Sie hat das Kind nicht **rufen hören**.
Sie **lässt** das Kind **spielen**.	Sie hat das Kind **spielen lassen**.

! *Im Perfekt: Infinitiv statt Partizip*

§ 19 Modalverben im Perfekt

Präteritum	*Perfekt: Modalverb + Infinitiv*	*Perfekt: Modalverb ohne Infinitiv*
	Infinitiv des Modalverbs	*Partizip II des Modalverbs*
Sie **musste** abnehmen.	Sie hat abnehmen **müssen**.	Sie hat es **gemusst**.
Sie **wollte** eine Diät machen.	Sie hat eine Diät machen **wollen**.	Sie hat es **gewollt**.
Sie **sollte** Sport treiben.	Sie hat Sport treiben **sollen**.	Sie hat es **gesollt**.
Sie **durfte** Tee trinken.	Sie hat Tee trinken **dürfen**.	Sie hat es **gedurft**.
Sie **konnte** nicht trainieren.	Sie hat nicht trainieren **können**.	Sie hat es nicht **gekonnt**.

§ 20 „haben", „sein", „brauchen" + „zu" + Infinitiv

Er **braucht nicht zu** überlegen.	Er muss nicht überlegen.
Er **braucht nur** seinen Kollegen **zu** fragen.	Er kann einfach seinen Kollegen fragen.
Er **hat** seine Arbeit **zu** machen.	Er muss seine Arbeit machen.
Er **hat** sich nicht **zu** beschweren.	Er hat keinen Grund, sich zu beschweren.
Die Arbeit **ist** pünktlich **zu** machen.	Die Arbeit muss pünktlich gemacht werden.
Die Musik **ist zu** hören.	Man kann die Musik hören.
Die Musik **ist nicht zu** hören.	Man kann die Musik nicht hören.

§ 21 Verb + Präpositionalergänzung

sich gewöhnen, richten	**an**	*+ Akkusativ*
reagieren, sich beziehen, verzichten	**auf**	
bestrafen, kämpfen, loben, sich anstrengen, sorgen, streiken, werben	**für**	
kämpfen, streiken	**gegen**	
auskommen	**ohne**	
erschrecken, klagen, sich wundern	**über**	
abnehmen, gehen, sich handeln, sinken, steigen, zunehmen, zurückgehen	**um**	

mischen, stammen	**aus**	*+ Dativ*
unterstützen, zuschauen	**bei**	
auskommen, sich befassen, drohen, erschrecken, kämpfen, mischen, umgehen, unterstützen, sich verabreden, verbinden	**mit**	
abhängen, stammen, überzeugen	**von**	
erschrecken, warnen	**vor**	
dienen, führen, gebrauchen, gehören, sich verabreden, verurteilen	**zu**	

Weitere Verben mit Präpositionalergänzung ➜ *Kursbuch Lagune Band 2, S. 198*

Satz

§ 22 Sonderstellung: Pronomen vor Subjekt

Vorfeld	*Verb (1)*	*Mittelfeld*				*Verb (2)*
		Ergänzung	*Subjekt*	*Angabe*	*Ergänzung*	
Das Handy	haben	**mir**	meine Eltern			geschenkt.
	Gefällt	**dir**	das Handy	nicht?		
Eigentlich	interessiert	**ihn**	die Technik	nicht.		

Aber: Subjekt = Pronomen:

Vorfeld	*Verb (1)*	*Mittelfeld*				*Verb (2)*
		Subjekt	*Ergänzung*	*Angabe*	*Ergänzung*	
Gestern	haben	**sie**	**mir**		das Handy	geschenkt.
	Gefällt	**es**	**dir**	nicht?		
Eigentlich	interessiert	**sie**	**ihn**	nicht.		

§ 23 Zwei Ergänzungen im Satz

	1. Akkusativ	*2. Dativ*	*3. Akkusativ*
Er zeigt		**seinem Freund**	**den Ball.**
Er gibt		**seiner Freundin**	**die Blumen.**
Er bringt		**seinen Eltern**	**das Zeugnis.**
Er zeigt	**ihn**	**ihm.**	
Er gibt	**sie**	**ihr.**	
Er bringt	**es**	**ihnen.**	
Er zeigt		**ihm**	**den.**
Er gibt		**ihr**	**die.**
Er bringt		**ihnen**	**das.**
	Personal-pronomen	*Nomen oder Personalpronomen*	*Nomen oder Definitpronomen*

§ 24 Direkte und indirekte Frage

Direkte Frage:	*Vorfeld*	*Verb (1)*	*Mittelfeld*			*Verb (2)*
			Subjekt	*Angabe*	*Ergänzung*	
Sie fragt:	**„Wann**	beginnt	das Fußballspiel	endlich?“		
Er will wissen:	**„Wer**	hat			den Ball?“	
Sie fragt:		„Beginnt	das Fußballspiel	pünktlich?“		
Er will wissen:		„Hat	der Spieler		den Ball?“	

Indirekte Frage:	*Fragewort/ Junktor*	*Verb (1)*	*Mittelfeld*			*Verb (2)*
			Subjekt	*Angabe*	*Ergänzung*	
Sie fragt,	**wann**		das Fußballspiel	endlich		**beginnt.**
Er will wissen,	**wer**				den Ball	**hat.**
Sie fragt,	**ob**		das Fußballspiel	pünktlich		**beginnt.**
Er will wissen,	**ob**		der Spieler		den Ball	**hat.**

❗ *Indirekte Frage = Nebensatz: Verb an Position Verb (2)*

§ 25 Zweigliedrige Junktoren

nicht nur ..., sondern ... auch ...	Er spielt **nicht nur** Klavier, **sondern auch** Gitarre.
	Er spielt **nicht nur** Klavier, **sondern** er spielt **auch** Gitarre.
zwar ..., aber ...	Sie spielt **zwar** Klavier, **aber** nicht Gitarre.
	Sie spielt **zwar** Klavier, **aber** sie spielt nicht Gitarre.
entweder ...(,) oder ...	Er spielt **entweder** Klavier **oder** Gitarre.
	Er spielt **entweder** Klavier, **oder** er spielt Gitarre.
weder ...(,) noch ...	Er spielt **weder** Klavier **noch** Gitarre.
	Er spielt **weder** Klavier, **noch** spielt er Gitarre.
je ..., desto ...	**Je** mehr sie Klavier spielt, **desto** weniger spielt sie Gitarre.

§ 26 Vergleichssätze

Die Band ist so gut,	**wie**	ich gedacht habe.
Das Konzert ist besser,	**als**	ich erwartet habe.
Der Schauspieler spielt,	**als ob**	er allein auf der Bühne wäre.
Der Schauspieler spielt,	**als**	wäre er allein auf der Bühne.

§ 27 Wunschsätze

Wenn	ich doch nur meine Brille	hätte!
Wenn	ich doch nur meine Brille	mitgenommen hätte!
Hätte	ich doch nur meine Brille!	
Hätte	ich doch nur meine Brille	mitgenommen!

§ 28 „wenn"-Sätze

a. Konditional: „wenn" = „falls"

Bedingung	*Folge*
Wenn er die Stelle bekommt,	**geht** er nach Berlin.
	wird er nach Berlin **gehen**.
Wenn er die Stelle bekäme,	**würde** er nach Berlin **gehen**.
Wenn er die Stelle bekommen hätte,	**würde** er heute in Berlin **arbeiten**.
Wenn er die Stelle bekommen hätte,	**wäre** er nach Berlin **gegangen**.

b. Temporal: „wenn" = „immer wenn"

Zeitpunkt	*parallele Handlung*
Wenn wir einen Ausflug machen,	**nehmen** wir Getränke mit.
Wenn wir einen Ausflug machten,	**nahmen** wir Getränke mit.

Alphabetische Wortliste

In dieser Wortliste sehen Sie alle Wörter, die in diesem Buch neu sind oder in einer neuen Bedeutung vorkommen. **Fettgedruckte** Wörter sind Bestandteil des Prüfungswortschatzes von ZERTIFIKAT DEUTSCH (Niveaustufe B1 des Europäischen Referenzrahmens). Im Arbeitsbuch finden Sie nach jeder Lerneinheit den Lernwortschatz der Lerneinheit sowie österreichische und schweizerische Entsprechungen bestimmter Wörter. Bei Nomen finden Sie das Artikelzeichen (r = der, e = die, s = das) und das Zeichen für die Pluralform (r Arbeiter, – ; r Anzug, ¨e). Nomen ohne Angabe der Pluralform verwendet man nicht oder nur selten im Plural. Nomen mit der Angabe „pl" verwendet man nicht oder selten im Singular. Bei starken und unregelmäßigen Verben finden Sie neben dem Infinitiv auch die 3. Person Singular Präsens, Präteritum und Perfekt. Bei schwachen Verben, die im Perfekt mit „sein" gebildet werden, ist die Perfektform angegeben. Trennbare Verben sind folgendermaßen gekennzeichnet: ab · nehmen.

ab und zu *40*
ab · brechen, bricht ab, brach ab, hat/ist abgebrochen *153*
s Abendblatt *133*
s Abenteuer, – *168*
aber gerne *17*
e Abfahrt, -en *81*
e Abfolge, -n *17*
s Abgas, -e *114*
ab · hängen, hängt ab, hing ab, hat abgehangen *123*
abhängig *87*
r Abholdienst, -e *117*
ab · kühlen, ist abgekühlt *72*
e Abkürzung, -en *113*
ab · machen *11, 111*
(sich) ab · melden *184*
ab · nehmen, nimmt ab, nahm ab, hat abgenommen *36, 66*
ab · rechnen *78*
ab · schicken *69*
ab · schleppen *11*
e Abschlussprüfung, -en *99*
ab · schreiben, schreibt ab, schrieb ab, hat abgeschrieben *187*
e Absicht, -en *60*
ab · spielen *109*
ab · steigen, steigt ab, stieg ab, ist abgestiegen *84*
absurd *145*
ab · tauchen, ist abgetaucht *135*
s Abteil, -e *155*
e Abteilung, -en *24*
ab · trocknen *107*
ab · warten *111*
ab · waschen, wäscht ab, wusch ab, hat abgewaschen *107*
e Abwesenheit *120*
ach was *39*
r Actionfilm, -e *137*
e Agentin, -nen *132*
e Agentur, -en *12*
e Ahnung, -en *21*
r Akku, -s *19*
r Akt, -e *146*
e Akte, -n *176*
r Alarm → Alarmanlage
e Alarmanlage, -n *69*
alle möglichen *39*
allerbeste *143*
allerdings *59*
allmählich *111*
r Alltagsgegenstand, ¨e *139*
e Alltagsklage, -n *17*
als *135, 142*
als ob *135*
r/e Alte, -n (ein Alter) *14*
s Altenheim, -e *14*
altern, ist gealtert *14*
alternativ *111*
e Ameise, -n *88*
r Ameisenbär, -en *88*
Amerika *105*
amerikanisch *105*
s Amt, ¨er *186*
r Amtssitz, -e *59*
(sich) amüsieren *91*
e Analyse, -n *60*
analysieren *60*
e Ananas *36*
r Anblick, -e *58*
e Anekdote, -n *86*
r Anfänger, – *34*
anfangs *63*
e Anfangszeit, -en *62*
an · fassen *120*
e Anfrage, -n *145*
an · geben, gibt an, gab an, hat angegeben *168*
angeblich *147*
an · gehen, geht an, ging an, ist angegangen *120*
an · greifen, greift an, griff an, hat angegriffen *133*
ängstlich *10*
an · gucken *91*
an · halten, hält an, hielt an, hat angehalten *159, 171*
an · lächeln *159*
e Annahme, -n *106*
an · nehmen, nimmt an, nahm an, hat angenommen *12, 27*
anonym *41*
e Anregung, -en *189*
an · schaffen *25*
e Anschaffung, -en *108*
anscheinend *43*
an · schließen, schließt an, schloss an, hat angeschlossen *56*
(sich) an · schnallen *107*
an · schrauben *75*
an · schwellen, schwillt an, schwoll an, ist angeschwollen *135*
e Ansicht, -en *12*
an · sprechen, spricht an, sprach an, hat angesprochen *110*
r Anspruch, ¨e *135*
an · starren *135*
an · stellen *106*
e Anstiftung, -en *146*
(sich) anstrengen *117*
r Anteil, -e *66*
e Antenne, -n *56*
s Anti-Aging *12*
r Antrag, ¨e *60*
e Anwendung, -en *60*
an · zeigen *176*
e Anzeigenzeitung, -en *154*
r Aprilscherz, -e *90*

e Arbeit, -en ***180***
r Arbeitgeber, – ***89***
r Arbeitnehmer, – ***67***
e Arbeitsbedingung, -en *67*
e Arbeitserlaubnis, -se *25*
r Arbeitshandschuh, -e *152*
s Arbeitsjubiläum, -jubiläen *70*
r/e Arbeitslose, -n (ein Arbeitsloser) *14*
s Arbeitsprogramm, -e *18*
e Arbeitsteilung *135*
r Arbeitsunfall, ¨-e *49*
e Arbeitswelt *122*
s Arbeitszeugnis, -se *102*
s Archiv, -e *154*
s Archivfoto, -s *154*
s Argument, -e *9*
arm ***14, 21***
e Art, -en ***49***
ärztlich ***38***
r Astronaut, -en *104*
r Atlantik *104*
attraktiv *14*
auch wenn *37*
r Aufbau *37*
auf·bauen *58*
aufeinander *157*
auf·essen, isst auf, aß auf, hat aufgegessen *140*
auf·fallen, fällt auf, fiel auf, ist aufgefallen *43*
auf·führen *136*
e Aufführung, -en *178*
r Aufgabenblock, ¨-e *179*
s Aufgabenfeld, -er *165*
auf·geben, gibt auf, gab auf, hat aufgegeben ***24, 61***
auf·hängen *51, 131*
auf·heben, hebt auf, hob auf, hat aufgehoben ***84***
auf·klären ***132, 145***
auf·laden, lädt auf, lud auf, hat aufgeladen *71*
aufmerksam ***86***
e Aufnahme, -n *108*
auf·nehmen, nimmt auf, nahm auf, hat aufgenommen ***60, 75, 109***
sich auf·rappeln *134*
auf·reißen, reißt auf, riss auf, hat aufgerissen *135*
auf·sehen, sieht auf, sah auf, hat aufgesehen *86*
auf·setzen *80*
e Aufsicht, -en *38*
auf·steigen, steigt auf, stieg auf, ist aufgestiegen *135*
auf·stellen *61*
auf·stöhnen *135*
r Auftrag, ¨-e ***61***
auf·treten, tritt auf, trat auf, ist aufgetreten *87*
r Auftritt, -e *62*
aufwärts ***63***
augenblicklich ***118***
augenlos *133*
s Au-pair *166*
aus·breiten *135*
sich aus·denken, denkt aus, dachte aus, hat ausgedacht *47*
auseinanderbauen *11*
aus·fallen, fällt aus, fiel aus, ist ausgefallen *15*
aus·führen ***90***
e Ausgabe, -en *189*
aus·gehen, geht aus, ging aus, ist ausgegangen ***106, 180***
aus·kommen, kommt aus, kam aus, ist ausgekommen *110*
aus·laden, lädt aus, lud aus, hat ausgeladen *56*
r Auslandsaufenthalt, -e *25*
aus·lösen *133*
e Ausnahme, -n
→ Ausnahmestimme
e Ausnahmestimme, -n *145*
aus·rechnen ***63***
aus·reichen ***110***
ausreichend *114*
aus·richten *119*
e Ausrüstung, -en *181*
aus·schließen, schließt aus, schloss aus, hat ausgeschlossen ***111***
r Ausschnitt, -e *130*
aus·schreiben, schreibt aus, schrieb aus, hat ausgeschrieben *84*
r Außenminister, – *114*
(sich) äußern *90*
äußerst *146*
außerstande *135*
e Äußerung, -en *117*
e Aussicht, -en ***63***
aus·sprechen, spricht aus, sprach aus, hat ausgesprochen ***116***
aus·stellen ***140***
e Austauschschülerin, -nen *166*
aus·teilen *41*
r Australier, – *164*
ausverkauft ***145***
r Auswanderer, – *145*
aus·wandern, ist ausgewandert *146*
auswendig *161*
aus·werten *41*
(sich) aus·ziehen, zieht aus, zog aus, hat/ist ausgezogen ***26, 42***
r Automarkt, ¨-e *66*
r Automat, -en ***122***
automatisch ***108***
r Autotyp, -en *108*
e Bäckerin, -nen *58*
r Bäckerladen, ¨ *164*
e Backware, -n *189*
r Badegast, ¨-e *35*
r Bademeister, – *35*
baden gehen, geht baden, ging baden, ist baden gegangen *145*
Badesachen (pl) *46*
s Badetuch, ¨-er ***35***
r Badeurlaub *133*
bald darauf *63*
s Ballett, -e *144*
e Band, -s *24*
r Band, ¨-e *132*
s Bankengesetz, -e *114*
s Bankgeschäft, -e *111*
e Basis, Basen *111*
r Bau, -ten ***59***
r Bau ***81***
e Baustelle, -n *78*
r Beamer, – *70*
r Beamte, -n (ein Beamter) ***84***
beantragen ***63***
r Bedarf ***60***
→ Finanzbedarf
e Bedeutung, -en *98*
bedienen ***122***
e Bedingung, -en ***106***
beeindrucken *143*
beeindruckend *143*
beeinflussen ***123***
befahren, befährt, befuhr, hat befahren *168*
(sich) befassen *114*
befreundet *185*
befriedigend ***39***
befürchten *67*
sich begeben, begibt, begab, hat begeben *178*
begegnen, ist begegnet ***88***
e Begegnung, -en *151*
begehen, begeht, beging, hat begangen *131*
begeistert *63*
r Begleiter, – *134*
begreifen, begreift, begriff, hat begriffen *135*

e Dienstzeit, -en *185*
s Ding, -e *39*
s Ding, -er *39*
r Dinosaurier, – *105*
diplomatisch *86*
r Diplom-Sportlehrer, – *34*
r Dirigent, -en *86*
e Diskette, -n *109*
e Diskothek, -en *183*
DM (Deutsche Mark) *109*
doch noch *131*
documenta *136*
e Dokumentation, -en *111*
r Dollar, -s *66*
r Download, -s *60*
r Drahtkorb, ¨-e *74*
dramatisch *128*
drauf *146*
dreist *176*
drin *70*
dringen, dringt, drang, ist gedrungen *135*
drittens *13*
drittletzte *158*
e Droge, -n *133*
drohen *133*
r Druck *104*
durcheinander *187*
durch·fahren, fährt durch, fuhr durch, ist durchgefahren *168*
durch·führen *117*
r Durchschnitt, -e *65*
durchsetzt *135*
duzen *25*
r DVD-Player, – *9*
e Ebbe *135*
e Ebene, -n *135*
ebenso *147*
e Ehe, -n *106*
s Eibrot, -e *72*
e Eifersucht *163*
eifersüchtig *18*
r Eilzug, ¨-e *134*
r Eimer, – *11*
einander *156*
e Einbahnstraße, -n *97*
ein·bauen *117*
ein·brechen, bricht ein, brach ein, ist eingebrochen *83*
r Einbruchsort, -e *177*
r Eindruck, ¨-e *114*
eines Tages *14* → Tag
r Ein-Euro-Laden, ¨ *64*
r Einfall, ¨-e *21*
r Einfluss, ¨-e *132*
ein·gehen, geht ein, ging ein, ist eingegangen *113*
einkaufsfreundlich *112*
r Einkaufskorb, ¨-e *74*
s Einkommen, – *64*
e Einnahme, -n *60*
ein·nehmen, nimmt ein, nahm ein, hat eingenommen *84*
ein·planen *187*
e Einreisebestimmung, -en *24*
e Einsamkeit *139*
ein·sammeln *70*
ein·schenken *146*
ein·schließen, schließt ein, schloss ein, hat eingeschlossen *34*
s Einschreiben, – *153*
ein·sperren *131*
ein·stecken *71*
ein·stellen *63, 143*
ein·stürzen, ist eingestürzt *136*
ein·teilen *175*
ein·treten, tritt ein, trat ein, ist eingetreten *120*
r Eintrittspreis, -e *64*
r Einwand, ¨-e *39*
r Einzelgewinn, -e *176*
e Einzelheit, -en *63*
einzeln *72*
e Einzelprüfung, -en *167*
einzigartig *144*
r Eisberg, -e *105*
s Eisen *37*
e Eisenbahn, -en *104*
s Eiswasser *73*
eitel *96*
s Eiweiß, -e *36*
r Elefant, -en *22*
elegant *136*
r Elektromotor, -en *109*
e Elektronik *110*
empfangen, empfängt, empfing, hat empfangen *59*
r Empfangsraum, ¨-e *59*
empfehlenswert *143*
empfindlich *89*
endgültig *19*
e Endhaltestelle, -n *152*
e Energie, -n *115*
e Energiekommission, -en *114*
e Energiepolitik *115*
s Engagement, -s *112*
England *105*
r Engländer, – *164*
r Englischunterricht *160*
s Ensemble, -s *144*
e Entdeckung, -en *81*
e Ente, -n *62*
entfernen *72*
entfernt *159*
entlassen, entlässt, entließ, hat entlassen *67*
entschlossen *63*
s Entschuldigungs-schreiben, – *51*
entspannen *120*
entsprechen, entspricht, entsprach, hat entsprochen *179*
enttäuschen *117*
enttäuschend *142*
entweder ... oder *80*
entwickeln *14*
erarbeiten *163*
(sich) erbrechen, erbricht, erbrach, hat erbrochen *42*
e Erde *15*
r Erdrutsch, -e *133*
sich ereignen *111*
e Erfindung, -en *74*
e Erfolgs-Geschichte, -n *63*
erforderlich *34*
(sich) erfüllen *117*
(sich) ergeben, ergibt, ergab, hat ergeben *98, 168*
(sich) erhöhen *64*
e Erhöhung, -en *64*
erholsam *180*
s Erholungswochenende, -n *181*
sich erkälten *41*
e Erkältung, -en *41*
erklären *41, 86*
e Erkundigung, -en *45*
r Erlebnispark, -s *132*
erledigen *70, 134*
e Ernährung *37*
e Ernährungsberatung, -en *34*
e Ernährungspyramide, -n *37*
e Ernährungsregel, -n *37*
ernst *13*
r Ernst *86*
ernsthaft *144*
eröffnen *60*
e Erreichbarkeit *110*
erreichen *63, 119, 147*
s Ersatzteil, -e *181*
erscheinen, erscheint, erschien, ist erschienen *114, 154*
erschrecken, erschreckt, erschreckte, hat erschreckt *82*
erschrecken, erschrickt, erschrak, ist erschrocken *90*
ersetzen *20*
e Erstattung, -en *183*
erstaunlich *143*
erstaunt *182*
erstellen *129*
erstmals *135*
erwachsen *164*
e EU (Europäische Union) *167*
r Europäer, – *167*
r Eurotunnel *105*
eventuell *145*
exakt *181*

e Examensarbeit, -en *180*
e Existenz
→ Existengründer
r Existenzgründer, – *60*
e Existenzgründung, -en *61*
existieren ***59***
r Experte, -n *133*
explodieren, ist explodiert *51*
e Exportchance, -n *106*
exportieren *66*
e Exportwirtschaft *114*
s Fach, ¨-er ***119, 180***
r Fachbesucher, – *136*
s Fachgeschäft, -e *65*
Fachleute (pl) *58*
r Fachtext, -e *181*
e Fahrertür, -en *75*
r Fahrschein, -e *82*
e Fahrtmöglichkeit, -en *180*
s Fahrzeug, -e *134*
fair ***181***
fallen lassen ***39***
falls *118*
r Fallschirmspringkurs, -e *12*
e Falte, -n *15*
faltig *15*
r Familienhund, -e *21*
fantasievoll *178*
färben *90*
farbig ***109***
e Fassade, -n *59*
fassen ***43***
fasziniert *178*
faul ***39, 138***
r FC (Fußballclub) *43*
FDP *113*
fegen *75*
fein ***95***
r Feind, -e ***132***
s Feld, -er ***47***
s Fensterbrett, -er *56*
s Fensterputzen *186*
e Ferienanlage, -n *123*
e Ferienbetreuung, -en *61*
fern ***120***
e Fernsehgesellschaft, -en *62*
e Fernsehjournalistin, -nen *178*
r Fernsehmechaniker, – *63*
Fernsehnachrichten (pl) *184*
r Fernsehproduzent, -en *63*
r Fernsehsender, – *63*
e Fernsehserie, -n *62*
r Fernseh-Sketch, -e *91*
s Fernsehstudio, -s *113*
r Fernsehtechniker, – *58*
e Fernsehwand, ¨-e *120*
s Festival, -s *142*
fest·machen *75*
r Festnetzapparat, -e *111*
e Festplatte, -n ***109***
s Festspiel, -e *136*
fest·stellen ***39, 48***
s Fett, -e *36*
fettarm *37*
e Fettverbrennung *36*
e Feuchtigkeit *24*
r Feuerlöscher, – *51*
s Fieber ***41***
e Figur, -en ***36, 140***
s Figurproblem, -e *38*
filmen *109*
e Filmgesellschaft, -en *63*
r Filmschauspieler, – *87*
r Finanzbedarf *60*
finanziell ***60***
r Finanzplan, ¨-e *61*
r Firmenchef, -s *14*
fischen *72*
r Fischer, – *44*
r Fischschwarm, ¨-e *134*
e Fischverkäuferin, -nen *159*
e Fitness *18*
s Fitness-Studio, -s *18*
e Fitnesszeitschrift, -en *36*
e Fläche, -n ***135***
r Fleck, -e ***139***
s Fleischgericht, -e *162*
flexibel *60*
e Fliege, -n ***14***
e Flucht, -en ***131***
r Fluggast, ¨-e *99*
föhnen ***90***
e Folge, -n *62*
fordern ***147***
fördern *112*
e Forschung, -en ***15***
fort ***24***
fortgeschritten *181*
r Fortschritt, -e ***110***
e Fortsetzung, -en *105*
e Fotografie, -n *145*
r Foxterrier, – *24*
r Fragebogen, – *41*
e Franchise *60*
frankieren ***69***
r Franziskaner, – *132*
s Fräulein *132*
e Freizeitanlage, -n *14*
s Freizeitprogramm, -e *18*
r Freizeitunfall, ¨-e *48*
r/e Fremde (ein Fremder) ***159***
s Fremdsprachenforum *161*
s Fremdsprachenlernen *161*
e Freude, -n ***126***
e Freundlichkeit, -en *18*
r Frieden ***115***
frieren, friert, fror, hat gefroren ***42***
e Frucht, ¨-e *37*
r Früchtetee, -s *37*
früh ***46***
r Frühstücksservice *62*
r Frühstückstisch, -e *159*
führen ***133, 160***
fünfstündig *176*
s Funknetz, -e *109*
furchtbar ***36, 129***
füreinander *157*
e Fußpflege *34*
s Futur *106*
e Galerie, -n ***141***
r Gang, ¨-e ***108, 135***
gar kein *54*
gar nichts *8*
garantiert *118*
e Gartenanlage, -n *59*
s Gartenhaus, ¨-er *93*
e Gartenliege, -n *164*
r Gärtner, – *63*
e Gastgeberin, -nen *86*
e Gaststätte, -n ***96***
s Gebiet, -e ***60, 90***
geboren werden ***86***
gebraten ***141***
gebrauchen ***14***
e Gebrauchsanweisung, -en ***71***
gebrochen ***48***
s Gedankenspiel, -e *30*
e Geduld *18*
geduldig *178*
geeignet ***145***
e Gefahr, -en ***62***
r Gefallen *17*
sich gefallen lassen ***107***
e Gefängnis, -se *131*
r Gegensatz, ¨-e ***138***
e Gegenwart ***120***
gegrillt *36*
geheim ***132***
r Geheimdienst, -e *22*
r Geheimtipp, -s *36*
e Gehminute, -n *159*
gehören ***15, 21***
e Geige, -n *85*
r Geist, -er *132*
geistig *15*
geizig *64*
s Geländer, – *134*
r Geldschein, -e ***17***
e Geldstrafe, -n *176*
r Geldtransporter, – *177*
r/e Geliebte, -n (ein Geliebter) *146*
gelten, gilt, galt, hat gegolten ***39***
gelten lassen *39*
s Gemälde, – *137*
e Gemeinschaft, -en ***144***
r Gemüsehändler, – *116*
s Gemüsehaus, ¨-er *116*
r Gemüsehut, ¨-e *116*
e Genehmigung, -en ***60***
genügen *63*
r Genuss, ¨-e *178*
s Gepäckfach, ¨-er *155*

s Muster, - *141*
r Mut *41*
muttersprachlich *167*
na bitte *83*
na schön *83*
e Nachbarstadt, ¨-e *63*
e Nachbarwohnung, -en *154*
nachdem *84*
nach·denken, denkt nach, dachte nach, hat nachgedacht *26*
nachdenklich *87*
nach·forschen *132*
e Nachfrage, -n *63*
nachher *78*
nach·schauen *71*
nach·sehen, sieht nach, sah nach, hat nachgesehen *69*
r Nachteil, -e *14*
r Nachtisch *180*
nähere *60*
sich nähern *84*
s Nahrungsmittel, - *25*
r Nahverkehr *112*
namens *134*
nanu *82*
nass machen *129*
r Nationalrat, ¨-e *114*
natürlich *15*
e Navigation *109*
nebenbei *60*
nebeneinander *123*
s Nebeneinkommen, - *60*
r Nebenraum, ¨-e *119*
r Nebentisch, -e *163*
r Neffe, -n *88*
r Neid *14*
r Netzstecker, - *71*
e Neueröffnung, -en *34*
Neuseeland *106*
r Neuwagen, - *66*
nicht nur ... sondern auch *80*
r Nichtraucher, - *107*
nichtssagend *142*
nicken *141*
Niederlande (pl) *115*
r Niederländer, - *159*
niederländisch *159*
noch besser *39*
noch kein *39*
noch mal *71*
r Nordpol *88*
r Norweger, - *164*
e Norwegerin, -nen *145*
norwegisch *133*
e Not, ¨-e *98*
e Note, -n *86, 158*
s Notebook, -s *71*
s Notenpapier *86*
e Nulldiät, -en *38*
nummerieren *38*
s Nummernschild, -er *153*
nutzen *59*
nützen *42*
e Oase, -n *181*
obere *119*
offenbar *134*
öffentlich *112*
e Öffentlichkeit *25*
öfter *13*
oh je *174*
r Ölbohrexperte, -n *133*
e Operette, -n *137*
operieren *49*
e Opernaufführung, -en *179*
r Opernball, ¨-e *136*
r Opernsänger, - *87*
e Opernsängerin, -nen *137*
s Opernschiff, -e *178*
e Opposition, -en *114*
r Orca, -s *134*
e Organisation, -en *145*
r Organist, -en *87*
originell *75*
e Ostküste *133*
e Packung, -en *38*
s Palais, - *144*
e Palatschinke, -n *162*
e Palme, -n *81*
paralysiert *135*
e Parkgebühr, -en *113*
e Parklücke, -n *99*
e Parkmöglichkeit, -en *34*
e Parkuhr, -en *99*
e Partei, -en *112*
s Partizip, -ien *68*
e Partnerprüfung, -en *167*
r Passant, -en *84*
e Pauschalreise, -n *183*
s Pedal, -e *74*
peinlich *94*
s Penicillin *105*
e Pension, -en *46*
per *120*
s Perlhuhn, ¨-er *62*
e Personenbeschreibung, -en *133*
e Persönlichkeit, -en *63*
r Pfannkuchen, - *60*
r Pfau, -en *96*
e Pfeife, -n *146*
pfeifen, pfeift, pfiff, hat gepfiffen *141*
e Pflaume, -n → Pflaumenkuchen
r Pflaumenkuchen, - *44*
pflegen *14*
e Pflicht, -en *146*
pflücken *10*
e Pharmaindustrie *14*
e Philharmonie *144*
r Philharmoniker, - *86*
r Pianist, -en *87*
e Piano-Bar, -s *181*
e Pille, -n *14*
e Piste, -n *19*
r Pizza-Service, -s *94*
e Pizzeria, Pizzerien *181*
r Planet, -en *122*
e Planke, -n *134*
r Plasma-Bildschirm, -e *9*
e Plastik, -en *144*
e Platte, -n → Festplatte Schallplatte, Grillplatte
s Plusquamperfekt *84*
r Pokalsieger, - *43*
politisch *89*
polnisch *167*
s Pony, -s *34*
s Portemonnaie, -s *119*
Portugal *176*
positiv *13*
e Postkarte, -n *145*
r Präsident, -en *23*
e Präsidentenfamilie, -n *59*
e Präsidentin, -nen *23*
r Preis, -e *25, 106*
preisbewusst *64*
s Preisschild, -er *153*
r Preisvergleich, -e *181*
e Pressekonferenz, -en *114*
Preußen *59*
primitiv *144*
r Prinz, -en *59*
e Prinzessin, -nen *128*
s Prinzip, -ien *36*
proben *145*
s Probetraining *34*
e Produktion, -en *67*
professionell *181*
r Professor, -en *115*
r Profi, -s *181*
programmieren *61*
e Programmiererin, -nen *61*
e Programmierung, -en *60*
s Prominententurnier, -e *176*
e Promotion, -en *181*
r Protest, -e *138*
e Prozentzahl, -en *167*
r Prozess, -e *146*
prüfen *177*
r/e Prüfende, -n (ein Prüfender) *188*
r Prüfungskandidat, -en *167*
e Prüfungskandidatin, -nen *188*
r Prüfungspartner, - *188*
e Prüfungspartnerin, -nen *188*
psychiatrisch *132*
psychisch *89*
s Publikum *142*
r Punk, -s *144*
(sich) quälen *54*
e Qualle, -n *133*
quer *159*
e Querstange, -n *74*
e Quizfrage, -n *104*
e Radarkontrolle, -n *176*

e Radtour, -en *46*
r Rahmen, – *141*
raten, rät, riet, hat geraten *18*
r Rathausumbau *112*
ratlos *135*
s Rätsel, – *159*
rätselhaft *132*
raufrennen, rennt rauf, rannte rauf, ist raufgerannt *135*
reagieren *85*
realistisch *117*
e Recherche, -n *110*
e Redensart, -en *97*
r Redner, – *112*
s Referat, -e *156*
e Reform, -en *114*
regeln *114*
regieren *113*
e Regierung, -en ➔ Bundesregierung, Regierungspartei
e Regierungspartei, -en *112*
reichen *84*
reichlich *37*
reif *138*
r Reifen, – *57*
reinigen *120*
e Reisdiät, -en *36*
r Reisebericht, -e *114*
e Reisegeschichte, -n *178*
Reisekosten (pl) *114*
e Reisemöglichkeit, -en *152*
r Reiseprospekt, -e *19* ➔ Prospekt
e Reisetasche, -n *87*
r Reisetermin, -e *190*
e Reiseverbindung, -en *190*
e Reithalle, -en *34*
r Reitkurs, -e *34*
e Reitlehrerin, -nen *35*
e Reitschule, -en *34*
e Reklamation, -en *183*
e Reklame *62*
e Religion, -en *25*
e Reling *134*
e Renaissance *144*
s Rennfahrrad, ¨-er *65*
e Renovierung, -en *59*
r Reparaturservice *181*
e Reparaturwerkstatt, ¨-en *180*
restlich *158*
s Resultat, -e *41*
richten *188*
riesig *123*
ringsum *135*
s Risiko, Risiken *111*
r Roboter, – *72*
e Roboterhand, ¨-e *72*
roh *36*
e Rohkost *36*
s Rollband, ¨-er *99*
rollen *144*
e Rose, -n *132*
e Rückenflosse, -n *134*
rücklings *135*
r Rückruf, -e *119*
e Rücksicht *25*
r Rücksitz, -e *74*
rückwärts *48*
r Ruheraum, ¨-e *34*
r Ruhestand *185*
rund *189*
rund um *181*
r Rundfunk *64*
runter·laden, lädt runter, lud runter, hat runtergeladen *111*
russisch *166*
r Saal, Säle *83*
e Saftbar, -s *34*
e Sahnetorte, -n *117*
e Saison, -s *181*
s Sakrileg, -e *132*
e Salatgurke, -n *154*
e Salbe, -n *51*
r Samstagabend, -e *46*
r Samstagmorgen *46*
sämtlich *111*
r Sand *81*
s Sandwich, -es *181*
e Sanitärtechnik *59*
e Sanitäterin, -nen *33*
r Satellit, -en *109*
e Satire, -n *91*
r Sattel, ¨ *74*
r Satzanfang, ¨-e *105*
e Sauberkeit *98*
e Sauna, Saunen *34*
schaden *62*
r Schaden, ¨ *98*
schaffen, schafft, schuf, hat geschaffen *112*
e Schale, -n *72*
e Schallplatte, -n *65*
s Schaubild, -er *66*
s Schaufelrad, ¨-er *74*
s Schaufenster, – *60*
s Schauspiel, -e *144*
r Schauspieler, – *137*
e Schauspielerin, -nen *143*
e Scheckkarte, -n *119*
sich scheiden lassen, (scheidet, schied, hat geschieden) *106*
e Scheidung, -en *14*
r Schein, -e *84*
scheinbar *147*
scheinen, scheint, schien, hat geschienen *87*
r Scheinwerfer, – *75*
e Schere, -n *97*
r Scherz, -e *90*
r Schiffsboden, ¨ *135*
r Schlafanzug, ¨-e *22*
schlafen gehen, geht schlafen, ging schlafen, ist schlafen gegangen *13*
r Schlag, ¨-e *108*
schlammig *135*
schlank *36*
schlapp *92*
s Schlauchboot, -e *134*
schleudern, ist geschleudert *135*
s Schließfach, ¨-er *34*
schlucken *42*
e Schlussszene, -n *147*
r Schnappschuss, ¨-e *176*
e Schnecke, -n *96*
r Schnellzug, ¨-e *134*
e Schokoladenware, -n *189*
schön *83*
schon einmal *39*
e Schönheit *12*
r Schrankspiegel, – *154*
e Schranktür, -en *154*
schrauben *75*
r Schrei, -e *135*
schreien, schreit, schrie, hat geschrien *88*
e Schublade, -n *119*
s Schuhgeschäft, -e *102*
e Schulausbildung *115*
e Schuld *133*
Schulden (pl) *62*
s Schuldgefühl, -e *147*
schuldig *147*
e Schulstunde, -n *107*
e Schulter, -n *157*
e Schüssel, -n *164*
schütten *11*
r Schutz *111*
e Schwäche, -n *64*
schwanger *61*
r Schwarm, ¨-e *133*
schwarzgrün *135*
s Schwert, -er *134*
r Schwiegersohn, ¨-e *38*
e Schwierigkeit, -en *24*
s Schwimmbecken, – *75*
r Schwimmer, – *133*
e Schwimmflosse, -n *80*
schwitzen *39*
sechsjährig *132*
r Second-Hand-Shop, -s *65*
e See *135*
s Segel, – *74*
sehenswert *143*
seitdem *105*
r Seitenbesen, – *75*
s Seitenruder, – *74*
s Sekretariat, -e *159*
selbe ➔ derselbe *135*
selber *146*
s Selberbauen *74*
selbstbewusst *87*
e Selbstständigkeit *63*
selbstverständlich *159*
r Seminarraum, ¨-e *157*
senden *111*
r Sender, – *161*
e Sendung, -en *91*
senken *64*
senkrecht *135*

r Thriller, – *133*
r Tiefstwert, -e *189*
e Tierart, -en *63*
tierfreundlich *112*
s Tierheim, -e *21*
tierisch *15*
e Tiertrainerin, -nen *62*
tippen *180*
e Tischreservierung, -en *181*
tja *82*
tödlich *132*
tolerant *123*
r Ton, ¨-e *85*
s Törtchen, – *63*
tosen *135*
s Touristenschiff, -e *133*
tragisch *131*
r Trainer, – *34*
e Trainerin, -nen *63*
s Training *62*
r Transfer, -s *183*
r Transport, -e *181*
r Transporter, – *11*
transportieren *180*
r Traumstrand, ¨-e *144*
treffen, trifft, traf, hat getroffen *19, 46, 49*
r Treffpunkt, -e *190*
r Trend, -s *43*
trennbar *165*
(sich) trennen *25*
treten, tritt, trat, hat getreten *84*
treu *106*
e Triangel, -n *85*
s Trinkwasser *133*
r Tsunami, -s *133*
r Tunnel, -s *105*
türkisch *162*
e Türklinke, -n *120*
turnen *43*
überallhin *63*
e Überbevölkerung *15*
r Überblick, -e *134*
überfliegen, überfliegt, überflog, hat überflogen *38*
überhaupt *108, 111, 145*
überhaupt nichts *83*
e Überlegung, -en *58*
überqueren *104*
überraschen *48*
e Überraschungsparty, -s *94*
übersetzen *92*
e Übersetzung, -en *158*
e Übertragung, -en *43*
übertrieben *8*
überwachen *111*
überzeugen *26*
überzeugt *38*
e Überzeugung, -en *39*
übrig *113*
um ... herum *84*
umarmen *159*
r Umbau, -ten *112*
um·bauen *15*
um·drehen *84*
umeinander *157*
umfassen *189*
um·formulieren *122*
umgangssprachlich *134*
um·gehen, geht um, ging um, ist umgegangen *60*
um·klappen *11*
e Umlaufbahn, -en *135*
um·leiten *176*
ums (um das) *178*
sich um·schauen *159*
um·steigen, steigt um, stieg um, ist umgestiegen *152*
e Umwelt *111*
umweltfreundlich *112*
r Umweltminister, – *114*
r Umweltschutz *110*
um·werfen, wirft um, warf um, hat umgeworfen *129*
um·ziehen, zieht um, zog um, ist umgezogen *60*
sich um·ziehen, zieht um, zog um, hat umgezogen *152*
s Umzugsunternehmen, – *26*
unabhängig *61*
unangenehm *183*
unbezahlt *90*
unerwartet *171*
e Unfallanzeige, -n *49*
r Unfallhergang *49*
e Unfallursache, -n *49*
e Unfallversicherung, -en *49*
ungarisch *115*
Ungarn *164*
ungerecht *54*
e Ungerechtigkeit, -en *14*
ungern *164*
ungestört *152*
unglücklich *14*
e Union, -en *113*
e Unmenge, -n *133*
unmöglich *11*
unnatürlich *143*
e UNO *105*
unordentlich *156*
unsicher *111*
unsichtbar *22*
r Unsinn *36*
unsympathisch *85*
unter·bringen, bringt unter, brachte unter, hat untergebracht *26*
untere *119*
e Unterhaltungsliteratur *133*
unterliegen, unterliegt, unterlag, ist unterlegen *159*
r Unternehmer, – *66*
e Unternehmerin, -nen *63*
unterrichten *159*
unterseeisch *133*
unterstützen *117*
e Untersuchung, -en *42*
s Untersuchungsrichteramt, ¨-er *176*
r Untertitel, - *147, 161*
e Unterwäsche *65*
unvernünftig *40*
s Unwetter, – *136*
unwichtig *113*
unzählig *134*
unzufrieden *14*
e Urenkelin, -nen *137*
Urgroßeltern (pl) *88*
r Urlauber, – *177*
r Urlauberjet, -s *176*
r Urlaubsort, -e *109*
s Urteil, -e *134*
e Vaterschaft *146*
vegetarisch *40*
sich verabreden *111*
e Veränderung, -en *110*
r Veranstaltungshinweis, -e *144*
r Veranstaltungskalender, – *144*
verantwortlich *112*
r Verband, ¨-e *51*
(sich) verbessern *73, 106*
e Verbesserung, -en *115*
verbinden, verbindet, verband, hat verbunden *71, 119*
Verbindungsdaten (pl) *111*
s Verbindungskabel, – *71*
s Verbot, -e *84*
r Verbrauch *189*
verbrauchen *108*
r Verbraucher, – *64*
(sich) verbrennen, verbrennt, verbrannte, hat/ist verbrannt *51, 131*
r Verdacht *89*
verdächtigen *133*
verderben, verdirbt, verdarb, hat verdorben *98*
verehrt *87*
r Verein, -e *33*
s Verfahren, – *104*
sich verfahren, verfährt, verfuhr, hat verfahren *153*
e Verfilmung, -en *132*
(sich) verfinstern *134*
verfolgen *147*
e Verfolgungsjagd, -en *132*
verfügbar *120*
e Verfügung, -en *60*
vergangen *87*
vergeblich *122*

Liste der starken und unregelmäßigen Verben in Lagune 3

Weitere → Lagune Kursbuch Band 2, Seite 215

ab · hängen, hängt ab, hing ab, hat abgehangen
ab · schreiben, schreibt ab, schrieb ab, hat abgeschrieben
ab · steigen, steigt ab, stieg ab, ist abgestiegen
ab · waschen, wäscht ab, wusch ab, hat abgewaschen
an · geben, gibt an, gab an, hat angegeben
an · gehen, geht an, ging an, ist angegangen
an · greifen, greift an, griff an, hat angegriffen
an · schließen, schließt an, schloss an, hat angeschlossen
an · schwellen, schwillt an, schwoll an, ist angeschwollen
an · sprechen, spricht an, sprach an, hat angesprochen
auf · essen, isst auf, aß auf, hat aufgegessen
auf · fallen, fällt auf, fiel auf, ist aufgefallen
auf · heben, hebt auf, hob auf, hat aufgehoben
auf · laden, lädt auf, lud auf, hat aufgeladen
auf · nehmen, nimmt auf, nahm auf, hat aufgenommen
auf · reißen, reißt auf, riss auf, hat aufgerissen
auf · sehen, sieht auf, sah auf, hat aufgesehen
auf · steigen, steigt auf, stieg auf, ist aufgestiegen
auf · treten, tritt auf, trat auf, ist aufgetreten
aus · denken, denkt aus, dachte aus, hat ausgedacht
aus · fallen, fällt aus, fiel aus, ist ausgefallen
aus · kommen, kommt aus, kam aus, ist ausgekommen
aus · laden, lädt aus, lud aus, hat ausgeladen
aus · schließen, schließt aus, schloss aus, hat ausgeschlossen
aus · schreiben, schreibt aus, schrieb aus, hat ausgeschrieben
aus · sprechen, spricht aus, sprach aus, hat ausgesprochen
aus · ziehen, zieht aus, zog aus, hat/ist ausgezogen
befahren, befährt, befuhr, hat befahren
begeben, begibt, begab, hat begeben
begehen, begeht, beging, hat begangen
begreifen, begreift, begriff, hat begriffen
beißen, beißt, biss, hat gebissen
bereit · liegen, liegt bereit, lag bereit, hat bereitgelegen
beschließen, beschließt, beschloss, hat beschlossen
besitzen, besitzt, besaß, hat besessen
betragen, beträgt, betrug, hat betragen
beziehen, bezieht, bezog, hat bezogen
brechen, bricht, brach, hat/ist gebrochen
dazwischen · kommen, kommt dazwischen, kam dazwischen, ist dazwischengekommen
dringen, dringt, drang, ist gedrungen
durch · fahren, fährt durch, fuhr durch, ist durchgefahren
ein · brechen, bricht ein, brach ein, ist eingebrochen
ein · gehen, geht ein, ging ein, ist eingegangen
ein · nehmen, nimmt ein, nahm ein, hat eingenommen
ein · schließen, schließt ein, schloss ein, hat eingeschlossen
ein · treten, tritt ein, trat ein, ist eingetreten
empfangen, empfängt, empfing, hat empfangen
entlassen, entlässt, entließ, hat entlassen
entsprechen, entspricht, entsprach, hat entsprochen
erbrechen, erbricht, erbrach, hat erbrochen
ergeben, ergibt, ergab, hat ergeben
erscheinen, erscheint, erschien, ist erschienen
frieren, friert, fror, hat gefroren
gelten, gilt, galt, hat gegolten
heraus · kommen, kommt heraus, kam heraus, ist herausgekommen
herunter · fallen, fällt herunter, fiel herunter, ist heruntergefallen
hinaus · sehen, sieht hinaus, sah hinaus, hat hinausgesehen
hinein · fallen, fällt hinein, fiel hinein, ist hineingefallen
hinein · gehen, geht hinein, ging hinein, ist hineingegangen
hin · fallen, fällt hin, fiel hin, ist hingefallen
hin · sehen, sieht hin, sah hin, hat hingesehen
hoch · halten, hält hoch, hielt hoch, hat hochgehalten
hoch · heben, hebt hoch, hob hoch, hat hochgehoben
leiden, leidet, litt, hat gelitten
missverstehen, missversteht, missverstand, hat missverstanden
mit · singen, singt mit, sang mit, hat mitgesungen
nach · denken, denkt nach, dachte nach, hat nachgedacht
nach · sehen, sieht nach, sah nach, hat nachgesehen

pfeifen, pfeift, pfiff, hat gepfiffen
runter · laden, lädt runter, lud runter, hat runtergeladen
schaffen, schafft, schuf, hat geschaffen
scheiden, scheidet, schied, hat geschieden
scheinen, scheint, schien, hat geschienen
schreien, schreit, schrie, hat geschrien
treten, tritt, trat, hat / ist getreten
überfliegen, überfliegt, überflog, hat überflogen
um · gehen, geht um, ging um, ist umgegangen
um · steigen, steigt um, stieg um, ist umgestiegen
um · werfen, wirft um, warf um, hat umgeworfen
um · ziehen, zieht um, zog um, hat / ist umgezogen
unterliegen, unterliegt, unterlag, ist unterlegen
unter · bringen, bringt unter, brachte unter, hat untergebracht
verbrennen, verbrennt, verbrannte, hat / ist verbrannt
verderben, verdirbt, verdarb, hat verdorben
verfahren, verfährt, verfuhr, hat verfahren
vergehen, vergeht, verging, ist vergangen
verhalten, verhält, verhielt, hat verhalten
verklingen, verklingt, verklang, ist verklungen
verleihen, verleiht, verlieh, hat verliehen
verschlafen, verschläft, verschlief, hat verschlafen
verschließen, verschließt, verschloss, hat verschlossen
verschreiben, verschreibt, verschrieb, hat verschrieben
voran · kommen, kommt voran, kam voran, ist vorangekommen
voraus · sehen, sieht voraus, sah voraus, hat vorausgesehen
vorbei · gehen, geht vorbei, ging vorbei, ist vorbeigegangen
vorbei · kommen, kommt vorbei, kam vorbei, ist vorbeigekommen
vor · gehen, geht vor, ging vor, ist vorgegangen
vorliegen, liegt vor, lag vor, hat vorgelegen
vor · nehmen, nimmt vor, nahm vor, hat vorgenommen
vor · ziehen, zieht vor, zog vor, hat vorgezogen
weg · lassen, lässt weg, ließ weg, hat weggelassen
weg · nehmen, nimmt weg, nahm weg, hat weggenommen
weiter · schieben, schiebt weiter, schob weiter, hat weitergeschoben
wenden, wendet, wandte, hat gewandt
werben, wirbt, warb, hat geworben
wieder · finden, findet wieder, fand wieder, hat wiedergefunden
zerreißen, zerreißt, zerriss, hat zerrissen
zerschneiden, zerschneidet, zerschnitt, hat zerschnitten
ziehen, zieht, zog, hat / ist gezogen
zu · geben, gibt zu, gab zu, hat zugegeben
zu · kommen, kommt zu, kam zu, ist zugekommen
zu · laufen, läuft zu, lief zu, ist zugelaufen
zu · nehmen, nimmt zu, nahm zu, hat zugenommen
zurück · lassen, lässt zurück, ließ zurück, hat zurückgelassen
zurück · weichen, weicht zurück, wich zurück, ist zurückgewichen
zurück · ziehen, zieht zurück, zog zurück, hat zurückgezogen
zu · rufen, ruft zu, rief zu, hat zugerufen
zusammen · bleiben, bleibt zusammen, blieb zusammen, ist zusammengeblieben
zusammen · kommen, kommt zusammen, kam zusammen, ist zusammengekommen
zusammen · schlagen, schlägt zusammen, schlug zusammen, hat / ist zusammengeschlagen
zusammen · treffen, trifft zusammen, traf zusammen, ist zusammengetroffen
zusammen · wachsen, wächst zusammen, wuchs zusammen, ist zusammengewachsen
zu · treffen, trifft zu, traf zu, hat zugetroffen

Quellenverzeichnis

Umschlagbild © Getty Images/Jean-Pierre Pieuchot
Umschlagkarte U2 © www.cartomedia-karlsruhe.de
Umschlagkarte U3 © www.cartomedia-karlsruhe.de

Seite 7: alter Mann © Thomas Aichinger/Outdoor-Archiv; Badewanne © Voller Ernst/Elena Toth; Trambahn © irisblende.de; Ufo © Friedrich Stark; Liegestuhl © Bildunion/Christian Schierig; Dachgepäck © Stockbyte; Taucher © Bildagentur-online/Design Pics; Plasmabildschirm © Caro/Jandke; Steckdose © Hueber Verlag/ Hartmut Aufderstraße; Kinderwagen © Thomas Spiessl
Seite 11: oben rechts © Alexander Keller; Brand © Visum/Michael Klein; Wasserschaden © Getty Images/ Steven Puetzer; Autopanne © ullstein/Imagebroker.net; Katze © Hueber Verlag/Roland Koch
Seite 12: © Thomas Spiessl
Seite 15: © Heribert Mühldorfer
Seite 16: A,B,D © Heribert Mühldorfer; C © Gerd Pfeiffer, München; E © Hueber Verlag/Roland Koch
Seite 17: rechts © Hueber Verlag/Anahid Bönzli; links © Hueber Verlag/Roland Koch, 2. + 3. von links © Heribert Mühldorfer
Seite 18: © Hueber Verlag/Werner Bönzli
Seite 19: © Thomas Spiessl
Seite 28: © Thomas Spiessl
Seite 29: © Wolfgang Korall
Seite 31: Wanderung © Bildagentur-online; Fitnessstudio © Superbild/Phanie; Schlemmen © Superbild/B. S. I. P.; Sprint © irisblende.de; Gemüseteller © BilderBox.com; Fußball © picture-alliance/dpa; Grippe © Bildagenturonline/Begsteiger; Kühlschrank © Getty Images/Blasius Erlinger; Pool © Getty Images/Terje Rakke
Seite 34: © Thomas Spiessl
Seite 39: © mauritius images/Radius Images
Seite 40: © Heribert Mühldorfer
Seite 41: © Heribert Mühldorfer
Seite 42: © Heribert Mühldorfer
Seite 43: © ullstein bild/CARO/Oberheide
Seite 48: 6 © Jens Schicke; 1-5 © Thomas Spiessl
Seite 49: © Finest Images
Seite 50: 1 © lokomotiv/Thomas Willemsen; 2 © alimdi.net/Ulrich Niehoff; 3 © Juniors Bildarchiv; 4 © Ulrich Brinkhoff; 5 © Getty Images/Terje Rakke; 6 © mediacolors/dia; 7 © mediacolors/dia; 8 © Okapia/Peter Arnold; 9 © Caro/Sorge; 10 © vario images; 11 © mauritius images/imagebroker.net; 12 © Stock4B/Stephan Hoeck; 13 © Getty Images/Peter Hince; 14 © Getty Images/Henrik Sorensen; 15 © Superbild/Marco_Polo; Inhalt Handtasche © Hueber Verlag/Roland Koch
Seite 51: © mediacolors/dia
Seite 52: © Wolfgang Korall
Seite 53: © Okapia/Hans Reinhard
Seite 55: Fahrrad © Getty Images/Krzysztof Dydynski; 1 Euro © BilderBox/Erwin Wodicka; Streik © picture-alliance/dpa; Poolbar © laif/Hemispheres; Massage © Superbild/BSIP; Preistafel © Visum/Kai Remmers; Gemälde © Bildagentur-online/TIPS/Alberto Ruggieri; Konferenz © mauritius images/age; Handwerker © irisblende.de; Perlhuhn © mauritius images/imagebroker.net
Seite 58: © irisblende.de
Seite 59: Bellevue + Eiffelturm © MEV; Big Ben © PantherMedia/jez; Kolosseum © Creatas Images
Seite 60: © MEV
Seite 61: © Superbild/BSIP
Seite 63: rechts © Wolfgang Korall; links © Heribert Mühldorfer
Seite 64: oben © ANTENNE BAYERN; unten © Thinkstock
Seite 65: oben © PantherMedia/Daniel P.; unten © blickwinkel/mm-images
Seite 66: oben © ANTENNE BAYERN; Statistik © Kraftfahrt-Bundesamt/Jahresbericht 2005

Seite 67: © IG Metall, Verwaltungsstelle Hannover
Seite 71: oben © Hueber Verlag; 1 + 3 © www.canon.de; 2 + 4 + 5 © 2007 Dell Inc. GmbH, Unterschweinstiege 10, 60549 Frankfurt am Main; 6 © PantherMedia/Marc D.; 7 © MEV; 8 © PantherMedia/jeanette A.
Seite 76: © Wolfgang Korall
Seite 77: © Ben Behnke
Seite 79: Regenschirm © PantherMedia/Michaela S.; Palmen © irisblende.de; Otto © ullstein bild/C.T. Fotostudio; Beethoven © PantherMedia/Thomas N.; lachende Menschen © Thinkstock/iStock/Scott Griessel; Fußgängerzone © ullstein bild/IVB-Report; Hund © Glow Images/Natural Moments Photography LTD; Tomaten © PantherMedia/Robert K.; Cartoonist © Martin Guhl; Tiger © PantherMedia/Elke K.; Telefon © Corbis/zefa/Schultheiss Productions
Seite 84: © Polizei Bayern, Pressestelle des Polizeipräsidiums München
Seite 87: Beethoven © A1PIX/HAG; Hellmesberger © Gerhard Trumler, Wien; Mahler © Gustav Mahler (1860–1911) by Wagner, Anton (1834–1895)/The Bridgeman Art Library; Slezak © HIPP-FOTO
Seite 88: © Heribert Mühldorfer
Seite 89: © Heribert Mühldorfer
Seite 90: © Heribert Mühldorfer
Seite 91: oben Bild © plainpicture/Deepol; Fernseher © JVC Deutschland GmbH; Mr Bean © picture-alliance/dpa
Seite 100: © picture-alliance/ZB
Seite 101: © Voller Ernst/Gerd Pfeiffer
Seite 103: Maueröffnung © Caro/Kaiser; Moderner Haushalt © Getty Images/Peathegee Inc; Weltraum © NASA; Dinosaurier © Juniors Tierarchiv/Sunset; Phonograph © AKG-Images; Eisberg © Die Bildstelle; Roboter © Fraunhofer; Oldtimer © AKG-Images; Wahrsagerin © Thomas Spiessl
Seite 104: Fußabdruck Mond © NASA; Maueröffnung © Landesarchiv Berlin; Landung Kolumbus © AKG-Images; Historische Druckerei © The Bridgeman Art Library; Flugzeug © Ulrich Baumgarten/Vario Images; Der Adler © TV-Yesterday
Seite 107: © mauritius images/Haag + Kropp
Seite 108: Mann © Fotolia/Markus Hofmann; VW-Käfer © Dirk v. Mallinckrodt/alimdi.net; Fernseher, Mobiltelefon u. Videorekorder © TV-Yesterday; Computer © Hueber Verlag/Hartmut Aufderstraße
Seite 109: Foto © Gerda Vollmeyer/alimdi.net
Seite 111: Hueber Verlag
Seite 112: © Bildagentur-online
Seite 113: Foto © Pressedienst Hörnlein
Seite 114: Hueber Verlag
Seite 115: © Heribert Mühldorfer
Seite 120: © Getty Images/Peathegee Inc
Seite 121: Solarhaus © image trust/Markus Matzel; Burj Al Arab HotelDubai © www.bilderbox.de; Unterwasserhotel © Johannes Kroemer/VISUM; Wohnmobil © Volkner Mobil GmbH; Baumhaus © Neal Preston/CORBIS Erdhaus © Roland Marske/Voller Ernst
Seite 124: © AKG-Images
Seite 125: ©Ashley Cooper/CORBIS
Seite 127: Paar im Theater © Annette Hauschild/OSTKREUZ; Holzschnitzerei © Hueber Verlag/Kirschstein; Filmausschnitt „Der Name der Rose" © dpa Picture-Alliance; Kunstwerk © Philippe Lissac/Godong/ Corbis; Frau mit Opernglas © image100/Corbis; Mann und Polizist © Barbara Aumüller; Leadsänger Tokiohotel © AFP/Getty Images; Zeitungsleser © Siegfried Steinach/Voller Ernst; Krabbe © Picture Press/MINDEN PICTURES/Tui De Roy
Seite 132: Buchcover © Thomas Harris, Das Schweigen der Lämmer © Heyne Verlag,München; Umberto Eco, Der Name der Rose © 1986 Deutscher Taschenbuch Verlag, München; Peter Hoeg, Fräulein Smillas Gespür für Schnee © Rowohlt Verlag; Originaltitel Jurassic-Park, Originalverlag Alfred A. Knopf, Aus dem Englischen von Klaus Berr © Goldmann-Tachenbuch 46437/8,95 [D]; Dan Brown, Sakrileg © 2004-6 by Verlagsgruppe Lübbe GmbH & Co. KG. Gladbach; Stephen King, Shining, © 2004-6 by Verlagsgruppe Lübbe GmbH & Co. KG, Gladbach
Seite 133: Foto © Paul Schmitz; Buchcover © 2004 by Kiepenheuer & Witsch Köln
Seite 135: Text aus: *Der Schwarm* von Frank Schätzing © 2004 by Kiepenheuer & Witsch Köln
Seite 136: Buchmesse © Frankfurter Buchmesse/Hirth; Salzburger Festspiele © Clärchen Baus-Mattar & Matthias Baus; eingestürzte Installation © Ullstein Bild – Thomas Rosenthal; Wiener Opernball © Glowimages/Itzak Newmann; Kunstwerk auf Straße © OSTKREUZ/Frank Schinski; Bayreuther Festspiele © Feldrapp

Seite 137: © Heribert Mühldorfer
Seite 138: © Heribert Mühldorfer
Seite 139: oben © Christian Florio Bézenac; unten © Hueber Verlag/Hartmut Aufderstraße
Seite 146: alle Fotos © Barbara Aumüller; Text aus: Friedrich Dürrenmatt *Der Besuch der alten Dame* Copyright © 1986 Diogenes Verlag AG Zürich
Seite 147: Foto © Barbara Aumüller
Seite 148: © AFP/Getty Images
Seite 149: © Thomas Einberger/argum
Seite 151: Kanufahrer © Thorsten Jochim/STOCK4B; Kabinen © intro; Begrüßungskuss © Thinkstock/Creatas; Jugendliche © Fotolia; Taucher © OKAPIA KG, Germany; Straßensperre © plainpicture/Lobster; Unterricht, Prüfung, Restaurant © Hueber Verlag
Seite 156: © Thinkstock/iStock
Seite 157: © Vario Images
Seite 159: © PantherMedia
Seite 160: © Allan Richard Tobis/Creativ Fotostudio/
Seite 161: Übung 2 © Heribert Mühldorfer; links oben © Photodisc; links Mitte © Bildunion/Christian Köhler; links unten © PantherMedia/E. Teister; rechts oben © superjuli; rechts Mitte © irisblende.de/Hueber Verlag; rechts unten © PantherMedia/H. Strasser
Seite 162: © Hueber Verlag
Seite 163: © Heribert Mühldorfer
Seite 167: © Hueber Verlag
Seite 168: © bilderbox
Seite 169: Fahrkartenautomat © MVG-München; Verkehrszeichen © Fotolia
Seite 170: Polizist und Punk © argus/Scholz; Treffpunkt © Imagepoint; Wüste © Imagepoint; Pantomime © Imagepoint; Anhalterin © Getty Images/Stockbyte; Mongole © imago stock&people/Xinhua; Rolltreppe © F1-Online/David Muscroft/AGE; Reiter © PHILIPPE HAYS/Still Pictures; Spaziergänger © Coverpicture
Seite 172: © Simon Marcus/Corbis
Seite 173: © Vario Images
Seite 176: Lotto © Staatliche TOTO-LOTTO GmbH Baden-Württemberg; Flughafen © irisblende.de
Seite 178: Buchcover Am Südpol, denkt man, ist es heiß, Elke Heidenreich, mit Bildern von Quint Buchholz © 1998 Carl Hanser Verlag, München
Seite 189: Statistik © Bundesverband der Deutschen Süsswarenindustrie e.V. (BDSI)

Lösung von Lerneinheit 20, Übung 2:
hungrig wie ein Wolf, eitel wie ein Pfau, wütend wie ein Stier, leise wie eine Katze, schmutzig wie ein Schwein, stumm wie ein Fisch, schlau wie ein Fuchs, langsam wie eine Schnecke, stark wie ein Bär, ängstlich wie ein Hase

Lösung von Lerneinheit 20, Übung 4:
Ein blindes Huhn findet auch mal ein Korn.
Wer anderen eine Grube gräbt, fällt selbst hinein.
Ende gut, alles gut.
Wer zuletzt lacht, lacht am besten.
Man soll den Tag nicht vor dem Abend loben.
Der Apfel fällt nicht weit vom Stamm.
In der Not frisst der Teufel Fliegen.
Reden ist Silber, Schweigen ist Gold.
Morgenstund' hat Gold im Mund.
Durch Schaden wird man klug.

Übersicht der Tracks

Track | Lerneinheit | Übung

Track	Lerneinheit	Übung	Titel
2	4	1	Gedanken an der Lagune
3	4	2	Liebesqualen
4	4	3	Wem könnte der Hund gehören?
5	9	1	Vier Fischer
6	9	2	Das Pferd und der Pfarrer
7	9	3	Das Bild mit dem Bach
8	9	4	Wenn wir Bären wären …
9	9	5	„Wie geht es Onkel Franz?“
10	9	7	Eine Radtour mit Überraschungen
11	14	1	Hören Sie „d“ oder „t“, „b“ oder „p“, „g“ oder „k“?
12	14	2	Welche Silbe ist betont? *a.*
13			*b.*
14	14	4	„Endlich Feierabend!“
15	19	1	„M“ und „n“ *a.*
16			*b.*
17	19	2	Zungenbrecher *a.*
18			*b.*
19	19	3	Es ihm – ihn ihr – …
20	19	4	Überraschender Besuch
21	24	1	Hochzeit
22	24	2	Hilde holt heute …
23	24	3	Vor dem Haus
24	24	4	Zehn Lehrer – fünfzehn Söhne
25	24	5	Vor der Wahl
26	24	6	Nach der Wahl
27	24	7	„Weißt du eigentlich, was aus Klaus geworden ist?“
28	24	8	„Würden Sie mich bitte mit Herrn Lehr verbinden?“
29	24	9	„Weißt du, wo der Autoschlüssel sein kann?“
30	29	1	Aussage oder Frage?
31	29	2	Ein Kunstwerk wurde aufgegessen.
32	29	3	Der Opa grillt …
33	29	4	„Hat dir denn das Festival gefallen?“
34	34	1	Leicht zu verwechseln *a.*
35			*b.*
36	34	2	Setzen oder sitzen?
37	34	3	Buchstabenspiele
38	34	5	„Sprechen Sie Deutsch?“
39	34	6	Beispiel für eine mündliche Zertifikatsprüfung
40			Übungstest Hören Teil 1
41			Übungstest Hören Teil 2
42			Übungstest Hören Teil 3

Die CD enthält alle Hörtexte der Teile „Fokus Sprechen“ und des Übungstests. Gesamtlaufzeit: 46 Minuten

Aufnahme und Produktion: Tonstudio Langer
Für die musikalische Beratung bei der Titelmusik bedanken wir uns bei Dafydd Bullock, Luxemburg.

Sprecherinnen und Sprecher: Ulrike Arnold, Jaqueline Belle, Maxi Belle, Konrad Baumann, Sabine Bohlmann, Maria Böhme, Andreas Borcherding, Alisa Eiber, Manfred Erdmann, Tanja Frehse, Karolin Guthke, Benedikt Gutjan, Christoph Jablonka, Harriet Kracht, Crock Krumbiegel, Ruth Küllenberg, Hubertus v. Lerchenfeld, Claudia Lössl, Niko Macoulis, Marieke Oeffinger, Thomas Rauscher, Manuela Renard, Jakob Riedl, Manfred Schmidt, Manuel Straube, Helga Trümper, Margit Weinert und andere.